QUAND UN ROI PERD LA FRANCE

Maurice Druon est né à Paris en 1918. Après de brillantes études secondaires (il est lauréat du Concours général), il entre à l'Ecole des Sciences politiques.
Aspirant sorti de l'Ecole de cavalerie de Saumur en 1940, il s'évade de France en 1942 pour rejoindre les Forces Françaises Libres à Londres. C'est là qu'il écrit avec son oncle Joseph Kessel les paroles du Chant des Partisans *(1943) dont la musique est d'Anna Marly. Il sera correspondant de guerre jusqu'à la fin des hostilités.*
Romancier, essayiste, historien, Maurice Druon a publié à partir de 1946 plus de vingt-cinq ouvrages, traduits dans le monde entier. Les plus connus sont la trilogie des Grandes Familles *dont le premier tome a reçu le Prix Goncourt en 1948 (les deux autres titres sont* La Chute des corps *et* Rendez-vous aux enfers*), le cycle des* Rois maudits *(sept volumes),* Les Mémoires de Zeus, La Volupté d'être *(dont a été tiré une pièce :* La Contessa*),* Alexandre le Grand*. Grand Prix littéraire de Monaco pour l'ensemble de son œuvre, en 1966, élu à l'Académie française la même année, à quarante-huit ans, Maurice Druon a été ministre des Affaires culturelles en 1973-1974. Député de Paris en mars 1978.*

Dans ce nouveau chapitre des « Rois maudits », Maurice Druon retrace le règne de Jean II au milieu du XIVᵉ siècle. L'Histoire a surnommé ce roi « Jean le Bon », mais ce monarque fut, en fait, aussi vaniteux et cruel qu'indécis et incapable. La France est à l'époque en crise : les clans et les factions se disputent le pays, l'Angleterre revendique le royaume, l'inflation est galopante, les impôts sont écrasants, l'Eglise traverse une grave crise dogmatique et morale, la peste ravage le pays et le roi accumule les erreurs. On suit, à travers le récit d'un haut personnage de l'époque, le cardinal Talleyrand-Périgord, légat pontifical, l'évolution du règne. Une épopée malheureuse et sanglante qui va mener le roi, après avoir négligé une paix qui lui était avantageuse, au désastre de la bataille de Poitiers où il sera fait prisonnier des Anglais.

ŒUVRES DE MAURICE DRUON

MAURICE DRUON

de l'Académie française

LES ROIS MAUDITS

VII

Quand un roi perd la France

ROMAN HISTORIQUE

LE LIVRE DE POCHE

« *Notre plus longue guerre, la guerre de Cent Ans, n'a été qu'un débat judiciaire, entrecoupé de recours aux armes.* »

PAUL CLAUDEL

JE TIENS A REMERCIER TRÈS VIVEMENT M. JACQUES SUFFEL DE L'AIDE QU'IL M'A DONNÉE POUR ÉTABLIR LA DOCUMENTATION DE CET OUVRAGE, ET JE VEUX EXPRIMER ÉGALEMENT MA RECONNAISSANCE A LA DIRECTION DE LA BIBLIOTHÈQUE NATIONALE ET A LA DIRECTION DES ARCHIVES DE FRANCE.

SOMMAIRE

Deuxième Partie

LE BANQUET DE ROUEN

Troisième Partie

LE PRINTEMPS PERDU

Quatrième Partie

L'ÉTÉ DES DÉSASTRES

INTRODUCTION

LES tragédies de l'Histoire révèlent les grands hommes : mais ce sont les médiocres qui provoquent les tragédies.

Au début du XIVe siècle, la France est le plus puissant, le plus peuplé, le plus actif, le plus riche des royaumes chrétiens, celui dont les interventions sont redoutées, les arbitrages respectés, la protection recherchée. Et l'on peut penser que s'ouvre pour l'Europe un siècle français.

Qu'est-ce donc qui fait, quarante ans après, que cette même France est écrasée sur les champs de bataille par une nation cinq fois moins nombreuse, que sa noblesse se partage en factions, que sa bourgeoisie se révolte, que son peuple succombe sous l'excès de l'impôt, que ses provinces se détachent les unes des autres, que des bandes de routiers s'y livrent au ravage et au crime, que l'autorité y est bafouée, la monnaie dégradée, le commerce paralysé, la misère et l'insécurité partout installées ? Pourquoi cet écroulement ? Qu'est-ce donc qui a retourné le destin ?

C'est la médiocrité. La médiocrité de quelques rois, leur infatuation vaniteuse, leur légèreté aux affaires, leur inaptitude à bien s'entourer, leur nonchalance, leur présomption, leur incapacité à concevoir de grands desseins ou seulement à poursuivre ceux conçus avant eux.

Rien ne s'accomplit de grand, dans l'ordre politique, et rien ne dure, sans la présence d'hommes dont le génie, le caractère, la volonté inspirent, rassemblent et dirigent les énergies d'un peuple.

Tout se défait dès lors que des personnages insuffisants se succèdent au sommet de l'Etat. L'unité se dissout quand la grandeur s'effondre.

La France, c'est une idée qui épouse l'Histoire, une idée volontaire qui, à partir de l'an mille, habite une famille régnante et qui se transmet si opiniâtrement de père à fils que la primogéniture dans la branche aînée devient rapidement une légitimité suffisante.

La chance, certes, y eut sa part, comme si le destin voulait favoriser, à travers une dynastie robuste, cette nation naissante. De l'élection du premier Capétien à la mort de Philippe le Bel, onze rois seulement en trois siècles et quart, et chacun laissant un héritier mâle.

Oh ! tous ces souverains ne furent pas des aigles. Mais, presque toujours, à l'incapable ou à l'infortuné succède immédiatement, comme par une grâce du Ciel, un monarque de haute stature ; ou bien un grand ministre gouverne aux lieu et place d'un prince défaillant.

La toute jeune France manque de périr dans les mains de Philippe Iᵉʳ, homme de petits vices et de vaste incompétence. Survient alors le gros Louis VI, l'infatigable, qui trouve, à son avènement, un pouvoir menacé à cinq lieues de Paris, et le laisse, à sa mort, restauré ou établi jusques aux Pyrénées. L'incertain, l'inconséquent Louis VII engage le royaume dans les désastreuses aventures d'outre-mer ; mais l'abbé Suger maintient, au nom du monarque, la cohésion et l'activité du pays.

Et puis la chance de la France, chance répétitive, c'est d'avoir ensuite, répartis entre la fin du XIIᵉ siècle et le début du XIVᵉ, trois souverains de génie ou d'exception, chacun servi par une assez longue durée au trône — quarante-trois ans, quarante et un ans, vingt-neuf ans de règne — pour que son dessein principal devienne irréversible. Trois hommes de nature et de vertus bien différentes, mais tous trois très au-dessus du commun des rois.

Philippe Auguste, forgeron de l'Histoire, commence, autour et au-delà des possessions royales, à sceller réellement l'unité de la patrie. Saint Louis, illuminé par la piété, commence d'établir, autour de la justice royale, l'unité du droit. Philippe le Bel, gouvernant supérieur, commence d'imposer, autour de l'administration royale, l'unité de l'Etat. Aucun n'eut pour souci premier de plaire, mais celui d'être agissant et efficace. Chacun dut avaler l'amer breuvage de l'impopularité. Mais ils furent plus regrettés après leur mort qu'ils n'avaient été, de leur vivant, décriés, moqués ou haïs. Et surtout ce qu'ils avaient voulu se mit à exister.

Une patrie, une justice, un Etat : les fondements définitifs d'une nation. La France, avec ces trois suprêmes artisans de l'idée française, était sortie du temps des virtualités. Consciente de soi, elle s'affirmait dans le monde occidental comme une réalité indiscutable et rapidement prééminente.

Vingt-deux millions d'habitants, des frontières bien gardées, une armée rapidement mobilisable, des féodaux maintenus dans l'obéissance, des circonscriptions administratives assez exactement contrôlées, des routes sûres, un commerce actif ; quel autre pays chrétien peut alors se comparer à la France, et lequel ne l'envie pas ? Le peuple se plaint, certes, de sentir sur lui une main qu'il juge trop ferme ; il gémira bien plus quand il sera livré à des mains trop molles ou trop folles.

Avec la mort de Philippe le Bel, soudain, c'est la brisure. La longue chance successorale est épuisée.

Les trois fils du Roi de Fer défilent au trône sans laisser de descendance mâle. Nous avons conté précédemment les drames que connut alors la cour de France, autour d'une couronne mise et remise aux enchères des ambitions.

Quatre rois au tombeau en l'espace de quatorze ans ; il y a de quoi consterner les imaginations ! La France n'était pas habituée de courir si souvent à Reims. Le tronc de l'arbre capétien est comme foudroyé. Et ce n'est pas de voir la couronne glisser à la branche Valois, la branche agitée, qui va rassurer personne. Princes ostentatoires, irréfléchis, d'une présomption énorme, tout en gestes et sans profondeur, les Valois s'imaginent qu'il leur suffit de sourire pour que le royaume soit heureux. Leurs devanciers confondaient leur personne avec la France. Eux confondent la France avec l'idée qu'ils se font d'eux-mêmes. Après la malédiction des trépas rapides, la malédiction de la médiocrité.

Le premier Valois, Philippe VI, qu'on appelle « le roi trouvé », autrement dit le parvenu, n'a pas su en dix ans bien assurer son pouvoir puisque c'est au bout de ce temps que son cousin germain, Edouard III d'Angleterre, se décide à rouvrir la querelle dynastique ; il se déclare en droit roi de France, ce qui lui permet de soutenir, en Flandre, en Bretagne, en Saintonge, en Aquitaine, tous ceux, villes ou seigneurs, qui ont à se plaindre du nouveau règne. En face d'un plus efficace monarque, l'Anglais eût sans doute continué d'hésiter.

Pas davantage, Philippe de Valois n'a su repousser les périls ; sa flotte est détruite à l'Ecluse par la faute d'un amiral choisi, sans doute, pour sa méconnaissance de la mer ; et lui-même, le roi, erre à travers champs, au soir de Crécy, pour avoir laissé ses troupes à cheval charger par-dessus leur propre infanterie.

Quand Philippe le Bel instituait des impôts dont on lui faisait grief, c'était afin de mettre la France en état de défense. Quand Philippe de Valois exige des taxes plus lourdes encore, c'est pour payer le prix de ses défaites.

Dans les cinq dernières années de son règne, le cours des monnaies sera modifié cent soixante fois ; l'argent perdra les trois quarts de sa valeur. Les denrées, vainement taxées, atteignent des prix vertigineux. Une inflation sans précédent rend les villes grondantes.

Lorsque les ailes du malheur tournent au-dessus d'un pays, tout s'en mêle, et les calamités naturelles s'ajoutent aux erreurs des hommes.

La peste, la grande peste, partie du fond de l'Asie, frappe la France plus durement qu'aucune région d'Europe. Les rues des villes sont des mouroirs, les faubourgs, des charniers. Ici un quart de la population, ailleurs un tiers succombent. Des villages entiers disparaissent dont il ne restera, parmi les friches, que des masures ouvertes au vent.

Philippe de Valois avait un fils que la peste, hélas ! épargna.

Il restait à la France quelques degrés à descendre dans la ruine et la détresse ; ce sera l'œuvre de celui-là, Jean II, dit par erreur le Bon.

Cette lignée de médiocres fut tout près de faire écarter, dès le Moyen Age, un système qui confiait à la nature de produire, au sein d'une même famille, le détenteur du pouvoir souverain. Mais les peuples sont-ils plus souvent gagnants à la loterie des urnes qu'à celle des chromosomes ? Les foules, les assemblées, même les collèges restreints ne se trompent pas moins que la nature ; et la providence, de toute manière, est avare de grandeur.

PREMIÈRE PARTIE

LES MALHEURS
VIENNENT DE LOIN

I

LE CARDINAL DE PÉRIGORD PENSE...

J'AURAIS dû être pape. Comment ne pas penser et repenser que, par trois fois, j'ai tenu la tiare entre mes mains ; trois fois ! Tant pour Benoît XII que pour Clément VI, ou que pour notre actuel pontife, c'est moi, en fin de lutte, qui ai décidé de la tête sur laquelle la tiare serait posée. Mon ami Pétrarque m'appelle le faiseur de papes... Pas si bon faiseur que cela, puisque ce ne put jamais être sur la mienne. Enfin, la volonté de Dieu... Ah ! l'étrange chose qu'un conclave ! Je crois bien que je suis le seul des cardinaux vivants à en avoir vu trois. Et peut-être en verrai-je un quatrième, si notre Innocent VI est aussi malade qu'il se plaint de l'être...

Quels sont ces toits là-bas ? Oui, je reconnais, c'est l'abbaye de Chancelade, dans le vallon de la Beauronne... La première fois, certes, j'étais trop jeune. Trente-trois ans, l'âge du Christ ; et cela se murmurait en Avignon, dès qu'on sut que Jean XXII... Seigneur, gardez son âme dans votre sainte lumière ; il fut mon bienfaiteur... ne se relèverait pas. Mais les cardinaux n'allaient pas élire le plus jeunot d'entre leurs frères ; et c'était raisonnable, je le confesse volontiers. Il faut en cette charge l'expérience que j'ai acquise depuis. Tout de même, j'en possédais assez, déjà, pour ne point m'enfler la tête de vaines illusions... En faisant suffisamment chuchoter aux Italiens que jamais, jamais, les cardinaux français ne voteraient pour Jacques Fournier, j'ai réussi à précipiter leurs votes sur lui, et à le faire élire à l'unanimité. « Vous avez élu un âne ! » C'est le remerciement qu'il nous a crié sitôt son nom proclamé. Il connaissait ses insuffisances. Non, pas un âne ; pas un lion non plus. Un bon général d'Ordre, qui avait assez bien su se faire obéir, à la tête des chartreux. Mais diriger l'entière chrétienté... trop minutieux, trop tatillon, trop inquisiteur. Ses réformations, finalement, ont fait plus de mal que de bien. Seulement, avec lui, on était absolument certain que le Saint-Siège ne retournerait pas à Rome. Sur ce point-là, un mur, un roc... et c'était l'essentiel.

La seconde fois, au conclave de 1342... ah ! la seconde fois, j'aurais eu toutes mes chances si... si Philippe de Valois n'avait pas voulu faire élire son chancelier, l'archevêque de Rouen. Nous, les Périgord, nous avons toujours été obéissants à la couronne de France. Et puis, comment aurais-je pu continuer d'être le chef du parti français si j'avais prétendu m'opposer au roi ? D'ailleurs Pierre Roger a été un grand pape, le meilleur à coup sûr de ceux que j'ai servis. Il suffit de voir ce qu'est devenue Avignon avec lui, le palais qu'il a fait construire, et ce grand afflux de lettrés, de savants et d'artistes... Et puis, il a réussi à acheter Avignon. Cette négociation-là, c'est moi qui l'ai faite, avec la reine de Naples ; je peux bien dire que c'est mon œuvre. Quatre-vingt mille florins, ce n'était rien, une aumône. La reine Jeanne avait moins besoin d'argent que d'indulgences pour tous ses mariages successifs, sans parler de ses amants.

Sûrement, l'on a mis à mes chevaux de somme des harnais neufs. Ma litière manque de moelleux. C'est toujours ainsi quand on prend le départ, toujours ainsi... Dès lors, le vicaire de Dieu a cessé d'être comme un locataire, assis du bout des fesses sur un trône incertain. Et la cour que nous avons eue, qui donnait l'exemple au monde ! Tous les rois s'y pressaient. Pour être pape, il ne suffit pas d'être prêtre ; il faut aussi savoir être prince. Clément VI fut un grand politique ; il entendait volontiers mes conseils. Ah ! la ligue navale qui groupait les Latins d'Orient, le roi de Chypre, les Vénitiens, les Hospitaliers... Nous avons nettoyé l'archipel de Grèce des barbaresques qui l'infestaient ; et nous allions faire plus. Et puis il y eut cette absurde guerre entre les rois français et anglais, dont je me demande si elle finira jamais, et qui nous a empêchés de poursuivre notre projet, ramener l'Eglise d'Orient dans le giron de la Romaine. Et puis, il y eut la peste... et puis Clément est mort...

La troisième fois, au conclave d'il y a quatre ans, c'est ma naissance qui m'a fait empêchement. J'étais trop grand seigneur, paraît-il, et nous venions d'en avoir un. Moi, Hélie de Talleyrand, qu'on appelle le cardinal de Périgord, pensez donc, c'eût été une insulte aux pauvres que de me choisir ? Il y a des moments où l'Eglise est saisie d'une soudaine fureur d'humilité et de petitesse. Ce qui ne lui vaut jamais rien. Dépouillons-nous de nos ornements, cachons nos chasubles, vendons nos ciboires d'or et offrons le Corps du Christ dans une écuelle de deux deniers, vêtons-nous comme des manants, et bien crasseux s'il se peut, de sorte que nous ne sommes plus respectés de personne, et d'abord point des manants... Dame ! si nous nous faisons pareils à eux, pourquoi nous honoreraient-ils ? et nous en arrivons à ne plus nous respecter nous-mêmes... Les acharnés d'humilité, lorsque vous leur opposez cela, vous mettent le nez dans l'Evangile, comme s'ils étaient seuls à le connaître, et ils insistent sur la crèche, entre le bœuf et l'âne, et ils insistent sur l'échoppe du charpentier... Faites-vous semblable à Notre-Seigneur Jésus... Mais Notre-Seigneur, où est-il en ce moment, mes petits clercs vaniteux ? N'est-il pas à la droite du Père et confondu en lui dans sa Toute-Puissance ? N'est-il pas le Christ en majesté, trônant dans la lumière des astres et la musique des cieux ? N'est-il pas le roi du monde, entouré des légions de séraphins et de bienheureux ? Qu'est-ce donc qui vous autorise à décréter laquelle de ces images vous devez, à travers votre personne, offrir aux fidèles, celle de sa brève existence terrestre ou celle de son éternité triomphante ?

... Tiens, si je passe par quelque diocèse où je vois l'évêque un peu trop porté à rabaisser Dieu en épousant les idées nouvelles, voilà ce que je prêcherai... Marcher en supportant vingt livres d'or tissé, et la mitre, et la crosse, ce n'est pas plaisant tous les jours, surtout quand on le fait depuis plus de trente années. Mais c'est nécessité. `

On n'attire pas les âmes avec du vinaigre. Quand un pouilleux dit à d'autres pouilleux « mes frères », cela ne leur produit pas grand effet. Si c'est un roi qui le leur dit, là, c'est différent. Procurer aux gens un peu d'estime d'eux-mêmes, voilà bien la première charité qu'ignorent nos fratricelles et autres gyrovagues. Justement parce que les gens sont pauvres, et souffrants, et pécheurs, et misérables, il faut leur donner quelque raison d'espérer en l'au-delà. Eh oui ! avec de l'encens, des dorures, des musiques. L'église doit offrir aux fidèles une vision du royaume céleste, et tout prêtre, à commencer par le pape et ses cardinaux, refléter un peu l'image du Pantocrator...

Au fond, ce n'est pas mauvaise chose de me parler ainsi à moi-même ; j'y trouve arguments pour mes prochains sermons. Mais je préfère les trouver en compagnie... J'espère que Brunet n'a pas oublié mes dragées. Ah ! non, les voilà. D'ailleurs, il n'oublie jamais...

Moi, qui ne suis pas grand théologien, comme ceux qui nous pleuvent de partout ces temps-ci, mais qui ai charge de tenir en ordre et propreté la maison du bon Dieu sur la terre, je me refuse à réduire mon train et mon hôtel ; et le pape lui-même, qui sait trop ce qu'il me doit, ne s'est pas avisé de m'y contraindre. S'il lui plaît de s'apetisser sur son trône, c'est affaire qui le regarde. Mais moi que suis son nonce, je veille à préserver la gloire de son sacerdoce.

Je sais que d'aucuns daubent sur ma grande litière pourpre à pommeaux et clous dorés où je vais à présent, et mes chevaux houssés de pourpre, et les deux cents lances de mon escorte, et mes trois lions de Périgord brodés sur ma bannière et sur la livrée de mes sergents. Mais à cause de cela, quand j'entre dans une ville, tout le peuple accourt pour se prosterner, on vient baiser mon manteau, et j'oblige les rois à s'agenouiller... pour votre gloire, Seigneur, pour votre gloire.

Seulement, ces choses n'étaient pas dans l'air du dernier conclave, et l'on me le fit bien sentir. On voulait un homme du commun, on voulait un simple, un humble, un dépouillé. C'est de justesse que j'ai pu éviter qu'on nous élise Jean Birel, un saint homme, oh ! certes, un saint homme, mais qui n'avait pas une once d'esprit de gouvernement et qui aurait été un second Pierre de Morone. J'ai eu assez d'éloquence pour représenter à mes frères conclavistes combien il y aurait péril, dans l'état où se trouvait l'Europe, à commettre l'erreur de nous donner un autre Célestin V. Ah ! je ne l'ai pas ménagé le Birel ! J'ai fait de lui un tel éloge, en montrant combien ses vertus admirables le rendaient impropre à gouverner l'Eglise, qu'il en est resté tout écrasé. Et je suis parvenu à faire proclamer Etienne Aubert qui était né assez pauvrement, du côté de Pompadour, et dont la carrière manquait assez d'éclat pour qu'il pût rallier tout le monde à son nom.

On nous assure que le Saint-Esprit nous éclaire afin de nous faire désigner le meilleur ; en fait, nous votons le plus souvent pour éloigner le pire.

Il me déçoit, notre Saint-Père. Il gémit, il hésite, il décide, il se reprend. Ah ! j'aurais conduit l'Eglise d'autre façon ! Et puis, cette idée qu'il a eue d'envoyer le cardinal Capocci avec moi, comme s'il fallait deux légats, comme si je n'étais point assez averti pour mener les choses tout seul ! Le résultat ? Nous nous brouillons dès l'arrivée, parce que je lui montre sa sottise ; il fait l'offensé, mon Capocci ; il se retire ; et tandis que je cours de Breteuil à Montbazon, de Montbazon à Poitiers, de Poitiers à Bordeaux, de Bordeaux à Périgueux, lui, de Paris, il ne fait rien qu'écrire partout pour brouiller mes négociations. Ah ! j'espère bien ne pas le retrouver à Metz, chez l'Empereur...

Périgueux, mon Périgord... Mon Dieu, est-ce la dernière fois que je les aurai vus ?

Ma mère tenait pour assuré que je serais pape. Elle me l'a fait entendre en plus d'une occasion. C'est pour cela qu'elle me fit prendre la tonsure quand j'avais six ans, et qu'elle obtint de Clément V, qui lui portait grande et belle amitié, que je fusse aussitôt inscrit comme escholier papal, et apte à recevoir bénéfices. Quel âge avais-je quand elle me conduisit à lui ?...

« Dame Brunissande, puisse votre fils, que nous bénis-
sons spécialement, montrer dans l'état que vous lui
avez choisi les vertus qu'on peut attendre de son
lignage, et s'élever rapidement vers les plus hauts
offices de notre sainte Eglise. » Non, guère plus de
sept ans. Il me fit chanoine de Saint-Front ; mon premier camail. Presque cinquante ans de cela... Ma mère
me voyait pape. Etait-ce rêve d'ambition maternelle,
ou bien vraiment vision prophétique comme les femmes parfois en ont ? Hélas ! je crois bien que je ne
serai point pape.

Et pourtant... et pourtant, dans mon ciel de naissance, Jupiter est conjoint au Soleil, en belle culmina-
tion, ce qui est signe de domination et de règne dans
la paix. Aucun des autres cardinaux n'a de si beaux
aspects que les miens. Ma configuration était bien
meilleure que celle d'Innocent, le jour de l'élection.
Mais voilà... règne dans la paix, règne dans la paix ;
or nous sommes dans la guerre, le trouble et l'orage.
J'ai de trop beaux astres pour les temps où nous sommes. Ceux d'Innocent, qui disent difficultés, erreurs,
revers, convenaient mieux à cette période sombre.
Dieu accorde les hommes avec les moments du monde,
et appelle les papes qui conviennent à ses desseins, tel
pour la grandeur et la gloire, tel pour l'ombre et la
chute...

Si je n'avais été dans l'Eglise, comme ma mère l'a
voulu, j'aurais été comte de Périgord, puisque mon
frère aîné est mort sans descendance, l'année précisément de mon premier conclave, et que la couronne,
faute que je puisse la ceindre, est passée à mon frère
cadet, Roger-Bernard... Ni pape, ni comte. Allons, il
faut accepter la place où la Providence nous met, et
s'efforcer d'y faire de son mieux. Sans doute serai-je
de ces hommes qui ont eu grand rôle et grande figure
dans leur siècle, et qui sont oubliés aussitôt que dispa-

rus. La mémoire des peuples est paresseuse ; elle ne retient que le nom des rois... Votre volonté, Seigneur, votre volonté...

Et puis, rien ne sert de repenser à ces choses, que je me suis dites cent fois... C'est d'avoir revu le Périgueux de mon enfance, et ma chère collégiale Saint-Front, et de m'en éloigner, qui me remue l'âme. Regardons plutôt ce paysage que je vois peut-être pour la dernière fois. Merci, Seigneur, de m'avoir octroyé cette joie...

Mais pourquoi me mène-t-on d'un train si rapide ? Nous venons déjà de passer Château-l'Evêque ; d'ici Bourdeilles, nous n'en avons guère que pour deux heures. Le jour du départ, il faut toujours faire petite étape. Les adieux, les dernières suppliques, les dernières bénédictions qu'on vous vient demander, le bagage oublié : on ne part jamais à l'heure décidée. Mais cette fois, c'est vraiment petite étape...

Brunet !... Holà ! Brunet, mon ami ; va en tête commander qu'on ralentisse le train. Qui nous emmène avec cette hâte ? Est-ce Cunhac ou La Rue ? Point n'est besoin de me secouer autant. Et puis va dire à Monseigneur Archambaud, mon neveu, qu'il descende de sa monture et que je le convie à partager ma litière. Merci, va...

Pour venir d'Avignon, j'avais avec moi mon neveu Robert de Durazzo ; il fut un fort agréable compagnon. Il avait bien des traits de ma sœur Agnès, et de notre mère. Qu'est-il allé se faire occire à Poitiers, par ces butors d'Anglais, en se portant dans la bataille du roi de France ! Oh ! je ne l'en désapprouve pas, même si j'ai dû feindre de le faire. Qui pouvait penser que le roi Jean irait se faire étriller de pareille sorte ! Il aligne trente mille hommes contre six mille, et le soir il se retrouve prisonnier. Ah ! l'absurde prince, le niais ! Alors qu'il pouvait, s'il avait seulement accepté l'ac-

cord que je lui portais comme sur un plateau d'offran-
des, tout gagner sans livrer bataille !

Archambaud me paraît moins vif et brillant que
Robert. Il n'a pas connu l'Italie, qui délie beaucoup
la jeunesse. Enfin, c'est lui qui sera comte de Périgord,
si Dieu le veut. Cela va le former, ce jeune homme, de
voyager en ma compagnie. Il a tout à apprendre de
moi... Une fois mes oraisons faites, je n'aime point à
rester seul.

II

LE CARDINAL DE PÉRIGORD PARLE

CE n'est pas que je répugne à chevaucher, Archambaud, ni que l'âge m'en ait rendu incapable. Croyez-moi, je puis fort bien encore couvrir mes quinze lieues à cheval, et j'en sais de plus jeunes que moi que je laisserais en arrière. D'ailleurs, comme vous le voyez, j'ai toujours un palefroi qui me suit, tout harnaché pour le cas où j'aurais l'envie ou la nécessité de l'enfourcher. Mais je me suis avisé qu'une pleine journée à ressauter dans sa selle ouvre l'appétit mieux que l'esprit, et porte à manger et à boire gros plutôt qu'à garder tête claire, comme j'ai besoin de l'avoir quand souvent il me faut inspecter, régenter ou négocier dès mon arrivée.

Bien des rois, et celui de France tout le premier, conduiraient plus profitablement leurs Etats s'ils se fatiguaient un peu moins le rein et davantage la cervelle, et s'ils ne s'obstinaient à traiter des plus grandes affaires à table, en fin d'étape ou retour de chasse. Notez que l'on ne se déplace pas moins vite en litière, comme je le fais, si l'on a de bons sommiers dans les brancards, et la prudence de les changer souvent... Voulez-vous une dragée, Archambaud ? dans le petit coffret à votre main... eh bien, passez-m'en une...

Savez-vous combien de jours j'ai mis d'Avignon à Breteuil en Normandie, pour aller trouver le roi Jean qui y montait un absurde siège ? Dites un peu ?... Non, mon neveu ; moins que cela. Nous sommes partis le 21 juin, le jour du solstice, et point à la première heure. Car vous savez, ou plutôt vous ne savez point comment se passe le départ d'un nonce, ou de deux, puisque nous étions deux en l'occasion... Il est de bonne coutume que tout le collège des cardinaux, après messe, fasse escorte aux partants, jusqu'à une lieue de la ville ; et il y a toujours grande foule à suivre ou à regarder de part et d'autre du chemin. Et l'on se doit d'aller à pas de procession, pour donner dignité au cortège. Puis on fait halte, et les cardinaux se rangent en ligne par ordre de préséance, et le nonce échange avec chacun le baiser de paix. Toute cette cérémonie met loin de l'aurore... Donc nous partîmes le 21 juin. Or, nous étions rendus à Breteuil le 9 juillet. Dix-huit jours. Niccola Capocci, mon colégat, était malade. Il faut dire que je l'avais secoué, ce douillet. Jamais il n'avait voyagé d'un tel train. Mais une semaine plus tard, le Saint-Père avait dans les mains, portée par chevaucheurs, la relation de mon premier entretien avec le roi.

Cette fois, nous n'avons pas à tant nous hâter. D'abord, les journées, en cette époque de l'année, sont brèves, même si nous bénéficions d'une saison clémente... Je ne me rappelais pas que novembre pût être si doux en Périgord, comme il fait aujourd'hui. La belle lumière que nous avons ! Mais nous risquons fort de rencontrer l'intempérie, quand nous avancerons vers le nord du royaume. J'ai compté un gros

mois, de telle sorte que nous soyons à Metz pour la
Noël, si Dieu le veut. Non, je n'ai point autant de
presse que l'été passé, puisque, contre tout mon effort,
cette guerre s'est faite, et que le roi Jean est prisonnier.

Comment pareille infortune a pu advenir ? Oh !
vous n'êtes point le seul à vous en ébaubir, mon neveu.
Toute l'Europe en éprouve surprise peu petite, et dis-
pute ces mois-ci des causes et des raisons... Les malheurs des rois viennent de loin, et souvent l'on prend
pour accident de leur destinée ce qui n'est que fatalité
de leur nature. Et plus les malheurs sont gros, plus les
racines en sont longues.

Cette affaire, je la sais par le menu... Tirez un peu
vers moi cette couverture... et je l'attendais, vous
dirais-je. J'attendais qu'un grand revers, un grand
abaissement vînt frapper ce roi, donc, hélas ! ce
royaume. En Avignon, nous avons à connaître de tout
ce qui intéresse les cours. Toutes les intrigues, tous
les complots refluent vers nous. Pas un mariage pro-
jeté dont nous ne soyons avertis avant les fiancés eux-
mêmes... « dans le cas où Madame de telle couronne
pourrait être accordée à Monseigneur de telle autre,
qui est son cousin au second degré, notre Très-Saint-
Père octroierait-il dispense ? »... pas un traité qui ne se
négocie sans que quelques agents des deux parts aient
été envoyés ; pas de crime qui ne vienne chercher son
absolution... L'Eglise fournit aux rois et aux princes
leurs chanceliers, ainsi que la plupart de leurs légis-
tes...

Depuis dix-huit années, les maisons de France et
d'Angleterre sont en lutte ouverte. Cette lutte, quelle
en est la cause ? Les prétentions du roi Edouard à la
couronne de France, certes ! C'est là le prétexte, un
bon prétexte juridique, je le conçois, car on peut en
débattre à l'infini ; mais ce n'est point le seul et vrai
motif. Il y a les frontières, de tout temps mal définies,

entre la Guyenne et les comtés voisins, à commencer
par le nôtre, le Périgord, tous ces terriers confusément
écrits où les droits féodaux se chevauchent ; il y a les
difficultés d'entente, de vassal à suzerain, quand tous
les deux sont rois ; il y a les rivalités de commerce et
d'abord pour les laines et tissus, ce qui fait qu'on s'est
disputé les Flandres ; il y a le soutien que la France a
toujours porté aux Ecossais qui entretiennent menace,
pour le roi anglais, sur son septentrion... La guerre n'a
pas éclaté pour une raison, mais pour vingt qui cou-
vaient comme braises de nuit. Là-dessus Robert d'Artois, perdu d'honneur et proscrit du royaume, est allé
en Angleterre souffler sur les tisons. Le pape, c'était
alors Pierre Roger, c'est-à-dire Clément VI, a tout fait
et fait faire pour tenter d'empêcher cette méchante
guerre. Il a prêché le compromis, les concessions de
part et d'autre. Il a dépêché, lui aussi, un légat, qui
n'était autre d'ailleurs que l'actuel pontife, le cardinal
Aubert. Il a voulu relancer le projet de croisade, à
laquelle les deux rois devaient participer en emmenant
leur noblesse. C'eût été bon moyen de dériver leurs
envies guerrières, avec l'espérance de refaire l'unité
de la chrétienté... Au lieu de la croisade, nous avons eu
Crécy. Votre père y était ; vous avez ouï de lui le récit
de ce désastre...

Ah ! mon neveu, vous le verrez tout au long de votre
vie, il n'y a guère de mérite à servir de tout son cœur
un bon roi ; il vous entraîne au devoir, et les peines
qu'on prend ne coûtent pas parce qu'on sent qu'elles
concourent au bien suprême. Le difficile c'est de bien
servir un mauvais monarque... ou un mauvais pape.
Je les voyais bien heureux, les hommes du temps de
ma prime jeunesse, qui servaient Philippe le Bel. Etre
fidèle à ces Valois vaniteux demande plus d'effort. Ils
n'entendent conseils et ne se prêtent à parler raison
que lorsqu'ils sont défaits et étrillés.

C'est seulement après Crécy que Philippe VI consentit une trêve sur des propositions que j'avais préparées. Point trop mal, il faut croire, puisque cette trêve a duré, en gros, à part quelques engagements locaux, de l'an 1347 à l'an 1354. Sept années de paix relative. Ç'aurait pu être, pour beaucoup, un temps de bonheur. Mais voilà ; en notre siècle maudit, à peine la guerre finie, c'est la peste qui commence.

Vous avez été plutôt épargnés en Périgord... Certes, mon neveu, certes, vous avez payé votre tribut au fléau ; oui, vous avez eu votre part d'horreur. Mais ce n'est rien à comparer avec les villes nombreuses et entourées de campagnes très peuplées, comme Florence, Avignon, ou Paris. Savez-vous que ce fléau venait de Chine, par l'Inde, la Tartarie et l'Asie mineure ? Il s'est répandu, à ce qu'on dit, jusqu'en Arabie. C'est bien une maladie d'infidèles qui nous a été envoyée pour punir l'Europe de trop de péchés. De Constantinople et des rivages du Levant, les navires ont transporté la peste dans l'archipel grec d'où elle a gagné les ports d'Italie ; elle a passé les Alpes et nous est venue ravager, avant de gagner l'Angleterre, la Hollande, le Danemark, et d'aller finir jusque dans les pays du grand Nord, la Norvège, l'Islande. Avez-vous eu ici les deux formes de la peste, celle qui tuait en trois jours, avec fièvre brûlante et crachements de sang... les infortunés qui en étaient atteints disaient qu'ils enduraient déjà les peines de l'enfer... et puis l'autre, qui faisait l'agonie plus longue, cinq à six jours, avec de la fièvre pareillement, et de gros carboncles et pustules qui venaient aux aînes et aux aisselles ?

Sept mois de rang, nous avons subi cela en Avignon. Chaque soir, en se couchant, on se demandait si l'on se relèverait. Chaque matin, on se tâtait sous les bras et à la fourche des cuisses. A la moindre chaleur qu'ils se sentaient dans le corps, les gens étaient pris d'angoisse et vous regardaient avec des yeux fous. A chaque respiration, on se disait que c'était peut-être avec cette goulée d'air-là que le mal vous pénétrait. On ne quittait nul ami sans penser « Sera-ce lui, sera-ce moi, ou bien nous deux ? » Les tisserands mouraient dans leur échoppe au pied de leurs métiers arrêtés, les orfèvres auprès de leurs creusets froids, les changeurs sous leurs comptoirs. Des enfants finissaient de mourir sur le grabat de leur mère morte. Et l'odeur, Archambaud, l'odeur dans Avignon ! Les rues étaient pavées de cadavres.

La moitié, vous m'entendez bien, la moitié de la population a péri. Entre janvier et avril de 1348, on compta soixante-deux mille morts. Le cimetière que le pape avait fait acheter en hâte fut plein en un seul mois ; on y enfouit onze mille corps. Les gens trépassaient sans serviteurs, étaient ensevelis sans prêtres. Le fils n'osait plus visiter son père, ni le père visiter son fils. Sept mille maisons fermées ! Tous ceux qui le pouvaient fuyaient vers leur palais de campagne.

Clément VI, avec quelques cardinaux dont je fus, resta dans la ville. « Si Dieu nous veut, il nous prendra. » Et il fit rester la plupart des quatre cents officiers de l'hôtel pontifical qui ne furent pas de trop pour organiser les secours. Le pape servit des gages à tous les médecins et physiciens ; il prit à solde charretiers et fossoyeurs, fit distribuer des vivres et prescrivit de bonnes mesures de police contre la contagion. Nul alors ne lui reprocha d'être large à la dépense. Il tança moines et nonnes qui manquaient au devoir de charité envers les malades et les agonisants... Ah ! j'en ai entendu alors des confessions et des repentirs chez des hommes bien hauts et puissants, même d'Eglise, qui venaient se nettoyer l'âme de tous leurs péchés et quêter l'absolution ! Même les gros banquiers lombards et florentins qui se confessaient en claquant des dents, et se découvraient soudain généreux. Et les maîtresses des cardinaux... eh oui, eh oui, mon neveu ; pas tous, mais il y en a... ces belles dames venaient accrocher leurs joyaux aux statues de la Sainte Vierge ! Elles se tenaient sous le nez un mouchoir imprégné d'essences aromatiques et jetaient leurs chaussures avant de rentrer chez elles. Ceux-là qui reprochent à Avignon d'être ville d'impiété et comme la nouvelle Babylone ne l'ont pas vue pendant la peste. On y fut pieux, je vous l'assure !

L'étrange créature que l'homme ! Quand tout lui sourit, qu'il jouit d'une santé florissante, que ses affaires sont prospères, son épouse féconde et sa province en paix, n'est-ce pas là qu'il devrait élever sans cesse son âme vers le Seigneur pour lui rendre grâces de tant de bienfaits ? Point du tout ; il est oublieux de son créateur, fait la tête fière et s'emploie à braver tous les commandements. Mais dès que le malheur le frappe et que survient la calamité, alors il se rue à Dieu. Et il prie, et il s'accuse, et il promet de s'amender... Dieu a donc bien raison de l'accabler, puisque c'est la seule manière, semble-t-il, de faire que l'homme lui revienne...

Je n'ai pas choisi mon état. C'est ma mère, peut-être le savez-vous, qui me l'a désigné quand j'étais enfant. Si j'y ai convenu, c'est, je crois, parce que de toujours j'ai eu gratitude envers Dieu de ce qu'il me donnait, et d'abord de vivre. Je me rappelle, tout petit, dans notre vieux château de la Rolphie, à Périgueux, où vous êtes né vous-même, Archambaud, mais où vous n'habitez plus depuis que votre père a choisi, voici quinze ans, de résider à Montignac... eh bien là, dans ce gros château assis sur une arène des anciens Romains, je me rappelle cet émerveillement qui m'emplissait soudain d'être vivant au milieu du vaste

monde, de respirer, de voir le ciel ; je me rappelle avoir
ressenti cela surtout les soirs d'été, quand la lumière
est longue et qu'on me conduisait au lit bien avant
que le jour ne soit tombé. Les abeilles bruissaient dans
une vigne qui grimpait au mur, sous ma chambre,
l'ombre lentement emplissait la cour ovale, aux pierres énormes ; le ciel était encore clair où passaient des
oiseaux, et la première étoile s'installait dans les nuées
qui restaient roses. J'avais un grand besoin de dire
merci et ma mère m'a fait comprendre que c'était à
Dieu, organisateur de toute cette beauté, qu'il fallait
le dire. Et cela jamais ne m'a abandonné.

Ce jour d'hui même, tout au long de notre route,
j'ai souvent un merci que me vient au cœur pour ce
temps doux que nous avons, ces forêts rousses que
nous traversons, ces prés encore verts, ces serviteurs
fidèles qui m'escortent, ces beaux chevaux gras que je
vois trotter contre ma litière. J'aime à regarder le
visage des hommes, le mouvement des bêtes, la forme
des arbres, toute cette grande variété qui est l'œuvre
infinie et infiniment merveilleuse de Dieu.

Tous nos docteurs qui disputent théologie dans
des salles closes, et se lardent de creuses paroles, et
s'invectivent de bouche amère, et s'assomment de
mots inventés pour nommer autrement ce qu'on savait
avant eux, tous ces gens feraient bien de se guérir la
tête en contemplant la nature. Moi, j'ai pour théologie
celle qu'on m'a apprise, tirée des pères de l'Eglise ;
et je ne me soucie point d'en changer...

Vous savez que j'aurais pu être pape... oui, mon
neveu. D'aucuns me le disent, comme ils disent aussi
que je pourrais l'être si Innocent dure moins que moi.
Ce sera ce que Dieu voudra. Je ne me plains point de
ce qu'il m'a fait. Je le remercie qu'il m'ait mis où il
m'a mis, et qu'il m'ait conservé jusqu'à l'âge que j'ai,
où bien peu parviennent... cinquante-cinq ans, mon

cher neveu... et aussi dispos que je suis. Cela aussi
est bénédiction du Seigneur. Des gens qui ne m'ont
pas vu de dix ans n'en croient pas leurs yeux que j'aie
si peu changé d'apparence, la joue toujours aussi rose,
et la barbe à peine blanchie.

L'idée de coiffer ou de n'avoir pas coiffé la tiare
ne me chatouille, en vérité... je vous le confie comme
à un bon parent... que lorsque j'ai le sentiment que je
pourrais mieux agir que celui qui la porte. Or, ce sen-
timent-là, je ne l'ai jamais connu auprès de Clément VI. Il avait bien compris que le pape doit être
monarque par-dessus les monarques, lieutenant général de Dieu. Un jour que Jean Birel ou quelque autre
prêcheur de dépouillement lui reprochait d'être trop
dispendieux et trop généreux envers les solliciteurs,
il répondit : « Personne ne doit se retirer mécontent
de la présence du prince. » Puis, se tournant vers moi,
il ajouta entre ses dents : « Mes prédécesseurs n'ont
pas su être papes. » Et pendant cette grande peste,
comme je vous le disais, il nous prouva vraiment qu'il
était le meilleur. Je ne crois point, tout honnêtement,
que j'eusse pu faire autant que lui, et j'ai remercié
Dieu, là encore, qu'il ne m'ait point désigné pour
conduire la chrétienté souffrante au travers de cette
épreuve.

Pas un moment, Clément ne se départit de sa
majesté ; et il montra bien qu'il était le Saint-Père, le
père de tous les chrétiens et même des autres, puisque,
lorsque les populations, un peu partout, mais princi-
palement dans les provinces rhénanes, à Mayence, à
Worms, se retournèrent contre les juifs qu'elles accu-
saient d'être les responsables du fléau, il condamna
ces persécutions. Il fit même plus ; il décida de prendre les juifs sous sa protection ; il excommunia ceux
qui les molestaient ; il offrit aux juifs pourchassés
l'asile et l'établissement dans ses États dont, il faut le

reconnaître, ils ont refait la prospérité en quelques années.

Mais pourquoi vous parlé-je si longuement de la peste ? Ah, oui ! A cause des grandes conséquences qu'elle eut pour la couronne de France, et pour le roi Jean lui-même. En effet, vers la fin de l'épidémie, dans l'automne de 1349, coup sur coup trois reines, ou plutôt deux reines et une princesse promise à l'être...

Que dis-tu, Brunet ? Parle plus haut. Nous sommes en vue de Bourdeilles ?... Ah, oui, je veux regarder. la position est forte, en effet, et le château bien posé pour commander de loin les approches.

Voilà donc, Archambaud, le château que mon frère cadet, votre père, m'a abandonné pour me remercier d'avoir libéré Périgueux. Car, si je ne suis point parvenu à tirer le roi Jean des mains anglaises, au moins ai-je pu en tirer notre ville comtale et faire que l'autorité nous y soit rendue.

La garnison anglaise, vous vous rappelez, ne voulait pas partir. Mais les lances qui m'accompagnent, et dont certaines gens se gaussent, se sont, une nouvelle fois, révélées bien utiles. Il a suffi que j'apparaisse avec elles, venant de Bordeaux, pour que les Anglais fassent leurs bagages, sans demander leur reste. Deux cents lances et un cardinal, c'est beaucoup... Oui, la plupart de mes serviteurs sont entraînés aux armes, de même que mes secrétaires et les docteurs ès lois qui vont avec moi. Et mon fidèle Brunet est chevalier ; je l'ai fait naguère anoblir.

En me donnant Bourdeilles, mon frère au fond se renforce. Car avec la châtellenie d'Auberoche, près Savignac, et la bastide de Bonneval, proche de Thenon, que j'ai rachetées vingt mille florins, voici dix ans, au roi Philippe VI... je dis rachetées, mais en vérité cela compensa pour partie les sommes que je lui avais prêtées... avec aussi l'abbaye forte de Saint-Astier, dont je suis l'abbé, et mes prieurés du Fleix et de Saint-Martin-de-Bergerac, cela fait à présent six places, à bonne distance tout autour de Périgueux, qui dépendent d'une haute autorité d'Eglise, presque comme si elles étaient tenues par le pape lui-même. On hésitera à s'y frotter. Ainsi j'assure la paix dans notre comté.

Vous connaissez Bourdeilles, bien sûr ; vous y êtes venu souvent. Moi, il y a longtemps que je ne l'ai visité... Tiens, je ne me rappelais point ce gros donjon octogonal. Il a fière allure. Le voici mien, à présent, mais pour y passer seulement une nuit et un matin, le temps d'y installer le gouverneur que j'ai choisi, et sans savoir quand j'y reviendrai, si j'y reviens. C'est peu de loisir pour en jouir. Enfin, remercions Dieu pour ce temps qu'il m'y accorde. J'espère qu'on nous aura préparé un bon souper car, même en litière, la route creuse.

III

LA MORT FRAPPE A TOUTES LES PORTES

Je le savais, mon neveu, je l'avais dit, qu'il ne fallait point escompter, ce jour d'hui, aller plus loin que Nontron. Et encore n'y parviendrons-nous qu'après le salut, à nuit toute noire. La Rue me rebattait les oreilles : « Monseigneur se ralentit... Monseigneur ne va pas se contenter d'une étape de huit lieues... » Eh ouiche ! La Rue va toujours comme s'il avait le feu aux trousses. Ce qui n'est point mauvaise chose, car avec lui mon escorte ne s'assoupit point. Mais je savais que nous ne pourrions quitter Bourdeilles avant le milieu du jour. J'avais trop à faire et à décider, trop de seings à donner.

J'aime Bourdeilles, voyez-vous ; je sais que j'y pourrais être heureux si Dieu m'avait assigné, non seulement de le posséder, mais d'y résider. Celui qui a un bien unique et modeste en profite pleinement. Celui qui a possessions vastes et nombreuses n'en jouit que par l'idée. Toujours le ciel balance ce dont il nous gratifie.

Quand vous rentrerez en Périgord, faites-moi la bonne grâce de vous rendre à Bourdeilles, Archambaud, et voyez si l'on a bien réparé les toitures comme je l'ai commandé tout à l'heure. Et puis la cheminée de ma chambre fumait... C'est grande chance que les Anglais l'aient épargné. Vous avez vu Brantôme, que nous avons juste passée ; vous avez vu cette désolation qu'ils ont faite d'une ville autrefois si douce et si belle au bord de sa rivière ! Le prince de Galles s'y est arrêté, pour la nuit, le 9 du mois d'août, à ce qui vient de m'être dit. Et ses coutilliers et goujats, au matin, ont tout embrasé avant de repartir.

Je réprouve fort cette façon qu'ils ont de tout détruire, ardoir, exiler ou ruiner, comme il semble qu'ils s'y adonnent de plus en plus. Qu'on s'égorge à la guerre, entre gens d'armes, je le conçois ; si Dieu ne m'avait désigné pour l'Eglise et que j'aie eu à mener bannières au combat, je n'aurais point fait de quartier. Qu'on pille, passe encore ; il faut bien donner quelque agrément aux hommes dont on exige risque et fatigue. Mais chevaucher seulement pour réduire le peuple à misère, griller ses toits et ses moissons, l'exposer à famine et froidure, cela me donne du courroux. Je sais le dessein ; de provinces ruinées, le roi ne peut plus tirer impôt, et c'est pour l'affaiblir qu'on détruit ainsi les biens de ses sujets. Mais cela ne vaut. Si l'Anglais prétend avoir droit sur la France, pourquoi la ravage-t-il ? Et pense-t-il, même s'il l'emporte par les traités après l'avoir emporté par les armes, pense-t-il en agissant de la sorte y être jamais toléré ? Il sème la haine. Sans doute il prive d'argent le roi de France, mais il lui fournit des âmes qu'animent la colère et la vengeance. Trouver des seigneurs, ici ou là, pour faire allégeance par intérêt, oui le roi Edouard en trouvera ; mais le peuple désormais lui opposera refus, car ce sont traitements inexpiables. Voyez déjà ce qui se pro-

duit ; les bonnes gens n'en veulent point au roi Jean de
s'être fait battre ; ils le plaignent, ils l'appellent Jean
le Brave, ou Jean le Bon, alors qu'ils devraient l'appeler Jean le Sot, Jean le Buté, Jean l'Incapable. Et vous
verrez qu'ils sauront se saigner pour payer sa rançon.

Vous me demandez pourquoi je vous disais hier que
la peste avait eu grave effet sur lui et sur le sort du
royaume ? Eh ! mon neveu, pour quelques morts en
mauvais ordre, des morts de femmes et d'abord de la
sienne, Madame Bonne de Luxembourg, avant qu'il
ne soit roi.

Madame de Luxembourg fut enlevée par la peste
en septembre de 1349. Elle devait être reine, et eût
été une bonne reine. Elle était, comme vous le savez,
la fille du roi de Bohême, Jean l'Aveugle, qui avait
si grand amour de la France qu'il disait que la cour
de Paris était la seule où l'on pût vivre noblement.
Un modèle de chevalerie, ce roi-là, mais un peu fou.
Bien que n'y voyant goutte, il s'obstina de combattre
à Crécy et, pour cela, il fit lier son cheval aux montures de deux de ses chevaliers qui l'encadraient de part
et d'autre. Et ils se ruèrent ainsi à la mêlée. On les
trouva morts tous les trois, toujours liés. Le roi de
Bohême portait trois plumes d'autruche blanches au
cimier de son heaume. Son noble trépas frappa si fort
le jeune prince de Galles... il allait alors sur ses seize
ans ; c'était son premier combat, et il s'y conduisit
bien, même si le roi Edouard estima politique d'exa-
gérer un peu la part de son héritier dans cette affaire...
le prince de Galles donc fut si frappé qu'il pria son
père de lui laisser porter dorénavant le même emblème
que feu le roi aveugle. Et c'est pourquoi l'on voit les
trois plumes blanches surmonter à présent le heaume
du prince.

Mais le plus important en Madame Bonne, c'était
son frère, Charles de Luxembourg, dont nous avions,

le pape Clément VI et moi, favorisé l'élection à la couronne du Saint Empire. Non que nous ne pensions avoir quelques embarras avec ce rustaud madré comme un marchand... oh ! rien de son père, vous en jugerez bientôt ; mais comme nous prévoyions aussi que la France connaîtrait de piètres moments, c'était la renforcer que de faire son futur roi beau-frère de l'Empereur. Morte la sœur, finie l'alliance. Les embarras, nous les avons eus avec sa Bulle d'Or ; mais d'appui à la France, il n'en a guère donné, et c'est bien pourquoi je m'en vais à Metz.

Le roi Jean, qui n'était encore alors que duc de Normandie, ne montra point un désespoir extrême de la mort de Madame Bonne. Il y avait peu d'entente entre eux, et souvent des éclats. Bien qu'elle eût de la grâce et qu'il lui ait fait un enfant chaque année, onze au total, depuis qu'on lui avait donné à comprendre qu'il était temps pour lui de se rapprocher de son épouse dans le lit, Monseigneur Jean, pour l'affection, inclinait plutôt du côté d'un sien cousin, de huit ans son cadet et d'assez jolie tournure... Charles de La Cerda, qu'on appelait aussi Monsieur d'Espagne, parce qu'il appartenait à une branche évincée du trône de Castille.

Aussitôt Madame Bonne mise en terre, ce fut en compagnie du beau Charles d'Espagne que le duc Jean se retira à Fontainebleau, pour fuir la contagion... Oh ! ce vice n'est pas rare, mon neveu. Je ne le comprends point et il m'encolère fort ; il est de ceux pour lesquels j'ai le moins d'indulgence. Mais force est de reconnaître qu'il est répandu même chez les rois, auxquels il fait grand tort. Jugez-en par ce qu'il advint du roi Edouard II d'Angleterre, le père de l'actuel. Ce fut la sodomie qui lui a coûté et le trône et la vie. Notre roi Jean n'est pas à ce point sodomite affiché ; mais il en marque beaucoup de traits, et il les montra surtout dans sa passion funeste pour ce cousin d'Espagne au trop gracieux visage...

Qu'y a-t-il, Brunet ? Pourquoi s'arrête-t-on ? Où sommes-nous ? A Quinsac. Il n'est point prévu... Que veulent ces manants ? Ah ! une bénédiction ! Qu'on n'arrête point mon cortège pour cela ; tu sais bien que je bénis en marchant... *In nomine patris... lii... sancti...* Allez, bonnes gens, vous êtes bénis, allez en paix... S'il fallait s'arrêter chaque fois qu'on me demande une bénédiction, nous serions à Metz dans six mois.

Donc, vous disais-je, en septembre de 1349 Madame Bonne meurt, laissant veuf l'héritier du trône. En octobre, ce fut le tour de la reine de Navarre, Madame Jeanne, qu'on appelait naguère Jeanne la petite, la fille de Marguerite de Bourgogne, et peut-être, ou peut-être pas, de Louis Hutin ; celle qu'on avait écartée de la succession de France en faisant peser sur elle la présomption de bâtardise... eh oui, l'enfant de la Tour de Nesle... Emportée par la peste. Son trépas, à elle non plus, ne fut pas salué par de très longs sanglots. Elle était veuve depuis six ans de son cousin, Monseigneur Philippe d'Evreux, tué quelque part en Castille dans un combat contre les Maures. La couronne de Navarre leur avait été abandonnée par Philippe VI, lors de son avènement, pour prévenir les revendications qu'ils auraient pu émettre sur celle de France. Cela fit partie de toutes les tractations qui assurèrent le trône aux Valois.

Je n'ai jamais approuvé cet arrangement navarrais qui n'était bon ni en droit ni en fait. Mais je n'avais pas encore mon mot à dire ! je venais tout juste d'être nommé évêque d'Auxerre. Et puis même l'aurais-je dit... En droit, cela ne tenait point. La Navarre venait de la mère de Louis Hutin. Si Jeanne la petite n'était pas la fille de celui-ci, mais d'un quelconque écuyer, elle n'avait pas plus de titres sur la Navarre que sur la France. Donc, si on lui reconnaissait la couronne de l'une, on étayait *ipso facto* ses droits sur l'autre, pour elle et pour ses héritiers. On avouait un peu trop qu'on l'avait écartée du trône non tellement pour sa présumée bâtardise, mais parce qu'elle était femme, et grâce à l'artifice d'une loi des mâles inventée.

Quant aux raisons de fait... Jamais le roi Philippe le Bel n'aurait consenti, pour quelque raison que ce fût, à amputer ainsi le royaume de ce qu'il y avait ajouté. On n'assure pas son trône en lui sciant un pied. Jeanne et Philippe de Navarre s'étaient tenus fort calmes, elle parce que la chemise de sa mère lui collait un peu trop à la peau, lui parce qu'il était comme son père, Louis d'Evreux, de nature digne et réfléchie. Ils semblaient contents avec leur riche comté normand et leur petit royaume pyrénéen. Les choses allaient changer avec leur fils Charles, jeune homme fort remuant pour ses dix-huit ans, qui jetait des regards pleins de vindicte sur le passé de sa famille, pleins d'ambition sur son propre avenir. « Si ma grand-mère n'avait pas été si chaude putain, si ma mère était née homme... Je serais roi de France à présent ». Je l'ai entendu dire cela, de mes oreilles... Il convenait donc de ménager la Navarre qui, par sa situation au midi du royaume, prenait d'autant plus d'importance que les Anglais, à présent, tenaient toute l'Aquitaine. Alors, comme toujours en pareil cas, arrangeons un mariage.

Le duc Jean se fût bien dispensé de contracter une nouvelle union. Mais il était promis à être roi, et l'image royale voulait qu'il eût épouse à son côté, surtout dans son cas. Une épouse empêcherait qu'il parût marcher trop ouvertement au bras de Monsieur d'Espagne. D'autre part, comment mieux flatter le remuant Charles d'Evreux-Navarre, et comment mieux lui lier les mains, qu'en choisissant la future reine de France parmi ses sœurs ? La plus âgée, Blanche, avait seize ans. Une beauté, et beaucoup de grâces d'esprit. Le projet fut fort avancé, les dispenses demandées au pape et le mariage quasiment annoncé, encore qu'on se demandât qui serait vivant la semaine suivante, dans l'horible période qu'on traversait.

Car la mort continuait de frapper à toutes les portes. Au début de décembre, la peste enleva la reine de France elle-même, Madame Jeanne de Bourgogne, la boiteuse, la mauvaise reine. Pour celle-là, ce fut tout juste si la bienséance permit de contenir les cris de joie, et si le peuple ne se mit pas à danser dans les rues. Elle était haïe ; votre père a dû vous le dire. Elle volait le sceau de son mari pour faire jeter gens en prison ; elle apprêtait des bains empoisonnés pour les hôtes qui lui déplaisaient. Il s'en fallut de peu qu'elle ne fît de la sorte périr un évêque... Le roi, parfois, la rouait à coups de torche ; mais il ne parvint pas à l'amender. Je me méfiais fort de cette reine-là. Sa nature soupçonneuse peuplait la cour d'ennemis imaginaires. Elle était coléreuse, menteuse, odieuse ; elle était criminelle. Sa mort parut un effet tardif de la justice céleste. D'ailleurs, aussitôt après, le fléau commença de régresser, comme si cette grande hécatombe, venue de si loin, n'avait eu d'autre but que d'atteindre, enfin, cette harpie.

De tous les hommes de France, celui qui en éprouva le plus grand soulagement, ce fut le roi lui-même. Un mois moins un jour après, dans la froidure de janvier, il se remaria. Même veuf d'une femme unanimement détestée, c'était faire bien peu de cas des délais de convenance. Mais le pire n'était point dans la hâte. Avec qui convolait-il ? Avec la fiancée de son fils, avec Blanche de Navarre, la jeunette, dont il était tombé fou en la voyant paraître à la cour. Si complaisants qu'ils soient pour la gaillardise, les Français n'aiment guère, chez le souverain, les égarements de cette sorte.

Philippe VI avait quarante ans de plus que la beauté qu'il soufflait, fort brutalement, à son héritier. Et il ne pouvait point invoquer, comme pour tant d'unions princières désassorties, l'intérêt supérieur des empires. Il enchâssait une pierre de scandale dans sa couronne, cependant qu'il infligeait à son successeur la meurtrissure du ridicule. Mariage célébré à la sauvette, du côté de Saint-Germain-en-Laye. Jean de Normandie, naturellement, n'y assistait pas. Il n'avait jamais eu grande affection pour son père, qui d'ailleurs lui en rendait peu. Maintenant, il lui vouait de la haine.

Et l'héritier, un mois plus tard, se remariait à son tour. Il avait hâte d'effacer l'outrage. Il fit l'enchanté de s'accommoder de Madame de Boulogne, veuve du duc de Bourgogne. Ce fut mon vénérable frère, le cardinal Guy de Boulogne, qui arrangea cette union pour l'avantage de sa famille, et le sien propre. Madame de Boulogne était, du point de vue de la fortune, un fort bon parti, ce qui aurait dû assainir les affaires du prince, déjà dépensier comme personne, mais ne servit en fait qu'à l'encourager au gaspillage.

La nouvelle duchesse de Normandie était plus âgée que sa belle-mère ; elles produisaient ensemble un étrange effet aux réceptions de cour, d'autant que pour la tournure et le visage, la comparaison n'était guère à l'avantage de la bru. Le duc Jean en éprouvait dépit ; il s'était pris à croire qu'il aimait d'amour Madame Blanche de Navarre qui lui avait été si vilainement enlevée, et il souffrait torture en la voyant auprès de son père qui ne cessait de la mignoter en public, de la plus sotte façon. Cela n'arrangea pas les nuits du duc Jean avec Madame de Boulogne, et le rejeta davantage vers Monsieur d'Espagne. La prodigalité lui servit de revanche. On eût dit qu'il se redonnait de l'honneur en dilapidant.

D'ailleurs, après les mois de terreur et de malheur

qu'on venait de traverser durant la peste, tout le
monde dépensait follement. Surtout à Paris. Autour
de la cour, c'était démence. On prétendait que cette
débauche de luxe procurait travail aux petites gens.
Pourtant on n'en voyait guère l'effet dans les masures
et les soupentes. Entre les princes endettés et le commun peuple mésireux, il y avait l'échelon où le profit
fuyait, happé par de gros marchands comme les Marcel, qui font négoce de draps, soieries et autres denrées
de parure et se sont alors grassement enrichis. La
mode devint extravagante, et le duc Jean, bien qu'il eût
déjà trente et un ans, arborait en compagnie de Monsieur d'Espagne des cottes dentelées si courtes qu'elles
leur laissaient paraître les fesses. On riait d'eux lorsqu'ils étaient passés.

Madame Blanche de Navarre avait été reine plus
tôt que prévu ; elle fut régnante moins longtemps
qu'escompté. Philippe de Valois avait réchappé de la
guerre et de la peste ; il ne résista pas à l'amour. Tant
qu'il avait vécu auprès de son acariâtre boiteuse, il
était resté bel homme, un peu gras, mais toujours
solide et allant, maniant les armes, chevauchant vite,
chassant longtemps. Six mois de prouesses galantes
auprès de sa belle épousée eurent raison de lui. Il ne
quittait son lit qu'avec l'idée d'y retourner. C'était
obsession ; c'était frénésie. Il réclamait de ses physiciens des préparations qui le fissent infatigable au
déduit... Quoi donc ?... Il vous surprend que... Mais si,
mon neveu, mais si ; bien que d'Eglise, ou plutôt parce
que d'Eglise, il nous faut être instruits de ces choses,
surtout quand elles touchent la personne des rois.

Madame Blanche subissait, à la fois consentante,
inquiète et flattée, cette passion qui lui était à tout
moment prouvée. Le roi se glorifiait publiquement
qu'elle fût plus vite lasse que lui. Bientôt il maigrit.
Il se désintéressait de gouverner. Chaque semaine le

vieillissait d'une année. Il mourut le 22 août 1350, à
cinquante-sept ans, dont vingt-deux ans de règne.

Sous des dehors splendides, ce souverain auquel je
fus fidèle... il était le roi de France, n'est-ce pas, et je ne
pouvais d'autre part pas oublier qu'il demanda pour
moi le chapeau... ce souverain avait été un très piteux
capitaine et un financier désastreux. Il avait perdu
Calais, il avait perdu l'Aquitaine ; il laissait la Bretagne
en révolte et maintes places du royaume incertaines
ou ravagées. Par-dessus tout, il avait perdu le prestige.
Ah si ! tout de même, il avait acheté le Dauphiné. Nul
ne peut être constamment catastrophique. C'est moi,
il est bon que vous le sachiez, qui ai conclu l'affaire,
deux ans avant Crécy. Le Dauphin Humbert était
endetté à ne plus savoir à qui emprunter pour rembourser qui... Je vous conterai la chose par le menu
une autre fois, si elle vous intéresse, et comment je m'y
pris, en faisant porter la couronne de Dauphin par
l'aîné fils de France, à faire entrer le Viennois dans le
giron du royaume. Aussi puis-je dire, sans me vanter,
que j'ai mieux servi la France que le roi Philippe VI,
car lui n'a su que l'apetisser alors que moi j'ai réussi
à l'agrandir.

Six ans déjà ! Six ans que le roi Philippe est mort et
que Monseigneur le duc Jean est devenu le roi Jean II !
Ce sont six ans qui ont passé si vite qu'on se croirait
encore au début du règne. Est-ce parce que notre
nouveau roi a fait assez peu de choses mémorables, ou
bien parce que, plus l'on vieillit, plus le temps semble fuir rapidement ? Quand on a vingt ans, chaque
mois, chaque semaine, tout enrichis de nouveautés,
paraissent de grande durée... Vous verrez, Archambaud, quand vous aurez mon âge, si vous y parvenez,
ce que je vous souhaite de tout mon cœur... On se
retourne et l'on se dit : « Comment ? Déjà une année
passée ? Comment a-t-elle coulé si vite ! » Peut-être

parce que l'on use beaucoup de moments à se souvenir, à revivre du temps vécu...

Et voilà ; le jour est tombé. Je savais que nous n'arriverions à Nontron qu'à la nuit noire.

Brunet ! Brunet !... Demain, il nous faudra partir avant l'aurore car nous aurons longue étape. Donc que l'on harnache en temps, et que chacun soit pourvu de vivres car nous n'aurons guère loisir de faire arrêt. Qui est parti vers Limoges pour annoncer ma venue ? Armand de Guillermis ; c'est fort bien... Je dépêche ainsi mes bacheliers à tour de rôle, pour veiller à mon logement et aux apprêts de ma réception, un jour ou deux en avance, mais pas plus. Juste ce qu'il faut pour que les gens s'empressent, et pas assez pour que les plaignants du diocèse puissent accourir et m'accabler de leurs suppliques... Le cardinal ? Ah ! nous n'avons su que la veille ; hélas, il est déjà parti... Autrement, mon neveu, je serais un vrai tribunal ambulant.

IV

LE CARDINAL ET LES ÉTOILES

Eh ! mon neveu, je vois que vous prenez goût à ma litière, et aux petits repas qu'on m'y sert. Et à ma compagnie, et à ma compagnie, bien sûr... Prenez de ce confit de canard dont on nous a fait présent à Nontron. C'est spécialité de la ville. Je ne sais comment mon maître queux s'est arrangé pour nous le garder tiède...

Brunet !... Brunet, vous direz à mon queux combien j'apprécie qu'il conserve un peu chauds les mets qu'il m'apprête ainsi pour la route ; il est habile... Ah ! il a des braises dans son chariot... Non, non, je ne me plains point qu'on me serve deux fois à la suite les mêmes nourritures, du moment qu'elles m'ont plu. Et j'avais trouvé bien savoureux ce confit, hier soir. Remercions Dieu de nous en avoir pourvus à suffisance.

Le vin, certes, est un peu vert et léger de corps. Ce n'est pas le vin de Sainte-Foy ou celui de Bergerac, auxquels vous êtes accoutumé, Archambaud, sans parler de ceux de Saint-Emilion et de Lussac qui sont régal, mais qui partent tous à présent de Libourne, par vaisseaux pleins, pour l'Angleterre... Palais français n'y ont plus droit.

N'est-ce pas, Brunet, que cela ne vaut point un gobelet de Bergerac ? Le chevalier Aymar Brunet est de Bergerac, et ne juge rien de meilleur que ce qui croît chez lui. Je le moque un peu là-dessus...

Ce matin, c'est dom Francesco Calvo, le secrétaire papal, qui m'a fait compagnie. Je voulais qu'il me remémorât les affaires dont j'aurai besogne à Limoges. Nous y resterons deux jours pleins, peut-être trois. De toute façon, sauf à y être obligé par quelque urgence ou mandement exprès, j'évite à cheminer le dimanche. Je désire que mon escorte puisse assister aux offices et prendre son repos.

Ah ! je ne puis celer que j'ai quelque émoi à revoir Limoges ! Ce fut mon premier évêché. J'avais... J'avais... j'étais plus jeune que vous n'êtes à présent, Archambaud ; j'avais vingt-trois ans. Et je vous traite comme un jouvenceau ! C'est un travers qui vient avec l'âge d'en user avec la jeunesse comme si elle était encore l'enfance, en oubliant ce qu'on fut soi-même, à pareil âge. Il faudra me reprendre, mon neveu, quand vous me verrez incliner dans ce défaut. Evêque... Ma première mitre ! J'en étais bien fier, et j'eus tôt fait, à cause d'elle, de commettre le péché d'orgueil. On disait, certes, que je devais mon siège à la faveur, et que, tout comme mes premiers bénéfices m'avaient été octroyés par Clément V à cause de la grande amitié qu'il portait à ma mère, Jean XXII m'avait pourvu d'un évêché parce que nous avions accordé ma dernière sœur, votre tante Aremburge, à un de ses petits-neveux, Jacques de La Vie. Pour vous avouer le tout, c'était un peu vrai. Etre neveu de pape est un bel accident, mais dont le profit ne dure guère à moins que de s'allier à quelque grande noblesse telle que la nôtre... Votre oncle La Vie fut un brave homme.

Pour ma part, si jeunet que je fusse, je n'ai pas laissé
le souvenir, je crois, d'un mauvais évêque. Quand je
vois tant de diocésains chenus qui ne savent tenir ni
leurs ouailles ni leur clergé, et qui nous accablent de
leurs doléances et de leurs procès, je me dis que je sus
faire assez bien, et sans trop me donner de peine.
J'avais de bons vicaires... tenez, versez-moi encore de
ce vin ; il faut faire passer le confit... de bons vicaires
à qui je laissais le soin d'administrer. J'ordonnais
qu'on ne me dérangeât que pour affaires graves, ce
qui m'acquit du respect et même un peu de crainte.
J'eus le loisir ainsi de poursuivre mes études. J'étais
déjà fort savant en droit canon ; j'obtins d'appeler
de bons maîtres à ma résidence afin de me parfaire
en droit civil. Ils vinrent de Toulouse où j'avais pris
mes grades, et qui est tout aussi bonne université que
celle de Paris, tout aussi fournie en hommes de savoir.
Par reconnaissance, j'ai décidé... je veux vous en avertir, mon neveu, puisque l'occasion s'en trouve ; ceci
est consigné dans mes volontés dernières, pour le
cas où je n'aurais pu accomplir la chose de mon
vivant... j'ai décidé de faire fondation, à Toulouse,
d'un collège pour des escholiers périgordins pauvres...
Prenez donc cette toile, Archambaud, et séchez-vous
les doigts...

C'est aussi à Limoges que je commençai à m'instruire en astrologie. Car les deux sciences les plus
nécessaires à ceux qui doivent exercer gouvernement
sont bien celle du droit et celle des astres, pour ce que
la première apprend les lois qui régissent les rapports
et obligations que les hommes ont entre eux, ou avec le
royaume, ou avec l'Eglise, et la seconde donne connaissance des lois qui régissent les rapports des hommes
avec la Providence. Le droit et l'astrologie ; les lois
de la terre, les lois du ciel. Je dis qu'il n'y a point à
sortir de là. Dieu fait naître chacun de nous à l'heure

qu'il veut, et cette heure est marquée à l'horloge céleste, où il nous a, par grande bonté, permis de lire.

Je sais qu'il est de piètres croyants qui se gaussent de l'astrologie, parce que cette science abonde en charlatans et marchands de mensonges. Mais cela fut de tout temps, et les vieux livres nous rapportent que les anciens Romains et autres peuples antiques dénonçaient les mauvais tireurs d'horoscopes et les faux mages vendeurs de prédictions ; cela n'empêchait point qu'ils recherchassent les bons et justes lecteurs de ciel, qui pratiquaient souvent dans les sanctuaires. Ce n'est point parce qu'il est des prêtres simoniaques, ou intempérants, qu'il faut fermer toutes les églises.

Je suis aise de vous voir partager mes opinions là-dessus. C'est l'attitude humble qui convient au chrétien devant les décrets du Seigneur, le créateur de toutes choses, qui se tient derrière les étoiles...

Vous souhaiteriez... Mais bien volontiers, mon neveu, je le ferai bien volontiers pour vous. Savez-vous l'heure de votre naissance ?... Ah ! il faudrait la savoir ; mandez quelqu'un à votre mère, pour la prier de vous donner l'heure de votre premier cri. Ce sont les mères qui gardent mémoire de ces choses-là...

Pour ma part, je n'ai jamais eu qu'à me louer de pratiquer la science astrale. Cela m'a permis de donner d'utiles conseils aux princes qui voulaient bien m'écouter, et aussi de connaître la nature des gens en face de qui je me trouvais, et de me garder de ceux dont le sort était contraire au mien. Ainsi, le Capocci, j'ai toujours su qu'il me serait adverse en tout, et me suis toujours défié de lui... C'est à partir des astres que j'ai réussi maintes négociations et conclu maints arrangements favorables, comme pour ma sœur de Durazzo ou pour le mariage de Louis de Sicile ; et les bénéficiaires reconnaissants ont grossi ma fortune. Mais en tout premier, c'est auprès de Jean XXII...

Dieu le garde ; il fut mon bienfaiteur... que cette science me fut de précieux service. Car ce pape était grand alchimiste et astrologien lui-même ; de savoir que je m'adonnais au même art, avec succès, lui dicta un recroît de faveur pour moi et lui inspira d'écouter le souhait du roi de France en me créant cardinal à trente ans, ce qui est chose peu commune. J'allai donc en Avignon recevoir mon chapeau. Vous savez comment la chose se passe. Non ?

Le pape donne un grand banquet, où sont conviés tous les cardinaux, pour l'entrée du nouveau dans la curie. A la fin du repas, le pape s'assoit sur son trône, et impose le chapeau au nouveau cardinal qui se tient agenouillé et lui baise d'abord le pied, puis la bouche. J'étais trop jeune pour que Jean XXII... il avait alors quatre-vingt-sept ans... m'appelât *venerabilis frater ;* alors il choisit de s'adresser à moi en me donnant du *dilectus filius.* Et avant de m'inviter à me relever, il me souffla à l'oreille : « Sais-tu combien me coûte ton chapeau ? Six livres, sept sous et dix deniers. » C'était bien dans la façon de ce pontife que de vous rabattre l'orgueil, dans l'instant qu'on pouvait en concevoir le plus, en vous glissant une moquerie sur les grandeurs. De tous les jours de ma vie, il n'en est pas dont j'aie gardé plus précise mémoire. Le Saint-Père, tout desséché, tout plissé, sous son bonnet blanc qui lui enserrait les joues... C'était le 14 juillet de l'an 1331...

Brunet ! Fais arrêter ma litière. Je m'en vais me dégourdir un peu les jambes, avec mon neveu, tandis qu'on brossera ces miettes. Le chemin est plat, et le soleil nous gratifie d'un petit rayon. Vous nous reprendrez en avant. Douze hommes seulement à m'escorter ; je veux un peu de paix... Salut, maître Vigier... salut Volnerio... salut du Bousquet... la paix de Dieu soit sur vous tous, mes fils, mes bons serviteurs.

V

LES DÉBUTS DE CE ROI
QU'ON APPELLE LE BON

LE ciel du roi Jean ? Certes, je le connais ; je me suis maintes fois penché dessus... Si je prévoyais ? Bien sûr, je prévoyais ; c'est pourquoi je me suis si fort dépensé pour empêcher cette guerre, sachant qu'elle lui serait funeste, et donc funeste à la France. Mais allez faire entendre raison à un homme, et surtout à un roi, dont les astres font barrière, précisément, et à l'entendement et à la raison !

Le roi Jean II, à sa naissance, avait Saturne culminant dans la constellation du Bélier, en milieu du ciel. C'est configuration funeste pour un roi, celle des souverains détrônés, des règnes qui s'achèvent hâtivement ou que terminent de tragiques revers. Ajoutez à cela une Lune qui se lève dans le signe du Cancer, lunaire lui-même, marquant ainsi une nature fort féminine. Enfin, et pour ne vous donner que les traits les plus voyants, ceux qui sautent aux yeux de tout astrologien, un difficile groupement où l'on trouve le Soleil, Mer-

cure et Mars étroitement conjoints en Taureau. Voilà
un ciel bien pesant qui compose un homme mal
balancé, mâle et même assez lourd dans les apparences, mais chez qui tout ce qui devrait être viril
est comme castré, jusques et y compris l'entendement ; en même temps, un brutal, un violent, habité de
songes et de peurs secrètes qui lui inspirent des
fureurs soudaines et homicides, incapable d'écouter
avis ou de se maîtriser soi-même, et cachant ses faiblesses sous des dehors de grande ostentation ; au
fond de tout, un sot, et le contraire d'un vainqueur ou
d'une âme de commandement.

De certaines gens, il semble que la défaite soit l'affaire principale, qu'ils en aient un secret appétit, et ne
connaissent de cesse qu'ils ne l'aient trouvée. Etre
battu complaît à leur âme profonde ; le fiel de l'échec
est leur breuvage préféré, comme à d'autres l'hydro-
mel des victoires ; ils aspirent à la dépendance, et rien
ne leur convient mieux que de se contempler dans
une soumission imposée. C'est grand malheur quand
de telles dispositions de naissance tombent sur la tête
d'un roi.

Jean II, tant qu'il fut Monseigneur de Normandie,
vivant sous la contrainte d'un père qu'il n'aimait pas,
parut un prince acceptable, et les ignorants crurent
qu'il régnerait bien. D'ailleurs les peuples, et même
les cours, toujours portés à l'illusion, attendent toujours d'un nouveau roi qu'il soit meilleur que le précédent, comme si la nouveauté portait en soi vertu
miraculeuse. A peine celui-ci eut-il le sceptre en main
que ses astres et sa nature commencèrent de montrer
leurs malheureux effets.

Il n'était roi que depuis dix jours quand Monsieur
d'Espagne, dans ce mois d'août 1350, se fit battre sur la
mer, au large de Winchelsea, par le roi Edouard III.
La flotte que Charles d'Espagne commandait était cas-

tillane, et notre Sire Jean n'était pas responsable de l'expédition. Néanmoins, comme le vainqueur était d'Angleterre, et le vaincu l'ami très cher du roi de France, c'était mauvais début pour ce dernier.

Le sacre se fit en fin septembre. Monsieur d'Espagne était revenu et, à Reims, on témoigna beaucoup de grâces à ce vaincu, pour le consoler de sa défaite.

A la mi-novembre, le connétable Raoul de Brienne, comte d'Eu, rentra en France. Il était depuis quatre ans captif du roi Edouard, mais un captif assez libre, qu'on laissait à l'occasion aller entre les deux pays, car il était mêlé aux négociations d'une paix générale à laquelle nous travaillions fort en Avignon. Moi-même, je correspondais avec le connétable. Cette fois, il venait réunir le prix de sa rançon. Je n'ai point à vous apprendre que Raoul de Brienne était un très haut, très grand, très puissant personnage, et pour ainsi dire le second homme du royaume. Il avait succédé en sa charge à son père Raoul V, tué en tournoi. Il était tenant de vastes fiefs en Normandie, d'autres en Touraine, dont Bourgueil et Chinon, d'autres en Bourgogne, d'autres en Artois. Il possédait des terres, pour l'heure confisquées, en Angleterre et en Irlande ; il en possédait dans le pays de Vaud. Il était le cousin par alliance du comte Amédée de Savoie. Un tel homme, quand on vient juste de s'asseoir au trône, est de ceux qu'on traite avec quelques égards ; ne croyez-vous pas, Archambaud ? Eh bien, notre Jean II, après lui avoir adressé, au soir de son arrivée, des reproches furieux, mais peu clairs, commanda sur-le-champ de l'emprisonner. Et le surlendemain matin, il le fit décapiter, sans jugement... Non ; aucune raison avouée. Nous n'avons pas pu en savoir plus, à la curie, que vous à Périgueux. Et pourtant nous nous sommes employés à éclairer l'affaire, croyez-le ! Pour expliquer cette exécution précipitée, le roi Jean affirma

qu'il détenait les preuves écrites de la félonie du connétable ; mais jamais il ne les produisit, jamais. Même
au pape, qui le pressait, dans son intérêt propre, de
révéler ces fameuses preuves, il opposa un silence
buté.

Alors on commença, dans toutes les cours d'Europe,
à chuchoter, à supposer... On parla d'une correspon-
dance amoureuse que le connétable aurait entretenue
avec Madame Bonne de Luxembourg et qui, après le
décès de celle-ci, serait tombée entre les mains du roi...
Ah ! vous aussi vous avez entendu cette fable !...
Etrange liaison, en vérité, et dont on apercevrait mal,
en tout cas, qu'elle ait pu prendre un tour criminel,
entre une femme sans cesse enceinte et un homme
presque continûment captif depuis quatre ans ! Peut-
être y avait-il, dans les lettres de messire de Brienne,
des choses pénibles à lire pour le roi ; mais si ce fut,
elles devaient regarder plutôt sa propre conduite que
celle de sa première épouse... Non, rien ne tenait qui
pût expliquer cette exécution, sinon la nature haineuse
et meurtrière du nouveau roi, semblable assez à la
nature de sa mère, la méchante boiteuse. Le vrai motif
se révéla peu après, quand la charge de connétable fut
donnée... vous savez bien à qui... eh oui ! à Monsieur
d'Espagne, avec une partie des biens du défunt, dont
toutes les terres et possessions furent distribuées
entre les familiers du roi. Ainsi le comte Jean d'Artois
en eut grosse part : le comté d'Eu.

Les largesses de cette sorte font moins d'obligés
qu'elles ne créent d'ennemis. Messire de Brienne avait
foison de parents, d'amis, de vassaux, de serviteurs,
toute une grande clientèle fort attachée à lui et qui
aussitôt se mua en un réseau de mécontents. Comptez,
en plus, des gens de l'entourage royal qui ne reçurent
ni mie ni miette des dépouilles, et en furent jaloux et
revêches...

Ah ! Nous avons bonne vue, d'ici, sur Châlus et ses deux châteaux. Comme ces deux hauts donjons se répondent bien, qu'une mince rivière sépare ! Et le pays est plaisant au regard, sous ces nuages qui courent bon train...

La Rue ! La Rue, je ne me méprends point ; c'est bien devant le châtel de droite, sur la colline, que messire Richard Cœur de Lion fut durement navré d'une flèche qui lui ôta la vie ? Ce n'est point d'aujourd'hui que les gens de nos pays ont accoutumé d'être assaillis par l'Anglais, et de s'en défendre...

Non, La Rue, je ne suis point las ; je m'arrête seulement pour contempler... Eh certes, oui, j'ai bon pas ! Je vais cheminer encore un petit, et ma litière me reprendra plus avant. Rien ne nous presse trop. De Châlus à Limoges, si j'ai bon souvenir, il y a moins de neuf lieues. Trois heures et demie nous suffiront, sans forcer le trot... Soit ! quatre heures. Laissez-moi profiter des derniers beaux jours que Dieu nous dispense. Je serai bien assez renfermé derrière mes rideaux quand viendra la pluie...

Je vous disais donc, Archambaud, la façon dont s'y prit le roi Jean pour se faire sa première corbeille d'ennemis, dans le sein même du royaume. Il résolut alors de se créer des amis, des féaux, des hommes tout à sa dévotion, liés à lui par un lien neuf, qui l'aideraient en guerre comme en paix, et qui feraient la gloire de son règne. Et pour ce, dès l'aube de l'an suivant, il fonda l'Ordre de l'Etoile auquel il donna pour objets l'exhaussement de la chevalerie et l'accroissement de l'honneur. Cette grande novelleté n'était point si neuve, puisque le roi Edouard d'Angleterre avait déjà institué la Jarretière. Mais le roi Jean se gaussait de cet ordre créé autour d'une jambe de femme ; l'Etoile serait tout autre chose. Vous pouvez noter là un trait constant chez lui. Il ne sait que copier, mais toujours en se donnant les airs d'inventer.

Cinq cents chevaliers, pas moins, qui devaient jurer sur les Saintes Ecritures de ne jamais reculer d'un pied en bataille, ni jamais se rendre. Tant de sublime se devait d'être signalé par de visibles marques. Jean II ne lésina point sur l'ostentation ; et son Trésor, qui n'était déjà pas bien haut, se mit à fuir comme tonneau percé. Pour loger l'Ordre, il fit aménager la maison de Saint-Ouen, qu'on n'appela plus que la Noble Maison, tout emplie de meubles superbes, sculptés et ajourés, engravés d'ivoire et autres matières précieuses. Je n'ai point vu la Noble Maison, mais on me l'a dépeinte. Les murs y sont, ou plutôt y étaient, tendus de toiles d'or et d'argent, ou bien de velours semé d'étoiles et de fleurs de lis d'or. A tous les chevaliers, le roi fit faire une cotte de soie blanche, un surcot mi-partie blanc et vermeil, un chaperon vermeil orné d'un fermail d'or en forme d'étoile. Ils reçurent encore une bannière blanche brodée d'étoiles, et chacun aussi un riche anneau d'or et d'émail, pour montrer qu'ils étaient tous comme mariés au roi... ce qui portait à sourire. Cinq cents fermails, cinq cents bannières, cinq cents anneaux ; calculez la dépense ! Il paraît que le roi dessina et discuta chaque pièce de ce glorieux attirail. Il y croyait ferme, à son Ordre de l'Etoile ! Avec de si mauvais astres que les siens, il eût été mieux avisé de choisir un autre emblème.

Une fois l'an, selon la règle qu'il avait dictée, tous les chevaliers devaient se réunir en un grand festin où chacun donnerait récit de ses aventures héroïques, et des prouesses d'armes par lui accomplies dans l'année ; deux clercs en tiendraient registre et chronique. La Table Ronde allait revivre, et le roi Jean dépasser en renommée le roi Arthur de Bretagne ! Il édifiait de grands et vagues projets. On se mit à reparler de croisade...

La première assemblée de l'Etoile, convoquée pour le jour des Rois de 1352, fut passablement décevante. Les futurs preux n'avaient pas grands exploits à conter. Le temps leur avait manqué. Les janissaires fendus en deux, du casque à l'arçon de la selle, et les pucelles délivrées des geôles barbaresques, ce serait l'affaire d'une autre année. Les deux clercs commis à la chronique de l'Ordre n'eurent point à user beaucoup d'encre, à moins que saoulerie ne comptât pour exploit. Car la Noble Maison fut le lieu de la plus grosse beuverie qu'on eût vue en France depuis Dagobert. Les chevaliers blancs et vermeils s'engagèrent si fort au festin qu'avant l'entremets, criant, chantant, hurlant, ivres à rouler, ne quittant la table que pour courir pisser ou dégorger, revenant piquer aux plats, se lançant d'ardents défis à qui viderait le plus de hanaps, ils méritaient tout seulement d'être armés chevaliers de la ripaille. La belle vaisselle d'or, ouvragée pour eux, fut froissée ou brisée ; ils se la jetaient par-dessus les tables, comme des gamins, ou bien l'écrasaient de leurs poings. Des beaux meubles ajourés et incrustés, il ne resta que débris. L'ivresse dut faire croire à certains qu'ils étaient déjà en guerre, car ils s'employèrent céans à faire butin. Ainsi les draps d'or et d'argent qui pendaient aux murs furent volés.

Or, ce jour même fut celui où les Anglais se saisirent de la citadelle de Guines, livrée par belle trahison, tandis que le capitaine qui commandait cette place festoyait à Saint-Ouen.

Le roi, de tout cela, eut gros dépit et commença de se complaire dans l'idée que ses plus valeureuses entreprises, par quelque sort funeste, étaient vouées à l'échec.

Peu de temps après survint le premier combat auquel des chevaliers de l'Etoile eurent à prendre part, non point dans un Orient fantastique, mais au coin d'un bois de Basse-Bretagne. Quinze d'entre eux, voulant prouver qu'ils étaient capables d'autres hauts faits que ceux du pichet, respectèrent leur serment de ne jamais reculer ni retraiter ; et plutôt que de se dégager à temps, comme gens sensés l'eussent fait, ils s'offrirent à être encerclés par un adversaire dont le nombre ne leur laissait nulle chance, même petite. Aucun ne revint pour conter cette prouesse. Mais les parents des chevaliers morts ne se privèrent point de dire que le nouveau roi avait l'esprit bien faussé pour imposer à ses bannerets un serment aussi fol, et que si tous devaient le tenir, il se retrouverait bientôt seul à son assemblée...

Ah ! voici ma litière... Vous préférez chevaucher à présent ?... Moi, je crois que je vais dormir un petit afin de me trouver frais à l'arrivée... Mais vous comprenez, Archambaud, pourquoi l'Ordre de l'Etoile n'a pas eu grande suite, et qu'on en parle de moins en moins, d'année en année.

VI

LES DÉBUTS DE CE ROI
QU'ON APPELLE LE MAUVAIS

AVEZ-VOUS noté, mon neveu, que partout où nous nous arrêtons, à Limoges aussi bien qu'à Nontron ou ailleurs, chacun nous demande nouvelles du roi de Navarre, comme si le sort du royaume dépendait de ce prince ? L'étrange situation, en vérité, que celle où nous sommes. Le roi de Navarre est prisonnier, dans un château d'Artois, de son cousin le roi de France. Le roi de France est prisonnier, dans un hôtel de Bordeaux, de son cousin le prince héritier d'Angleterre. Le Dauphin, héritier de France, se débat dans le palais de Paris, entre ses bourgeois agités et ses Etats généraux remontrants. Or, c'est du roi de Navarre que tout le monde paraît s'inquiéter. Vous avez entendu l'évêque lui-même : « On disait le Dauphin fort ami de Monseigneur de Navarre. Ne va-t-il pas le libérer ? » Dieu Saint ! J'espère bien que non. Il a été fort avisé, ce jeune homme, de n'en rien faire jusqu'à présent. Et je m'inquiète de cette tentative d'évasion que des chevaliers du clan navarrais auraient montée pour délivrer leur chef. Elle a échoué ; il faut nous en féliciter. Mais tout porte à croire qu'ils voudront recommencer.

Oui, oui, j'ai appris bien des choses pendant notre arrêt à Limoges. Et je me dispose, dès notre arrivée ce soir à La Péruse, d'en écrire au pape.

Si c'était une grosse sottise de la part du roi Jean d'enfermer Monsieur de Navarre, c'en serait une égale aujourd'hui, pour le Dauphin, de le relâcher. Je ne connais pas de plus grand brouilleur que ce Charles qu'on appelle le Mauvais ; et ils se sont bien donné la main, à travers leur querelle, le roi Jean et lui, pour jeter la France dans son malheur présent. Vous savez d'où lui vient son surnom ? Des tout premiers mois de son règne. Il n'a point perdu de temps pour le gagner.

Sa mère, la fille de Louis Hutin, mourut, comme je vous le contais l'autre jour, durant l'automne de 49. Dans l'été de 1350, il alla se faire couronner en sa capitale de Pampelune, où jamais depuis sa naissance, à Evreux, dix-huit ans plus tôt, il n'avait mis les pieds. Voulant se faire connaître, il parcourut ses Etats, ce qui ne demandait point de longues courses ; puis il alla visiter ses voisins et parents, son beau-frère, le comte de Foix et de Béarn, celui qui se fait appeler Phœbus, et son autre beau-frère, le roi d'Aragon, Pierre le Cérémonieux, et également le roi de Castille.

Or, un jour qu'il était de retour à Pampelune et qu'il y passait un pont, à cheval, il rencontra une délégation de nobles navarrais qui venaient à lui, pour lui porter leurs doléances, parce qu'il avait laissé violer leurs droits et privilèges. Comme il refusait de les entendre, les autres s'échauffèrent un peu ; il fit alors saisir par ses soldats ceux qui criaient au plus près de lui, et ordonna qu'on les pendît dans l'instant aux arbres voisins, disant qu'il faut être prompt à punir si l'on veut être respecté.

J'ai remarqué que les princes trop hâtifs au châtiment capital obéissent souvent à des mouvements de peur. Ce Charles n'y fait pas exception, car je le crois plus courageux de paroles que de corps. C'est cette brutale pendaison, dont la Navarre fut endeuillée, qui lui valut d'être bientôt appelé par ses sujets *el malo*, le Mauvais. Il ne tarda pas, d'ailleurs, à s'éloigner de son royaume, dont il laissa le gouvernement à son plus jeune frère, Louis, qui n'avait alors que quinze ans, lui-même préférant revenir s'agiter à la cour de France en compagnie de son autre frère, Philippe.

Alors, me direz-vous, comment le parti navarrais peut-il être tellement nombreux et puissant, si en Navarre même une part de la noblesse est opposée à son roi ? Eh ! mon neveu, c'est que ce parti est surtout composé des chevaliers normands du comté d'Evreux. Et ce qui rend Charles de Navarre si dangereux pour la couronne de France, plus encore que ses possessions au midi du royaume, ce sont celles qu'il tient, ou qu'il tenait, dans la proximité de Paris, telles les seigneuries de Mantes, Pacy, Meulan, ou Nonancourt, qui commandent les accès à la capitale pour tout le quart ouest du pays.

Cela, le roi Jean le comprit assez bien, ou on le lui fit comprendre ; et il donna, pour une rare fois, preuve de bon sens en s'efforçant à l'entente et à l'arrangement avec son cousin de Navarre. Par quel lien pouvait-il se l'attacher le mieux ? Par un mariage. Et quel mariage pouvait-on lui offrir qui le liât à la couronne aussi étroitement que l'union qui avait, pendant six mois, fait de sa sœur Blanche la reine de France ? Eh bien, le mariage avec l'aînée des filles du roi lui-même, la petite Jeanne de Valois. Elle n'avait que huit ans, mais c'était un parti qui valait bien d'attendre pour consommer. D'ailleurs Charles de Navarre ne manquait pas de galante compagnie pour seconder sa patience. Entre autres, on sait une certaine demoiselle Gracieuse... oui, c'est son nom, ou celui qu'elle avoue... La petite Jeanne de Valois, elle, était déjà veuve, puisqu'on l'avait une première fois mariée, à l'âge de trois ans, avec un parent de sa mère que Dieu n'avait pas tardé à reprendre.

En Avignon, nous fûmes favorables à ces accordailles qui nous semblaient devoir assurer la paix. Car le contrat réglait toutes affaires pendantes entre ces deux branches de la famille de France, à commencer par celle du comté d'Angoulême depuis si longtemps promis à la mère de Charles, en échange de son renoncement à la Brie et à la Champagne, puis rééchangé contre Pontoise et Beaumont, mais sans qu'il y ait eu exécution. Cette fois, on revenait à l'accord premier ; Navarre recevrait l'Angoumois ainsi que plusieurs grosses places et châtellenies qui constituaient la dot. Le roi Jean prenait grand air d'autorité pour charger de bienfaits son futur beau-fils. « Vous aurez ceci, je le veux ; je vous donne cela, j'en ai dit... »

Navarre faisait plaisanterie, devant ses familiers, de ses liens nouveaux avec le roi Jean. « Nous étions cousins par naissance ; nous fûmes sur le point d'être beaux-frères ; mais son père ayant épousé ma sœur, je me suis trouvé son oncle ; et voici qu'à présent, je vais devenir son gendre. » Mais tandis qu'on négociait le contrat, il s'entendait fort bien à grossir son lot. A lui-même il n'était point demandé d'apport, seulement une avance d'argent : cent mille écus dont le roi Jean était endetté auprès des marchands de Paris, et que Charles aurait la bonne grâce de rembourser. Il n'avait point, lui non plus, la liquidité de la somme ; on la lui trouva chez les banquiers de Flandre auxquels il consentit à remettre en gage une partie de ses bijoux.

C'était chose plus aisée pour le gendre du roi que pour
le roi lui-même...

Ce fut à cette occasion, je m'en avise, que Navarre
dut s'aboucher avec le prévôt Marcel... dont il faut
également que j'écrive au pape, car les agissements
présents de cet homme-là ne sont point sans m'inquiéter. Mais c'est une autre affaire...

Les cent mille écus furent reconnus à Navarre dans
le contrat de mariage ; ils devaient lui être versés par
fractions, promptement. En outre, il fut fait chevalier
de l'Etoile, et on lui laissa même espérer la charge de
connétable, bien qu'il n'eût pas vingt ans accomplis.
Le mariage fut célébré avec grand éclat et grande
liesse.

Or, la belle amitié que se montraient le beau-père
et le gendre fut bientôt brouillée. Qui la brouilla ?
L'autre Charles, Monsieur d'Espagne, le beau La
Cerda, jaloux forcément de la faveur qui environnait
Navarre, et inquiet d'en voir l'astre monter si haut
dans le ciel de la cour. Charles de Navarre a ce travers
commun à beaucoup de jeunes hommes... et dont je
vous engage à vous défendre, Archambaud... qui est
de parler trop quand la fortune leur sourit, et de ne
point résister à faire de méchants mots. La Cerda ne
manqua pas de rapporter au roi Jean les traits de son
beau-fils, en les assaisonnant de sa sauce. « Il vous
brocarde, mon cher Sire ; il se croit toutes paroles
permises. Vous ne pouvez tolérer ces atteintes à votre
majesté ; et si vous les tolérez, moi, pour l'amour de
vous, je ne les puis supporter. » Et d'instiller poison
dans la tête du roi, jour après jour. Navarre avait dit
ci, Navarre avait fait ça ; Navarre se rapprochait trop
du Dauphin ; Navarre intriguait avec tel officier du
Grand Conseil. Il n'y a pas d'homme plus prompt que
le roi Jean à entrer dans une mauvaise idée sur le
compte d'autrui ; ni plus renâclant à en sortir. Il est

tout ensemble crédule et buté. Rien n'est plus aisé que
de lui inventer des ennemis.

Bientôt la lieutenance générale en Languedoc, dont
Charles de Navarre avait été gratifié, lui fut retirée.
Au profit de qui ? De Charles d'Espagne. Puis la charge
de connétable, vacante depuis la décapitation de
Raoul de Brienne, fut enfin attribuée, mais pas à Charles de Navarre, à Charles d'Espagne. Des cent mille
écus qui devaient lui être remboursés, Navarre ne vit
pas le premier, cependant que présents et bénéfices
ruisselaient sur l'ami du roi. Enfin, enfin, le comté
d'Angoulême, au mépris de tous les accords, fut donné
à Monsieur d'Espagne, Navarre devant se contenter
de nouveau d'une vague promesse d'échange.

Alors, entre Charles le Mauvais et Charles d'Espagne, ce fut d'abord le froid, puis la détestation, et
bientôt la haine ouverte et avouée. Monsieur d'Espagne avait beau jeu de dire au roi : « Voyez comme
j'étais dans le vrai, mon cher Sire ! Votre gendre,
dont j'avais percé les mauvais desseins, s'insurge
contre vos volontés. Il s'en prend à moi, parce qu'il
voit que je vous sers trop bien. »

D'autres fois, il feignait de vouloir s'exiler de la
cour, lui qui était au sommet de la faveur, si les frères
Navarre continuaient de médire de lui. Il parlait
comme une maîtresse : « Je m'en irai dans quelque
lieu désert, hors de votre royaume, pour y vivre du
souvenir de l'amour que vous m'avez montré. Ou pour
y mourir ! Car loin de vous, l'âme me quittera le
corps. » On lui vit verser des larmes, à cet étrange
connétable !

Et comme le roi Jean avait la tête tout envahie de
l'Espagnol, et qu'il ne voyait rien que par ses yeux, il
mit beaucoup d'opiniâtreté à se faire un irréductible
ennemi du cousin qu'il avait choisi pour gendre afin
de s'assurer un allié.

Je vous l'ai dit : plus sot que ce roi-là on ne peut trouver, ni plus nuisible à soi-même... ce qui ne serait encore que de petit dommage s'il n'était du même coup si nuisible à son royaume.

La cour ne bruissait plus que de cette querelle. La reine, bien délaissée, se rencognait avec Madame d'Espagne... car il était marié, le connétable, un mariage de façade, avec une cousine du roi, Madame de Blois.

Les conseillers du roi, bien qu'ils fissent tous également mine d'aduler leur maître, étaient fort partagés, selon qu'ils pensaient bon de lier leur fortune à celle du connétable ou à celle du gendre. Et les luttes feutrées qui les opposaient étaient d'autant plus âpres que ce roi, qui voudrait faire paraître qu'il est seul à trancher de tout, a toujours abandonné à son entourage le soin des plus graves affaires.

Voyez-vous, mon cher neveu, on intrigue autour de tous les rois. Mais on ne conspire, on ne complote qu'autour des rois faibles, ou de ceux qu'un vice, ou encore les atteintes de la maladie, affaiblissent. J'aurais voulu voir qu'on conspirât autour de Philippe le Bel ! Personne n'y songeait, personne n'aurait osé. Ce qui ne veut point dire que les rois forts sont à l'abri des complots ; mais alors, il y faut de vrais traîtres. Tandis qu'auprès des princes faibles, il devient naturel aux honnêtes gens eux-mêmes d'être comploteurs.

Un jour d'avant la Noël de 1354, en un hôtel de Paris, il s'échangea de si grosses paroles et insultes entre Charles d'Espagne et Philippe de Navarre que ce dernier tira sa dague et fut tout près, si on ne l'avait entouré, d'en frapper le connétable ! Ce dernier feignit de rire, et cria au jeune Navarre qu'il se fût montré moins menaçant s'il n'y avait eu tant de gens autour d'eux pour le retenir. Philippe n'est point aussi fin, mais il est plus enflammé au combat que son frère aîné. On ne le retira de la salle qu'il n'ait proféré qu'il tirerait prompte vengeance de l'ennemi de sa famille, et lui ferait ravaler son outrage. Ce qu'il accomplit, à deux semaines de là, dans la nuit de la fête des Rois mages.

Monsieur d'Espagne allait visiter sa cousine, la comtesse d'Alençon. Il s'arrêta pour coucher à Laigle, dans une auberge dont le nom ne se laisse point oublier, l'auberge de la Truie-qui-file. Trop sûr du respect qu'inspiraient, pensait-il, sa charge et l'amitié du roi, il croyait n'avoir point de danger à craindre quand il cheminait par le royaume, et il n'avait pris avec lui que petite escorte. Or, le bourg de Laigle est sis dans le comté d'Evreux, à peu de lieues de cette ville où les frères d'Evreux-Navarre séjournaient en leur gros château. Avertis du passage du connétable, ils apprêtèrent à celui-ci une belle embûche.

Vers la minuit, vingt chevaliers normands, tous rudes seigneurs, le sire de Graville, le sire de Clères, le sire de Mainemares, le sire de Morbecque, le chevalier d'Aunay... eh oui ! le descendant d'un des galants de la Tour de Nesle ; il n'était point surprenant qu'on le retrouvât dans le parti Navarre... enfin, vous dis-je, une bonne vingtaine dont les noms sont connus, puisque le roi, à son malgré, dut leur donner par la suite des lettres de rémission... surgirent dans le bourg, sous la conduite de Philippe de Navarre, firent voler les portes de la Truie-qui-file, et se ruèrent au logement du connétable.

Le roi de Navarre n'était pas avec eux. Pour le cas où l'affaire aurait mal tourné, il avait choisi d'attendre à la lisière de la ville, auprès d'une grange, en compagnie des garde-chevaux. Oh ! je le vois, mon Charles le Mauvais, petit, vivace, entortillé dans son manteau comme une fumée d'enfer, et sautant de long en large sur la terre gelée, pareil au diable qui ne touche pas le sol. Il attend. Il regarde le ciel d'hiver. Le froid lui pince les doigts. Il a l'âme tordue à la fois de crainte et de haine. Il prête l'oreille. Il reprend son piétinement inquiet.

Survient alors Jean de Fricamps, dit Friquet, le gouverneur de Caen, son conseiller et son plus zélé monteur de machines, qui lui dit, tout hors d'haleine : « C'est chose faite, Monseigneur ! ».

Et puis Graville, Mainemares, Morbecque apparaissent, et Philippe de Navarre lui-même, et tous les conjurés. Là-bas, à l'auberge, le beau Charles d'Espagne, qu'ils ont tiré de dessous son lit où il avait pris refuge, est bien trépassé. Ils l'ont vilainement appareillé, à travers sa robe de nuit. On lui comptera quatre-vingts plaies au corps, quatre-vingts coups de lame. Chacun a voulu y plonger quatre fois son épée... Voilà, messire mon neveu, comment le roi Jean perdit son bon ami, et comment Monseigneur de Navarre entra en rébellion...

A présent, je vais vous prier de céder votre place à dom Francesco Calvo, mon secrétaire papal, avec lequel je veux m'entretenir avant que nous ne parvenions à l'étape.

VII

LES NOUVELLES DE PARIS

COMME je vais être, dom Calvo, fort affairé en arrivant
à La Péruse, pour inspecter l'abbaye et voir si elle a
été si fort ravagée par les Anglais que je doive, pendant un an exempter les moines, ainsi qu'ils me le
demandent, de me verser mes bénéfices de prieur, je
veux vous dire céans les choses à figurer dans ma lettre au Saint-Père. Je vous saurai gré de me préparer
cette lettre dès que nous serons là-bas, avec toutes les
belles tournures que vous avez coutume d'y mettre.

Il faut faire connaître au Saint-Père les nouvelles de
Paris qui me sont parvenues à Limoges, et qui ne laissent pas de m'inquiéter.

En lieu premier, les agissements du prévôt des marchands de Paris, maître Etienne Marcel. J'apprends
que ce prévôt fait depuis un mois construire fortifica-
tions et creuser fossés autour de la ville, au-delà des
enceintes anciennes, comme s'il se préparait à soutenir un siège. Or, au point où nous en sommes des pala-
bres de paix, les Anglais ne montrent point d'intention

de faire peser menace sur Paris, et l'on ne comprend guère cette hâte à se fortifier. Mais outre cela, le prévôt a organisé ses bourgeois en corps de ville, qu'il arme et exerce, avec quarteniers, cinquanteniers et dizainiers pour assurer les commandements, tout à fait à l'image des milices de Flandre qui gouvernent elles-mêmes leurs cités ; il a imposé à Monseigneur le Dauphin, lieutenant du roi, d'agréer à la constitution de cette milice, et, de surcroît, alors que toutes taxes et tailles royales sont objet général de doléances et refus, il a, lui prévôt, afin d'équiper ses hommes, établi un impôt sur les boissons qu'il perçoit directement.

Ce maître Marcel qui naguère s'est bien enrichi à la fourniture du roi, mais qui a perdu depuis quatre ans cette fourniture et en a conçu un gros dépit, semble depuis le malheur de Poitiers vouloir se mêler de toutes choses au royaume. On aperçoit mal ses desseins, sauf celui de se rendre important ; mais il ne va guère dans le chemin de l'apaisement que souhaite notre Saint-Père. Aussi, mon pieux devoir est de conseiller au pape, s'il lui parvenait quelque demande de ce côté-là, de se montrer fort sourcilleux, et de ne donner aucun appui, ni même apparence d'appui, au prévôt de Paris et à ses entreprises.

Vous m'avez déjà compris, dom Calvo. Le cardinal Capocci est à Paris. Il pourrait bien, irréfléchi comme il l'est et ne manquant point une bévue, se croire très fort en nouant intrigue avec ce prévôt... Non, rien de précis ne m'a été rapporté ; mais mon nez me fait sentir une de ces voies torses dans lesquelles mon colégat ne manque jamais de s'engager...

En lieu second, je veux inviter le souverain pontife à se faire instruire par le menu des Etats généraux de la Langue d'oïl qui se sont clos à Paris au début de ce mois, et à porter la lumière de sa sainte attention sur les étrangetés qu'on y a vu se produire.

Le roi Jean avait promis de convoquer ces Etats au mois de décembre ; mais dans le grand émoi, désordre et accablement où s'est trouvé le royaume en conséquence de la défaite de Poitiers, le Dauphin Charles a cru sagement agir en avançant dès octobre la réunion. En vérité, il n'avait guère d'autre choix à faire pour affermir l'autorité qui lui échéait en cette malencontre, jeune comme il est, avec une armée toute dessoudée par les revers, et un Trésor en extrême pénurie.

Mais les huit cents députés de la Langue d'oïl, dont quatre cents bourgeois, ne délibérèrent pas du tout des points sur lesquels ils étaient invités à le faire.

L'Eglise a longue expérience des conciles qui échappent à ceux qui les ont assemblés. Je veux dire au pape que ces Etats ressemblent tout exactement à un concile qui s'égare et s'arroge de régenter de tout, et se rue à la réformation désordonnée en profitant de la faiblesse du suprême pouvoir.

Au lieu de s'affairer à la délivrance du roi de France, nos gens de Paris se sont d'emblée souciés de réclamer celle du roi de Navarre, ce qui montre bien de quel bord sont ceux qui les mènent.

Outre quoi, les huit cents ont nommé une commission de quatre-vingts qui s'est mise à besogner dans le secret pour produire une longue liste de remontrances où il y a un peu de bon et beaucoup de pire. D'abord, ils demandent la destitution et la mise en jugement des principaux conseillers du roi, qu'ils accusent d'avoir dilapidé les aides, et qu'ils tiennent pour responsables de la défaite...

Sur cela, je dois dire, Calvo... ce n'est pas pour la lettre, mais je vous ouvre ma pensée... les remontrances ne sont point tout à fait injustes. Parmi les gens auxquels le roi Jean a commis le gouvernement, j'en sais qui ne valent guère, et qui même sont de francs gredins. Il est naturel qu'on s'enrichisse dans les hautes charges, sinon personne n'en voudrait prendre la peine et les risques. Mais il faut se garder de franchir les limites de la deshonnêteté, et ne pas faire ses affaires aux dépens de l'intérêt public. Et puis surtout, il faut être capable. Or le roi Jean, étant peu capable lui-même, choisit volontiers des gens qui ne le sont point.

Mais à partir de là, les députés se sont mis à requérir choses abusives. Ils exigent que le roi, ou pour le présent son lieutenant le Dauphin, ne gouverne plus que par conseillers désignés par les trois Etats, quatre prélats, douze chevaliers, douze bourgeois. Ce Conseil aurait puissance de tout faire et ordonner, comme le roi le faisait avant, nommerait à tous offices, pourrait réformer la Chambre des comptes et toutes compagnies du royaume, déciderait du rachat des prisonniers, et encore de bien d'autres choses. En vérité, il ne s'agit de rien moins que de dépouiller le roi des attributs de la souveraineté.

Ainsi la direction du royaume ne serait plus exercée par celui qui a été oint et sacré selon notre sainte religion ; elle serait confiée à ce dit Conseil qui ne tirerait son droit que d'une assemblée bavarde, et n'opérerait que dans la dépendance de celle-ci. Quelle faiblesse et quelle confusion ! Ces prétendues réformations... vous m'entendez, dom Calvo ; j'insiste là-dessus, car il ne faut point que le Saint-Père puisse dire qu'il n'a pas été averti... ces prétendues réformations sont offense au bon sens, en même temps qu'elles fleurent l'hérésie.

Or, des gens d'Eglise, la chose est regrettable, penchent de ce côté-là, comme l'évêque de Laon, Robert le Coq, lui aussi dans la disgrâce du roi, et pour cela tout abouché au prévôt. C'est l'un des plus véhéments.

Le Saint-Père doit bien voir que, derrière tous ces remuements, on trouve le roi de Navarre qui semble

mener les choses du fond de sa prison, et qui les empi-
rerait encore s'il les façonnait à l'air libre. Le Saint-
Père, en sa grande sagesse, jugera donc qu'il lui faut
se garder d'intervenir de la moindre façon pour que
Charles le Mauvais, je veux dire Monseigneur de
Navarre, soit relâché, ce que maintes suppliques
venues de tous côtés doivent le prier de faire.

Pour ma part, usant de mes prérogatives de légat et
nonce... vous m'écoutez, Calvo ?... j'ai commandé à
l'évêque de Limoges d'être en ma suite pour se présenter à Metz. Il me rejoindra à Bourges. Et j'ai résolu
d'en faire autant de tous autres évêques sur ma route,
dont les diocèses ont été pillés et désolés par les chevauchées du prince de Galles, afin qu'ils en témoignent
devant l'Empereur. Je serai ainsi renforcé pour représenter combien se révèle pernicieuse l'alliance qu'ont
faite le roi navarrais et celui d'Angleterre...

Mais qu'avez-vous à regarder sans cesse au-dehors,
dom Calvo ?... Ah ! c'est le balancement de ma litière
qui vous tourne l'estomac ! Moi, j'y suis fort habitué,
je dirais même que cela me stimule l'esprit ; et je vois
que mon neveu, messire de Périgord, qui me fait souvent compagnie depuis notre départ, n'en est point
du tout affecté... C'est vrai, vous avez la mine trouble.
Bon, vous allez descendre. Mais n'oubliez rien de ce
que je vous ai dit, quand vous prendrez vos plumes.

VIII

LE TRAITÉ DE MANTES

Où sommes-nous ? Avons-nous passé Mortemart ?...
Pas encore ! Eh bien, j'ai dormi un petit, ce me semble... Oh ! comme le ciel s'assombrit, et comme les
jours raccourcissent ! Je rêvais, voyez-vous, mon
neveu, je rêvais d'un prunier en fleur, un gros prunier
tout blanc, tout rond, tout empli d'oiseaux, comme si
chaque fleur chantait. Et le ciel était bleu, pareil au
tapis de la Vierge. Une vision angélique, un vrai coin
du paradis. L'étrange chose que les rêves ! Avez-vous
remarqué que, dans les Evangiles, il n'y a point de
rêves relatés, à part celui de Joseph au début de saint
Matthieu ? C'est le seul. Alors que, dans l'Ancien Tes-
tament, les patriarches ont sans cesse des songes,
dans le Nouveau, on ne rêve point. Je me suis souvent
demandé pourquoi, sans pouvoir répondre... Cela ne
vous avait pas frappé ? C'est que vous n'êtes pas grand
lecteur des Saintes Ecritures, Archambaud... Je vois
là un bon sujet, pour nos savants docteurs de Paris
ou d'Oxford, de disputer entre eux et de nous fournir

de gros traités et discours, en un latin si épais que personne n'y entendrait plus goutte...

En tout cas, le Saint-Esprit m'a bien inspiré de faire l'écart par La Péruse. Vous avez vu ces bons frères bénédictins qui voulaient prendre avantage de la chevauchée anglaise pour ne point payer les commendes du prieur ? Je leur ferai remplacer la croix d'émail et les trois calices de vermeil qu'ils se sont hâtés d'offrir aux Anglais, pour être saufs du pillage ; et ils solderont leurs annuités.

Ils cherchaient tout benoîtement à se faire confondre avec les gens de l'autre rive de la Vienne, où les routiers du prince de Galles ont vraiment tout ravagé, pillé, grillé, comme nous l'avons bien vu ce matin, à Chirac ou à Saint-Maurice-des-Lions. Et surtout à l'abbaye de Lesterps où les chanoines réguliers se sont montrés vaillants. « Notre abbaye est fortifiée ; nous la défendrons. » Et ils se sont battus ces chanoines, en hommes bons et braves, que l'on ne contraint pas. Plusieurs ont péri dans l'affaire qui se sont conduits plus noblement que ne l'ont fait à Poitiers maints chevaliers de ma connaissance.

Si tous les gens de France avaient autant de cœur... Encore ont-ils trouvé moyen, ces honnêtes chanoines, dans leur couvent tout calciné, de nous offrir dîner si plantureux et si bien apprêté qu'il m'a porté au sommeil. Et avez-vous noté cet air de sainte gaieté qu'ils arboraient sur leur visage ? « Nos frères ont été tués ? Ils sont en paix ; Dieu les a accueillis dans sa mansuétude... Il nous a laissés sur la terre ? C'est pour que nous puissions y faire bonne œuvre... Notre couvent est à demi détruit ? Voilà l'occasion de le refaire plus beau... »

Les bons religieux sont gais, mon neveu, sachez-le. Je me méfie des trop sévères jeûneurs, à mine longue, avec des yeux brûlants et rapprochés, comme s'ils

avaient trop longtemps louché du côté de l'enfer. Ceux
à qui Dieu fait le plus haut honneur qui soit en les
appelant à son service ont une manière d'obligation
de s'en montrer joyeux ; c'est un exemple et une poli-
tesse qu'ils doivent aux autres mortels.

De même que les rois, puisque Dieu les a élevés au-
dessus de tous les autres hommes, ont devoir de montrer toujours empire sur eux-mêmes. Messire Philippe
le Bel qui était un parangon de vraie majesté condamnait sans qu'on lui vît de colère ; et il portait le deuil
sans larmes.

Dans l'occasion du meurtre de Monsieur d'Espagne,
que je vous contais hier, le roi Jean fit bien apparaître,
et de la plus pitoyable façon, qu'il était incapable
d'imposer retenue à ses passions. La pitié n'est pas ce
qu'un roi doit inspirer ; mieux vaut qu'on le croie
fermé à la douleur. Pendant quatre jours, le nôtre fut
dans l'empêchement de prononcer un seul mot et de
dire même s'il voulait manger ou boire. Il errait dans
les chambres, l'œil tout rouge et noyé, ne reconnais-
sant personne, et s'arrêtant soudain pour sangloter.
Il était vain de lui parler d'aucune affaire. L'ennemi
eût-il envahi son palais qu'il se fût laissé prendre par
la main. Il n'avait pas montré le quart de chagrin lorsqu'était morte la mère de ses enfants, Madame de
Luxembourg, ce que le Dauphin Charles ne manqua
point de relever. Ce fut même la première fois où on
le vit marquer du mépris pour son père, allant jusqu'à
lui dire qu'il n'était pas décent de s'abandonner ainsi.
Mais le roi n'entendait rien.

Il ne sortit de son abattement que pour hurler. Hurler qu'on lui sellât céans son destrier, hurler qu'on
rassemblât l'ost ; hurler qu'il courait à Evreux faire
justice, et que chacun aurait à trembler... Ses familiers
eurent grand-peine à le ramener à la raison et à lui
représenter que pour rassembler l'ost, même sans

l'arrière-ban, il ne fallait pas moins d'un mois ; que s'il voulait attaquer Evreux, il mettrait la Normandie en dissension ; que, d'autre part, les trêves avec le roi d'Angleterre venaient à expiration, et que s'il prenait à ce dernier l'envie de profiter du désordre, le royaume pourrait se trouver en péril.

On lui remontra aussi que, peut-être, s'il avait respecté le contrat de mariage de sa fille et tenu son engagement de remettre Angoulême à Charles de Navarre, au lieu d'en faire don à son cher connétable...

Jean II ouvrait les bras et clamait : « Que suis-je donc, si je ne puis rien ? Je vois bien qu'aucun de vous ne m'aime, et que j'ai perdu mon soutien. » Mais enfin, il resta en son hôtel, jurant Dieu que jamais il ne connaîtrait joie jusqu'à ce qu'il fût vengé.

Cependant, Charles le Mauvais ne demeurait pas inactif. Il écrivait au pape, il écrivait à l'Empereur, il écrivait à tous les princes chrétiens, leur expliquant qu'il n'avait pas voulu la mort de Charles d'Espagne, mais seulement s'en saisir pour les nuisances et outrages qu'il avait soufferts de lui ; qu'on avait outrepassé ses ordres, mais qu'il prenait tout à son compte et couvrait ses parents, amis et serviteurs qui n'avaient été mus, dans le tumulte de Laigle, que par un trop grand zèle pour son bien.

Il se donnait ainsi, ayant monté le guet-apens comme un truand de grand chemin, les gants du chevalier.

Et surtout, il écrivait au duc de Lancastre, qui se trouvait à Malines, et au roi d'Angleterre lui-même. Nous eûmes connaissance de la teneur de ces lettres quand les choses s'embrouillèrent. Le Mauvais n'y allait pas par détours. « Si vous mandez à vos capitaines de Bretagne qu'ils soient prêts, sitôt que j'enverrai vers eux, à entrer en Normandie, je leur baillerai bonne et sûre entrée. Veuillez savoir, très cher cousin, que tous les nobles de Normandie sont avec moi à

QUAND UN ROI PERD LA FRANCE

mort et à vie. » Par le meurtre de Monsieur d'Espagne,
notre homme s'était mis en rébellion ; à présent il
progressait en trahison. Mais en même temps, il lan-
çait sur le roi Jean les dames de Melun.

Vous ne savez pas qui l'on nomme ainsi ?... Ah !
voilà qu'il pleut. Il fallait s'y attendre ; cette pluie
menaçait depuis le départ. C'est maintenant que vous
allez bénir ma litière, Archambaud, plutôt que d'avoir
l'eau vous coulant dans le col, sous votre cotte hardie,
et la boue vous crottant jusqu'aux reins...

Les dames de Melun ? Ce sont les deux reines douai-
rières, et puis Jeanne de Valois, la petite épouse de
Charles, qui attend d'être nubile. Elles vivent toutes
les trois au château de Melun, qu'on appelle pour cela
le château des Trois Reines, ou encore la Cour des
Veuves.

Il y a d'abord Madame Jeanne d'Evreux, la veuve du
roi Charles IV et la tante de notre Mauvais. Oui, oui,
elle vit toujours ; elle n'est même point si vieille qu'on
croit. A peine doit-elle avoir passé la cinquantaine ;
elle a quatre ou cinq ans de moins que moi. Il y a
vingt-huit ans qu'elle est veuve, vingt-huit ans qu'elle
est vêtue de blanc. Elle a partagé le trône seulement
trois ans. Mais elle conserve de l'influence au royaume.
C'est qu'elle est la doyenne, la dernière reine de la
première race capétienne. Si, sur les trois couches
qu'elle fit... trois filles, et dont une seule, la posthume,
reste vivante... elle avait eu un garçon, elle eût été
reine mère et régente. La dynastie a pris fin dans son
sein. Quand elle dit : « Monseigneur d'Evreux, mon
père... mon oncle Philippe le Bel... mon beau-frère
Philippe le Long... » chacun se tait. Elle est la survi-
vante d'une monarchie indiscutée, et d'un temps où la
France était autrement puissante et glorieuse qu'aujourd'hui. Elle est comme une caution pour la nouvelle race. Alors, il y a des choses qu'on ne fait point,

parce que Madame d'Evreux les désapprouverait.

En plus, on dit autour d'elle : « C'est une sainte. »
Avouons qu'il suffit de peu de chose, quand on est
reine, pour être regardée comme une sainte par une
petite cour désœuvrée où la louange tient lieu d'occupation. Madame Jeanne d'Evreux se lève avant le jour ;
elle allume elle-même sa chandelle pour ne pas déran-
ger ses femmes. Puis elle se met à lire son livre d'heures, le plus petit du monde à ce qu'on assure, un
présent de son époux qui l'avait commandé à un maître imagier, Jean Pucelle. Elle prie beaucoup et fait
moult aumône. Elle a passé vingt-huit ans à répéter
qu'elle n'avait point d'avenir, parce qu'elle n'avait pu
enfanter un fils. Les veuves vivent d'idées fixes. Elle
aurait pu peser davantage dans le royaume si elle
avait eu de l'intelligence à proportion de sa vertu.

Ensuite, il y a Madame Blanche, la sœur de Charles
de Navarre, la seconde femme de Philippe VI, qui n'a
été reine que six mois, à peine le temps de s'habituer à
porter couronne. Elle a la réputation d'être la plus
belle femme du royaume. Je l'ai vue, naguère, et je
ratifie volontiers ce jugement. Elle a vingt-quatre ans,
à présent, et depuis six ans déjà elle se demande à
quoi lui servent la blancheur de sa peau, ses yeux
d'émail et son corps parfait. La nature l'eût dotée
d'une moins splendide apparence, elle serait reine à
présent, puisqu'elle était destinée au roi Jean ! Le
père ne la prit pour lui que parce qu'il fut poignardé
par sa beauté.

Après qu'elle eut, en une demi-année, fait passer son
époux de la couche au tombeau, elle fut demandée en
mariage par le roi de Castille, don Pedro, que ses
sujets ont surnommé le Cruel. Elle fit répondre, un
peu vite peut-être : « Une reine de France ne se rema-
rie point. » On l'a fort louée de cette grandeur. Mais
elle se demande à présent si ce n'est pas un bien lourd

sacrifice qu'elle a consenti à sa magnificence passée. Le domaine de Melun est son douaire. Elle y fait de grands embellissements, mais elle peut bien changer à Noël et à Pâques les tapis et tentures qui composent sa chambre ; c'est toujours seule qu'elle y dort.

Enfin, il y a l'autre Jeanne, la fille du roi Jean, dont le mariage n'a eu pour effet que de précipiter les orages. Charles de Navarre l'a confiée à sa tante et à sa sœur, jusqu'à ce qu'elle ait l'âge de la consommation du lien. Celle-là est une petite calamité, comme peut l'être une gamine de douze ans, qui se souvient d'avoir été veuve à six, et qui se sait déjà reine sans occuper encore la place. Elle n'a rien d'autre à faire que d'attendre de grandir, et elle attend mal, rechignant à tout ce qu'on lui commande, exigeant tout ce qu'on lui refuse, poussant à bout ses dames suivantes et leur promettant mille tortures le jour qu'elle sera pubère. Il faut que Madame d'Evreux, qui ne plaisante point sur la conduite, lui allonge souvent une gifle.

Nos trois dames entretiennent à Melun et à Meaux... Meaux est le douaire de Madame d'Evreux... une illusion de cour. Elles ont chancelier, trésorier, maître de l'hôtel. De bien hauts titres pour des fonctions fort réduites. On a surprise de trouver là nombre de gens qu'on croyait morts, tant ils sont oubliés, sauf d'eux-mêmes. Vieux serviteurs rescapés des règnes précédents, vieux confesseurs de rois défunts, secrétaires gardiens de secrets éventés, hommes qui parurent puissants un moment parce qu'ils approchaient au plus près le pouvoir, ils piétinent dans leurs souvenirs en se donnant importance d'avoir pris part à des événements qui n'en ont plus. Quand l'un d'eux commence : « Le jour où le roi m'a dit... » il faut deviner de quel roi il s'agit, entre les six qui ont occupé le trône depuis l'orée du siècle. Et ce que le roi a dit, c'est ordinairement quelque confidence grave et mémorable, telle que : « Il fait beau temps, aujourd'hui, Gros-Pierre... »

Aussi, quand survient une affaire comme celle du roi de Navarre, c'est presque une aubaine pour la Cour des Veuves, soudain réveillée de ses songes. Chacun de s'émouvoir, de bruire, de s'agiter... Ajoutons que, pour les trois reines, Monseigneur de Navarre est, entre tous les vivants, le premier dans leurs pensées. Il est le neveu bien-aimé, le frère chéri, l'époux adoré. On aurait beau leur dire qu'en Navarre on l'appelle le Mauvais ! Il fait tout, au demeurant, pour leur paraître aimable, les comblant de présents, venant souvent les visiter... du moins tant qu'il n'était pas emmuré... les égayant de ses récits, les entretenant de ses démêlés, les passionnant pour ses entreprises, charmeur comme il peut l'être, jouant le respectueux avec sa tante, l'affectueux auprès de sa sœur, et l'amoureux devant sa fillette d'épouse, tout cela par bon calcul, pour les tenir comme pièces dans son jeu.

Après l'assassinat du connétable, et dès que le roi Jean parut un peu calmé, elles s'en vinrent ensemble à Paris, à la demande de Monseigneur de Navarre.

La petite Jeanne de Valois, se jetant aux pieds du roi, lui récita d'un bon air la leçon qu'on lui avait enseignée : « Sire mon père, il ne se peut que mon époux ait commis aucune traîtrise contre vous. S'il a mal agi, c'est que des traîtres l'ont abusé. Je vous conjure pour l'amour de moi de lui pardonner. »

Madame d'Evreux, toute pénétrée de tristesse et de l'autorité que son âge lui confère, dit : « Sire mon cousin, comme la plus ancienne qui porta la couronne en ce royaume, j'ose vous conseiller et vous prier de vous accommoder à mon neveu. S'il s'est acquis des torts envers vous, c'est que certains qui vous servent en eurent envers lui et qu'il a pu croire que vous l'abandonniez à ses ennemis. Mais lui-même ne nourrit à

votre endroit, je vous l'assure, que des pensées de
bonne et loyale affection. Ce serait vous nuire à tous
deux que de poursuivre cette discorde... »

Madame Blanche ne dit rien du tout. Elle regarda le
roi Jean. Elle sait qu'il ne peut pas oublier qu'elle
devait être sa femme. Devant elle, cet homme haut et
lourd, si tranchant en son ordinaire, devient tout hési-
tant. Ses yeux la fuient, sa parole s'embarrasse. Et toujours en sa présence, il décide le contraire de ce qu'il
croit vouloir.

Aussitôt après cette entrevue, il désigna le cardinal
de Boulogne, l'évêque de Laon, Robert Le Coq, et
Robert de Lorris, son chambellan, pour négocier avec
son gendre et lui faire bonne paix. Il prescrivit que
les choses fussent menées rondement. Elles le furent
en vérité puisque, une semaine avant la fin de février,
les négociateurs des deux parties signèrent accord, à
Mantes. Jamais, de ma mémoire, on ne vit traité si
aisément obtenu et hâtivement conclu.

Le roi Jean fit bien montre, en l'occasion, de ses
bizarreries de caractère et de son peu de suite aux
affaires. Le mois précédent, il ne songeait qu'à saisir
et occire Monseigneur de Navarre ; à présent, il
consentait à tout ce que celui-ci souhaitait. Venait-on
lui dire que son gendre réclamait le Clos de Cotentin,
avec Valognes, Coutances et Carentan ? Il répondait :
« Donnez-lui, donnez-lui ! » La vicomté de Pont-Audemer et celle d'Orbec ? « Donnez, puisqu'on veut que
je m'accorde à lui. » Ainsi Charles le Mauvais reçut-il
également le gros comté de Beaumont, avec les châtellenies de Breteuil et de Conches, tout cela qui avait
constitué autrefois la pairie du comte Robert d'Artois.
Belle revanche, *post mortem*, pour Marguerite de
Bourgogne ; son petit-fils reprenait les biens de
l'homme qui l'avait perdue. Comte de Beaumont ! Il
exultait, le jeune Navarre. Lui-même, par ce traité, ne

cédait presque rien ; il rendait Pontoise, et puis il confirmait solennellement qu'il renonçait à la Champagne, ce qui était chose établie depuis plus de vingt-cinq ans.

De l'assassinat de Charles d'Espagne, on ne parlerait plus. Ni châtiment, même des comparses, ni réparation. Tous les complices de la Truie-qui-file, et qui dès lors n'hésitèrent plus à se nommer, reçurent des lettres de quittance et rémission.

Ah ! ce traité de Mantes ne fut pas pour grandir l'image du roi Jean. « On lui tue son connétable ; il donne la moitié de la Normandie. Si on lui tue son frère ou son fils, il donnera la France. » Voilà ce que les gens disaient.

Le petit roi de Navarre, lui, ne s'était pas montré malhabile. Avec Beaumont, en plus de Mantes et d'Evreux, il pouvait isoler Paris de la Bretagne ; avec le Cotentin, il tenait des voies directes vers l'Angleterre.

Aussi, quand il vint à Paris pour prendre son pardon, c'était lui qui avait l'air de l'accorder.

Oui ; que dis-tu, Brunet ?... Oh ! cette pluie ! Mon rideau est tout trempé... Nous arrivons à Bellac ? Fort bien. Ici au moins nous sommes assurés d'un gîte confortable, et l'on y serait sans excuse de ne pas nous faire grande réception. La chevauchée anglaise a épargné Bellac, d'ordre du prince de Galles, parce que c'est le douaire de la comtesse de Pembroke, qui est une Châtillon-Lusignan. Les hommes de guerre vous ont de ces gentillesses...

Je vous achève, mon neveu, l'histoire du traité de Mantes. Le roi de Navarre parut donc à Paris comme s'il avait gagné bataille, et le roi Jean, à l'effet de le recevoir, tint séance du Parlement, les deux reines veuves assises à ses côtés. Un avocat du roi vint s'agenouiller devant le trône... oh ! tout cela avait grand air... « Mon très redouté Seigneur, Mesdames les reines Jeanne et Blanche ont entendu que Monsieur de Navarre est en votre malgrâce et vous supplient de lui pardonner... »

Sur ce, le nouveau connétable, Gautier de Brienne, duc d'Athènes... oui, un cousin de Raoul, l'autre branche des Brienne ; cette fois, on n'avait pas choisi un jeunôt... s'en alla prendre Navarre par la main... « Le roi vous pardonne, pour l'amitié des reines, de bon cœur et de bonne volonté. »

A quoi, le cardinal de Boulogne eut charge d'ajouter bien haut : « Qu'aucun du lignage du roi ne s'aventure désormais à recommencer car, fût-il fils du roi, il en sera fait justice. »

Belle justice, en vérité, dont chacun riait sous cape. Et devant toute la cour, le beau-père et le gendre s'embrassèrent. Je vous conterai la suite demain.

IX

LE MAUVAIS EN AVIGNON

Pour bien vous dire le vrai, mon neveu, je préfère ces églises de jadis, comme celle du Dorat où nous venons de passer, aux églises qu'on nous fait depuis cent cinquante ou deux cents ans, qui sont des prouesses de pierre, mais où l'ombre est si dense, les ornements si profus et souvent si effrayants, que l'on s'y sent le cœur serré d'angoisse, autant que si l'on était perdu dans la nuit au milieu de la forêt. Ce n'est pas bien vu, je le sais, que d'avoir mon goût ; mais c'est le mien et je m'y tiens. Peut-être me vient-il de ce que j'ai grandi dans notre vieux château de Périgueux, planté sur un monument de l'antique Rome, tout près de notre Saint-Front, tout près de notre Saint-Etienne, et que j'aime à retrouver les formes qui me les rappellent, ces beaux piliers simples et réguliers et ces hauts cintres bien arrondis sous lesquels la lumière se répand aisément.

Les anciens moines s'entendaient à bâtir de ces sanctuaires dont la pierre semble doucement dorée tant le soleil y pénètre à foison, et où les chants, sous les hautes voûtes qui figurent le toit céleste, s'enflent et s'envolent magnifiquement comme voix d'anges au paradis.

Par grâce divine, les Anglais, s'ils ont pillé le Dorat, n'ont point assez détruit ce chef-d'œuvre entre les chefs-d'œuvre pour qu'on ait à le reconstruire. Sinon je gage que nos architectes du nord se seraient plu à monter quelque lourd vaisseau de leur façon, appuyé sur des pattes de pierre comme un animal fantastique, et où lorsqu'on y pénètre on croirait tout juste que la maison de Dieu est l'antichambre de l'enfer. Et ils auraient remplacé l'ange de cuivre doré, au sommet de la flèche, qui a donné son nom à la paroisse... eh oui, *lou dorat*... par un diable fourchu et bien grimaçant...

L'enfer... Mon bienfaiteur, Jean XXII, mon premier pape, n'y croyait pas, ou plutôt il professait qu'il était vide. C'était aller un peu loin. Si les gens n'avaient plus à redouter l'enfer, comment pourrait-on en tirer aumônes et pénitences, pour rachat de leurs péchés ? Sans l'enfer, l'Eglise pourrait fermer boutique. C'était lubie de grand vieillard. Il nous fallut obtenir qu'il se rétractât sur son lit de mort. J'étais là...

Oh ! mais le temps fraîchit vraiment. On sent bien que dans deux jours nous entrons en décembre. Un froid mouillé, le pire.

Brunet ! Aymar Brunet, vois donc, mon ami, s'il n'y a point dans le char aux vivres un pot de braises à placer dans ma litière. Les fourrures n'y suffisent plus, et si nous continuons de la sorte, c'est un cardinal tout grelottant qui va sortir à Saint-Benoît-du-Sault. Là aussi, m'a-t-on dit, l'Anglais a fait ravage... Et s'il n'y a point de braises à suffisance dans le chariot du queux, car il m'en faut plus que pour tenir tiède un ragoût, qu'on aille en quérir au premier hameau que nous traverserons... Non, je n'ai point besoin de maître Vigier. Laissez-le cheminer son train. Dès qu'on

appelle mon médecin à ma litière, toute l'escorte imagine que je suis à l'agonie. Je me porte à merveille.
J'ai besoin de braises, voilà tout...

Alors vous voulez savoir, Archambaud, ce qui s'en-
suivit du traité de Mantes, dont je vous ai fait récit
hier... Vous êtes bon écouteur, mon neveu, et c'est
plaisir que de vous instruire de ce que l'on sait. Je vous
soupçonne même de prendre quelques notes d'écrit
quand nous parvenons à l'étape ; n'est-ce pas vrai ?...
Bon, j'ai bien jugé. Ce sont les seigneurs du nord qui
se donnent de la grandeur à être plus ignorants que
des ânes, comme si lire et écrire étaient emploi de
petit clerc, ou de pauvre. Il leur faut un serviteur pour
connaître le moindre billet qu'on leur adresse. Nous,
dans le midi du royaume, qui avons toujours été
frottés de romanité, nous ne méprisons pas l'instruc-
tion. Ce qui nous donne l'avantage dans bien des affaires.

Ainsi vous notez. C'est bonne chose. Car, pour ma
part, je ne pourrai guère laisser témoignage de ce que
j'ai vu et de ce que j'ai fait. Toutes mes lettres et écri-
tures sont ou seront versées aux registres de la
papauté pour n'en sortir jamais, comme il est de règle.
Mais vous serez là, Archambaud, qui pourrez, au
moins sur les affaires de France, dire ce que vous
savez, et rendre justice à ma mémoire si certains,
comme je ne doute pas que le ferait le Capocci... Dieu
veuille seulement me garder sur terre un jour de plus
que lui... entreprenaient d'y attenter.

Donc, très vite après le traité de Mantes où il s'était
montré si inexplicablement généreux à l'endroit de
son gendre, le roi Jean accusa ses négociateurs, Robert
Le Coq, Robert de Lorris et même l'oncle de sa femme,
le cardinal de Boulogne, de s'être laissé acheter par
Charles de Navarre.

Soit dit entre nous, je crois qu'il n'était pas hors

de la vérité. Robert Le Coq est un jeune évêque brûlé d'ambition, qui excelle à l'intrigue, qui s'en délecte, et qui a très vite aperçu l'intérêt qu'il pouvait avoir à se rapprocher du Navarrais, au parti duquel d'ailleurs, depuis sa brouille avec le roi, il s'est ouvertement rallié. Robert de Lorris, le chambellan, est certainement dévoué à son maître ; mais il est d'une famille de banque où l'on ne résiste jamais à rafler quelques poignées d'or au passage. Je l'ai connu, ce Lorris, quand il est venu en Avignon, voici dix ans à peu près, négocier l'emprunt de trois cent mille florins que le roi Philippe V fit au pape d'alors. Je me suis, pour ma part, contenté honnêtement de mille florins pour l'avoir abouché avec les banquiers de Clément VI, les Raimondi d'Avignon et les Mattei de Florence ; mais lui, il s'est plus largement servi. Quant à Boulogne, tout parent qu'il est au roi...

J'entends bien qu'il est constant que nous soyons, nous, cardinaux, justement récompensés de nos interventions au profit des princes. Nous ne pourrions autrement suffire à nos charges. Je n'ai jamais fait secret, et même j'en tire honneur, d'avoir reçu vingt-deux mille florins de ma sœur de Durazzo pour le soin que j'ai pris, il y a vingt ans... déjà vingt ans !... de ses affaires ducales qui étaient bien compromises. Et l'an dernier, pour la dispense nécessaire au mariage de Louis de Sicile avec Constance d'Avignon, j'ai été remercié par cinq mille florins. Mais jamais je n'ai rien accepté que de ceux qui remettaient leur cause à mon talent ou à mon influence. La déshonnêteté commence quand on se fait payer par l'adversaire. Et je pense bien que Boulogne n'a pas résisté à cette tentation. Depuis lors, l'amitié est fort refroidie entre lui et Jean II.

Lorris, après un peu d'éloignement, est rentré en grâce, comme il en va toujours avec les Lorris. Il s'est jeté aux pieds du roi, le dernier Vendredi Saint, a juré de sa parfaite loyauté, et rejeté toutes duplicités ou complaisances sur le dos de Le Coq, lequel est demeuré dans la brouille et banni de la cour.

C'est chose avantageuse que de désavouer les négociateurs. On peut en prendre argument pour ne pas exécuter le traité. Ce que le roi ne se priva point de faire. Quand on lui représentait qu'il eût pu mieux contrôler ses députés, et céder moins qu'il ne l'avait fait, il répondait, irrité : « Traiter, débattre, argumenter ne sont point affaires de chevalier. » Il a toujours affecté de tenir en mépris la négociation et la diplomatique, ce qui lui permet de renier ses obligations.

En fait, il n'avait tant promis que parce qu'il escomptait bien ne rien tenir.

Mais, dans le même temps, il environnait son gendre de mille courtoisies feintes, le voulant sans cesse auprès de lui à la cour, et non seulement lui, mais son cadet, Philippe, et même le puîné, Louis, qu'il insistait fort à faire revenir de Navarre. Il se disait le protecteur des trois frères et engageait le Dauphin à leur prodiguer amitié.

Le Mauvais ne se soumettait pas sans arrogance à tant d'excessives prévenances, tant d'incroyable sollicitude, allant jusqu'à dire au roi, en pleine table : « Avouez que je vous ai rendu bon service en vous débarrassant de Charles d'Espagne, qui voulait tout régenter au royaume. Vous ne le dites point, mais je vous ai soulagé. » Vous imaginez combien le roi Jean goûtait de telles gentillesses.

Et puis un jour de l'été qu'il y avait fête au palais, et que Charles de Navarre s'y rendait en compagnie de ses frères, il vit venir à lui, se hâtant, le cardinal de Boulogne qui lui dit : « Rebroussez chemin et rentrez en votre hôtel, si vous tenez à la vie. Le roi a résolu de vous faire occire tout à l'heure, les trois que vous êtes, pendant la fête. »

La chose n'était point imaginaire, ni déduite de vagues rumeurs. Le roi Jean en avait décidé ainsi, le matin même, dans son Conseil étroit auquel Boulogne assistait... « J'ai attendu pour ce faire que les trois frères fussent assemblés, car je veux qu'on les occise tous les trois afin qu'il ne reste plus rejetons mâles de cette mauvaise race. »

Pour ma part, je ne blâme point Boulogne d'avoir averti les Navarre, même si cela devait accréditer qu'il leur était vendu. Car un prêtre de la Sainte Eglise... et qui plus est un membre de la curie pontificale, un frère du pape dans le Seigneur... ne peut entendre de sang-froid qu'on va perpétrer un triple meurtre, et accepter qu'il s'accomplisse sans rien avoir tenté. C'était s'y laisser associer, en quelque sorte, par le silence. Qu'avait donc le roi Jean besoin de parler devant Boulogne ? Il n'avait qu'à aposter ses sergents... Mais non, il s'est cru habile. Ah ! ce roi-là quand il veut faire le finaud ! Il n'a jamais su voir trois coups d'échecs en avant. Sans doute pensait-il que lorsque le pape lui ferait remontrance d'avoir ensanglanté son palais, il aurait beau jeu de répondre : « Mais votre cardinal était là, qui ne m'a point désapprouvé. » Boulogne n'est pas perdreau de la dernière couvée, qu'on amène à donner dans de si gros panneaux.

Charles de Navarre, ainsi averti, se retira donc très hâtivement vers son hôtel où il fit apprêter son escorte. Le roi Jean, ne voyant point paraître les trois frères à sa fête, les envoya quérir, fort impérativement. Mais son messager ne reçut pour réponse que le pet des chevaux, car juste à ce moment les Navarre tournaient bride vers la Normandie.

Le roi Jean entra alors dans un vif courroux où il

cacha son dépit en faisant l'offensé. « Voyez ce mauvais fils, ce félon qui se refuse à l'amitié de son roi et qui de lui-même s'exile de ma cour ! Il doit avoir à celer de bien méchants desseins. »

Et de cela il prit prétexte pour proclamer qu'il suspendait l'effet du traité de Mantes, qu'il n'avait jamais commencé d'exécuter.

Ce qu'apprenant, Charles renvoya son frère Louis en Navarre et dépêcha son frère Philippe en Cotentin afin d'y lever des troupes, lui-même ne restant guère à Evreux.

Car dans le même temps notre Saint-Père, le pape Innocent, avait décidé d'une conférence en Avignon... la troisième, la quatrième, ou plutôt la même toujours recommencée... entre les envoyés des rois de France et d'Angleterre pour négocier, non plus d'une trêve reconduite, mais d'une paix vraie et définitive. Innocent voulait cette fois, disait-il, mener à succès l'œuvre de son prédécesseur et il se flattait de réussir là où Clément VI avait échoué. La présomption, Archambaud, se loge même au cœur des pontifes...

Le cardinal de Boulogne avait présidé les négociations antérieures ; Innocent le reconduisit en cet office. Boulogne avait toujours été suspect, comme je l'étais également, au roi Edouard d'Angleterre qui l'estimait trop proche des intérêts de la France. Or, depuis le traité de Mantes et la fuite de Charles le Mauvais, il était suspect aussi au roi Jean. A cause de cela peut-être, Boulogne mena la rencontre mieux qu'on ne l'attendait ; il n'avait personne à ménager. Il s'entendit assez bien avec les évêques de Londres et de Norwich et surtout avec le duc de Lancastre, qui est un bon homme de guerre et un seigneur véritable. Et moi-même, en retrait, je mis la main à l'œuvre. Le petit Navarrais dut avoir vent...

Ah ! voici la braise ! Brunet, glisse le pot sous mes

robes. Il est bien clos au moins, que je ne m'aille pas
brûler ! Oui, cela va bien...

Donc Charles de Navarre dut avoir vent que l'on
progressait vers la paix, ce qui certes n'eût pas arrangé
ses affaires, car un beau jour de novembre... il y a tout
juste deux ans... le voilà qui surgit en Avignon, où
nul ne l'attendait.

C'est en cette occasion que je le vis pour la première
fois. Vingt-quatre ans, mais n'en paraissant pas plus
de dix-huit à cause de sa petite taille, car il est bref,
vraiment très bref, le plus petit des rois d'Europe ;
mais si bien pris dans sa personne, si droit, si leste, si
vif que l'on ne songe pas à s'aviser de ce défaut. Avec
cela un charmant visage que ne dépare point un nez
un peu fort, de beaux yeux de renard, aux coins déjà
plissés en étoile par la malice. Son dehors est si affable, ses façons si polies et légères à la fois, sa parole
si aisée, coulante et imprévue, il est si prompt au
compliment, il passe si prestement de la gravité à la
badinerie et de l'amusaille au grand sérieux, enfin il
paraît si disposé à montrer de l'amitié aux gens que
l'on comprend que les femmes lui résistent si peu, et
que les hommes se laissent si bien embobeliner par
lui. Non, vraiment, je n'ai jamais ouï plus vaillant
parleur que ce petit roi-là ! On oublie, à l'entendre, la
mauvaiseté qui se cache sous tant de bonne grâce, et
qu'il est déjà bien endurci dans le stratagème, le men-
songe et le crime. Il a un primesaut qui le fait pardonner de ses noirceurs secrètes.

Son affaire, quand il parut en Avignon, n'était pas
des meilleures. Il était en insoumission au regard du
roi de France qui s'employait à saisir ses châteaux, et
il avait fort blessé le roi d'Angleterre en signant le
traité de Mantes sans même l'en avertir. « Voilà un
homme qui m'appelle à son aide, et me propose bonne
entrée en Normandie. Je fais mouvoir pour lui mes

troupes de Bretagne ; j'en apprête d'autres à débarquer ; et quand il s'est rendu assez fort, par mon appui,
pour intimider son adversaire, il traite avec lui sans
m'en prévenir... A présent, qu'il s'adresse à qui bon
lui plaira ; qu'il s'adresse au pape... »

Eh bien, c'était justement au pape que Charles de
Navarre venait s'adresser. Et après une semaine, il
avait retourné tout le monde en sa faveur.

En présence du Saint-Père, et devant plusieurs cardinaux dont j'étais, il jure qu'il ne veut rien tant
qu'être réconcilié avec le roi de France, y mettant tout
le cœur qu'il faut pour que chacun le croie. Auprès des
délégués de Jean II, le chancelier Pierre de La Forêt
et le duc de Bourbon, il va même plus loin, leur laissant entendre que, pour prix de la bonne amitié qu'il
veut restaurer, il pourrait aller lever des troupes en
Navarre afin d'attaquer les Anglais en Bretagne ou sur
leurs propres côtes.

Mais dans les jours suivants, ayant fait mine de
sortir de la ville avec son escorte, il y revient de nuit,
plusieurs fois et à la dérobée, pour conférer avec le
duc de Lancastre et les émissaires anglais. Il abritait
ses secrètes rencontres tantôt chez Pierre Bertrand, le
cardinal d'Arras, tantôt chez Guy de Boulogne lui-
même. J'en ai d'ailleurs fait reproche plus tard à Boulogne, qui tirait un peu trop sa paille aux deux man-
geoires. « Je voulais savoir ce qu'ils manigançaient,
m'a-t-il répondu. En prêtant ma maison, je pouvais
les faire écouter par mes espies ». Ses espies devaient
être fort sourds, car il n'a rien su du tout, ou bien il a
feint de ne rien savoir. S'il n'était pas dans la connivence, alors c'est que le roi de Navarre lui a tiré le
mouchoir de dessous le nez.

Moi, j'ai su. Et vous plaît-il de connaître, mon neveu,
comment Navarre s'y prit pour se gagner Lancastre ?
Eh ! bien il lui proposa tout fièrement de reconnaître

le roi Edouard d'Angleterre pour roi de France. Rien
moins que cela. Ils allèrent même si avant en besogne
qu'ils projetèrent un traité de bonne alliance.

Premier point : Navarre, donc, eût reconnu en
Edouard le roi de France. Second point : ils convenaient de conduire ensemble la guerre contre le roi
Jean. Troisième point : Edouard reconnaissait à Charles de Navarre le duché de Normandie, la Champagne,
la Brie, Chartres, et aussi la lieutenance du Langue doc,
en plus, bien sûr, de son royaume de Navarre et du
comté d'Evreux. Autant dire qu'ils se partageaient la
France. Je vous passe le reste.

Comment ai-je eu connaissance de ce projet ? Ah !
je puis vous dire qu'il fut noté de la propre main de
l'évêque de Londres qui accompagnait messire de Lancastre. Mais ne me demandez point qui m'en a instruit
un peu plus tard. Souvenez-vous que je suis chanoine
de la cathédrale d'York et que, si mal en en cour que
je sois outre-Manche, j'y ai conservé quelques intelligences.

Point n'est besoin de vous assurer que si l'on avait
eu d'abord quelques chances de progresser vers une
paix entre la France et l'Angleterre, elles furent toutes
minées par le passage du sémillant petit roi.

Comment les ambassadeurs auraient-ils voulu plus
avant s'accorder quand chacune des deux parties se
croyait encouragée à la guerre par les promesses de
Monseigneur de Navarre ? A Bourbon, il disait : « Je
parle à Lancastre, mais je lui mens pour vous servir. »
Puis il venait chuchoter à Lancastre : « Certes, j'ai
vu Bourbon, pour le tromper. Je suis votre homme. »
Et l'admirable, c'est que les deux le croyaient.

Si bien que lorsque vraiment il s'éloigna d'Avignon
pour gagner les Pyrénées, des deux côtés on était
convaincu, tout en prenant bien soin de n'en rien dire,
de voir partir un ami.

La conférence entra dans l'aigreur ; on ne se concédait plus rien. Et la ville entra dans la torpeur. Pendant trois semaines on n'avait rien fait que de s'occuper de Charles le Mauvais. Le pape lui-même surprit en redevenant morose et geignard ; le méchant charmeur un moment l'avait distrait...

Ah ! me voilà réchauffé. A vous, mon neveu ; tirez le pot de braise devers vous, et vous dégourdissez un peu.

X

LA MAUVAISE ANNÉE

VOUS dites bien, vous dites bien, Archambaud, et je ressens comme vous. Voilà dix jours seulement que nous sommes partis de Périgueux, et c'est comme si nous courions depuis un mois. Le voyage allonge le temps. Ce soir nous coucherons à Châteauroux. Je ne vous cache point que je ne serai pas fâché, demain, d'arriver à Bourges, si Dieu le veut, et de m'y reposer, trois grands jours pour le moins, et peut-être quatre. Je commence à être un peu las de ces abbayes où l'on nous sert maigre chère et où l'on bassine à peine mon lit, pour bien me donner à entendre qu'on est ruiné par le passage de la guerre. Qu'ils ne croient pas, ces petits abbés, que c'est en me faisant jeûner et dormir au vent coulis qu'ils gagneront d'être exemptés de finances !... Et puis les hommes d'escorte ont besoin de repos, eux aussi, et de réparer les harnois, et de sécher leurs habits. Car cette pluie n'arrange rien. A écouter mes bacheliers éternuer autour de ma litière, je gage que plus d'un va occuper son séjour de Bourges à se soigner à la cannelle, à la girofle et au vin chaud. Pour moi, je ne pourrai guère muser. Dépouiller le courrier d'Avignon, dicter mes missives en retour...

Peut-être vous surprenez-vous, Archambaud, des paroles d'impatience qu'il m'arrive de laisser échapper au sujet du Saint-Père. Oui, j'ai le sang vif, et montre un peu trop mes dépits. C'est qu'il m'en donne gros à mâcher. Mais croyez que je ne me prive guère de lui remontrer à lui-même ses sottises. Et c'est plus d'une fois qu'il m'est arrivé de lui dire : « Veuille la grâce de Dieu, Très-Saint-Père, vous éclairer sur la bourde que vous venez de commettre. »

Ah ! si les cardinaux français ne s'étaient pas soudain butés sur l'idée qu'un homme né comme nous le sommes ne convenait point... l'humilité, il fallait être né dans l'humilité... et que d'autre part les cardinaux italiens, le Capocci et les autres, avaient été moins obstinés sur le retour du Saint-Siège à Rome... Rome, Rome ! Ils ne voient que leurs Etats d'Italie ; le Capitole leur cache Dieu.

Ce qui m'enrage le plus, chez notre Innocent, c'est sa politique à l'endroit de l'Empereur. Avec Pierre Roger, je veux dire Clément VI, nous nous sommes arc-boutés six ans pour que l'Empereur ne fût point couronné. Qu'il fût élu, fort bien. Qu'il gouvernât, nous y consentions. Mais il fallait conserver son sacre en réserve tant qu'il n'aurait pas souscrit aux engagements que nous voulions qu'il prît. Je savais trop bien que cet Empereur-là, au lendemain de l'onction, nous causerait déboires.

Là-dessus, notre Aubert coiffe la tiare et commence à chantonner : « Concilions, concilions. » Et au printemps de l'année passée, il parvient à ses fins. « L'Empereur Charles IV sera couronné ; je l'ordonne ! », finit-il par me dire. Le pape Innocent est de ces souverains qui ne se découvrent d'énergie que pour battre en retraite. Nous avons foison de ces gens-là. Il imaginait avoir remporté grande victoire parce que l'Empereur s'était engagé à n'entrer dans Rome que le matin du sacre pour en ressortir le soir même, et qu'il ne coucherait pas dans la ville. Vétille ! Le cardinal Bertrand de Colombiers... « Vous voyez, je désigne un Français ; vous devez être satisfait... » fut expédié pour aller poser sur le front du Bohêmien la couronne de Charlemagne. Six mois après, en retour de cette bonté, Charles IV nous gratifiait de la Bulle d'Or, par quoi la papauté n'a plus désormais ni voix ni regard dans l'élection impériale.

Désormais, l'Empire se désigne entre sept électeurs allemands qui vont confédérer leurs Etats... c'est-à-dire qui vont faire règle perpétuelle de leur belle anarchie. Cependant, rien n'est décidé pour l'Italie et nul ne sait vraiment par qui et comment le pouvoir s'y va exercer. Le plus grave, en cette bulle, et qu'Innocent n'a pas vu, c'est qu'elle sépare le temporel du spirituel et qu'elle consacre l'indépendance des nations vis-à-vis de la papauté. C'est la fin, c'est l'effacement du principe de la monarchie universelle exercée par le successeur de saint Pierre, au nom du Seigneur Tout-Puissant. On renvoie Dieu au ciel, et l'on fait ce qu'on veut sur la terre. On nomme cela « l'esprit moderne », et l'on s'en vante. Moi, j'appelle cela, pardonnez-moi mon neveu, avoir de la merde sur les yeux.

Il n'y a pas d'esprit ancien et d'esprit moderne. Il y a l'esprit tout court, et de l'autre côté la sottise. Qu'a fait notre pape ? A-t-il tonné, fulminé, excommunié ? Il a envoyé à l'Empereur une missive fort douce et amicale pleine de ses bénédictions... Oh ! non, oh ! non ; ce n'est pas moi qui l'ai préparée. Mais c'est moi qui vais devoir, à la diète de Metz, entendre solennellement publier cette bulle qui renie le pouvoir suprême du Saint-Siège et ne peut apporter à l'Europe que troubles, désordres et misères.

La belle couleuvre que je dois avaler, et de bonne grâce en plus ; car à présent que l'Allemagne s'est retirée de nous, il nous faut plus que jamais tenter de sauver la France, autrement il ne restera plus rien à Dieu. Ah ! l'avenir pourra maudire cette année 1355 ! Nous n'avons pas fini d'en récolter les fruits épineux.

Et le Navarrais, pendant ce temps ? Eh bien ! il était en Navarre, tout charmé d'apprendre qu'aux brouilles et embrouilles qu'il nous avait faites s'ajoutaient celles qui nous venaient des affaires impériales.

D'abord, il attendait le retour de son Friquet de Fricamps, parti pour l'Angleterre avec le duc de Lancastre, et qui s'en revenait avec un chambellan de celui-ci, porteur des avis du roi Edouard sur le projet de traité ébauché en Avignon. Et le chambellan s'en retournait à Londres, accompagné cette fois de Colin Doublel, un écuyer de Charles le Mauvais, un autre des meurtriers de Monsieur d'Espagne, qui allait présenter les observations de son maître.

Charles de Navarre est tout le contraire du roi Jean. Il s'entend mieux qu'un notaire à disputer de chaque article, chaque point, chaque virgule d'un accord. Et rappeler ci, et prévoir ça. Et s'appuyer sur telle coutume qui fait foi, et toujours cherchant à raboter un petit ses obligations, et à augmenter celles de l'autre partie... Et puis, en tardant à cuire son pain avec l'Anglais, il se donnait loisir de surveiller celui qu'il avait au four du côté de la France.

C'eût été l'heure pour le roi Jean de se montrer coulant. Mais cet homme-là, pour agir, choisit toujours le contretemps. Faisant le rodomont, le voilà qui s'équipe en guerre pour courir sus à un absent, et, se ruant à Caen, ordonne de saisir tous les châteaux normands de son gendre, fors Evreux. Belle campagne qui, à défaut d'ennemis, fut surtout une campagne de festins et mit fort en déplaisir les Normands qui voyaient les archers royaux piller leurs saloirs et garde-manger.

Cependant, le Navarrais levait tranquillement des troupes en sa Navarre, tandis que son beau-frère, le comte de Foix, Phœbus... un autre jour, je vous parlerai de celui-là ; ce n'est pas un mince seigneur... s'en allait ravager un peu le comté d'Armagnac pour causer nuisance au roi de France.

Ayant attendu l'été, afin de prendre la mer au moindre risque, notre jeune Charles débarque à Cherbourg, un beau jour d'août, avec deux mille hommes.

Et Jean II est tout ébaubi d'apprendre, dans le même temps, que le prince de Galles, qui avait été fait en avril prince d'Aquitaine et lieutenant du roi d'Angleterre en Guyenne, ayant monté cinq mille hommes de guerre sur ses nefs, s'en venait à pleines voiles vers Bordeaux. Encore avait-il dû attendre des vents propiçes. Ah ! l'on peut dire que son renseignement est bien fait, au roi Jean ! Nous, d'Avignon, nous voyions s'apprêter ce beau mouvement croisé, sur la mer, afin de prendre la France en tenailles. Et l'on annonçait même l'imminente arrivée du roi Edouard lui-même, lequel eût déjà dû être à Jersey, si la tempête ne l'avait contraint de rebrousser sur Porstmouth. On peut dire que ce fut le vent, et rien d'autre, qui sauva la France, l'an dernier.

Ne pouvant lutter sur trois fronts, le roi Jean choisit de n'en tenir aucun. De nouveau, il se porte à Caen, mais cette fois pour traiter. Il avait avec lui ses deux cousins de Bourbon, Pierre et Jacques, ainsi que Robert de Lorris, rentré en grâce, comme je vous ai dit. Mais Charles de Navarre ne vint pas. Il envoya messires de Lor et de Couillarville, deux seigneurs à lui, pour négocier. Le roi Jean n'eut donc qu'à s'en repartir, laissant les deux Bourbons qu'il instruisit

seulement d'avoir à se hâter de trouver un accommodement.

L'accord fut conclu à Valognes, le 10 septembre.
Charles de Navarre y retrouvait tout ce qui lui avait
été reconnu par le traité de Mantes, et un peu plus.

Et deux semaines après, au Louvre, nouvelle réconciliation solennelle du beau-père et du gendre, en présence, bien sûr, des reines veuves, Madame Jeanne et
Madame Blanche... « Sire mon cousin, voici notre
neveu et frère que nous vous prions pour l'amour de
nous... » Et l'on s'ouvre les bras, et l'on se baise aux
joues avec l'envie de se mordre, et l'on se jure pardon
et loyale amitié...

Ah ! j'oublie une chose qui n'est point de mince
importance. Pour faire escorte d'honneur au roi de
Navarre, Jean II avait dépêché à sa rencontre son fils,
le Dauphin Charles, qu'il avait précédemment nommé
son lieutenant général en Normandie. Du Vaudreuil
sur l'Eure, où d'abord ils séjournèrent quatre jours,
jusques à Paris, les deux beaux-frères firent donc
route ensemble. C'était la première fois qu'ils se
voyaient si longtemps d'affilée, chevauchant, devisant,
musant, dînant et dormant côte à côte. Monseigneur le
Dauphin est tout le contraire du Navarrais, aussi long
que l'autre est bref, aussi lent que l'autre est vif, aussi
retenu de paroles que l'autre est bavard. Avec cela,
six ans de moins, et point de précocité, en rien. De plus
le Dauphin est affligé d'une maladie qui semble bien
proprement une infirmité ; sa main droite enfle et
devient toute violacée aussitôt qu'il veut soulever un
poids un peu lourd ou serrer fermement un objet. Il
ne peut point porter l'épée. Son père et sa mère l'ont
engendré très tôt, et juste comme ils relevaient l'un
et l'autre de maladie ; le fruit s'en est ressenti.

Mais il ne faut pas conclure de tout cela, comme le
font hâtivement certains, à commencer par le roi Jean

lui-même, que le Dauphin est un sot et qu'il fera un mauvais roi. J'ai bien soigneusement étudié son ciel... 21 janvier 1338... le Soleil est encore dans le Capricorne, juste avant qu'il n'entre dans le Verseau... Les natifs du Capricorne ont le triomphe tardif, mais ils l'ont, s'ils possèdent les lumières d'esprit. Les plantes d'hiver sont lentes à se développer... Je suis prêt à gager sur ce prince-là plus que sur bien d'autres qui offrent meilleure apparence. S'il traverse les gros dangers qui le menacent dans les présentes années... il vient déjà d'en surmonter ; mais le pire est devant lui... il saura s'imposer dans le gouvernement. Mais il faut reconnaître que son extérieur ne prévient guère en sa faveur...

Ah ! voici le vent à présent qui pousse l'ondée par rafales. Défaites les pendants de soie qui retiennent les rideaux, je vous prie, Archambaud. Mieux vaut continuer de bavarder dans l'ombre que d'être aspergés. Et puis nous entendrons moins ce floc floc des chevaux qui finit par nous assourdir. Et dites à Brunet, ce soir, qu'il fasse housser ma litière avec les toiles cirées par-dessous les toiles teintes. C'est un peu plus lourd pour les chevaux, je sais. On en changera plus souvent...

Oui, je vous disais que j'imagine fort bien comment Monseigneur de Navarre durant le voyage du Vaudreuil à Paris... le Vaudreuil se trouve dans une des plus belles situations de Normandie ; le roi Jean a voulu en faire l'une de ses résidences ; il paraît que l'œuvre qu'il y a commandée est merveille ; je ne l'ai point vue, mais je sais qu'il en a coûté gros au Trésor ; il y a des images peintes à l'or pur sur les murs, j'imagine comment Monseigneur Charles de Navarre, avec toute sa faconde et son aisance à protester l'amitié, dut s'employer à séduire Charles de France. La jeunesse prend aisément des modèles. Et, pour le Dauphin, cet aîné de six ans, si aimable compagnon, qui avait déjà tant voyagé, tant vu, tant fait, et qui lui racontait maints secrets et le divertissait en brocardant les gens de la cour... « Votre père, notre Sire, à dû me peindre à vous tout autrement que je ne suis... Soyons alliés, soyons amis, soyons vraiment les frères que nous sommes ». Le Dauphin, tout aise de se voir si apprécié d'un parent plus avancé que lui dans la vie, déjà régnant et si plaisant, fut aisément conquis.

Ce rapprochement ne fut pas sans effet sur la suite, et contribua pour gros aux méchefs et affrontements qui survinrent.

Mais j'entends l'escorte qui se resserre pour défiler. Ecartez un peu ce rideau... Oui, j'aperçois les faubourgs. Nous entrons dans Châteauroux. Nous n'aurons pas grand monde pour nous accueillir. Il faut être bien grand chrétien, ou bien grand curieux, pour se faire tremper par cette sauce à seule fin de voir passer la litière d'un cardinal.

XI

LE ROYAUME SE FISSURE

Ces chemins du Berry ont toujours été réputés pour
mauvais. Mais je vois que la guerre ne les a point
améliorés... Holà ! Brunet, La Rue ! Faites ralentir
le train, par la grâce de Dieu. Je sais bien que chacun
est en hâte d'arriver à Bourges. Mais ce n'est point
raison pour me moudre comme poivre dans cette
caisse. Arrêtez, arrêtez tout à fait ! Et faites arrêter
en tête. Bon... Non, ce n'est point la faute de mes chevaux. C'est la faute de vous tous, qui poussez vos montures comme si vous aviez de l'étoupe allumée sur vos
selles... A présent qu'on reparte, et qu'on observe, je
vous prie, de me mener à une allure de cardinal.
Sinon, je vous obligerai à combler les ornières devant
moi.

C'est qu'ils me rompraient les os, ces méchants
diables, pour se coucher une heure plus tôt ! Enfin,

la pluie a cessé... Tenez, Archambaud, encore un hameau brûlé. Les Anglais sont venus s'ébattre jusque dans les faubourgs de Bourges qu'ils ont incendiés, et même ils ont envoyé un parti qui s'est montré sous les murs de Nevers.

Voyez-vous, je n'en veux point aux archers gallois, aux coutilliers irlandais et autre ribaudaille que le prince de Galles emploie à cette besogne. Ce sont gens de misère à qui l'on fait miroiter fortune. Ils sont pauvres, ignorants, et on les mène à la dure. La guerre, pour eux, c'est piller, se goberger et détruire. Ils voient les gens des villages s'enfuir à leur approche, des enfants plein les bras, en hurlant : « Les Anglais, les Anglais, sauve Dieu ! » La chose est plaisante, pour des vilains, que d'apeurer d'autres vilains ! Ils se sentent bien forts. Ils mangent de la volaille et du porc gras tous les jours ; ils percent toutes les barriques pour étancher leur soif, et ce qu'ils n'ont pu boire ou manger, ils le saccagent avant de partir. Raflés les chevaux pour leur remonte, ils égorgent tout ce qui meugle ou bêle le long des chemins et dans les étables. Et puis, gueules saoules et mains noires, ils jettent en riant des torches sur les meules, les granges et tout ce qui peut brûler. Ah ! c'est bonne joie, n'est-ce pas, pour cette armée de bidaux et goujats, d'obéir à de tels ordres ! Ils sont comme des enfants malfaisants qu'on invite à méfaire.

Et même je n'en veux point aux chevaliers anglais. Après tout, ils sont hors de chez eux ; on les a requis pour la guerre. Et le Prince Noir leur donne l'exemple du pillage, se faisant apporter les plus beaux objets d'or, d'ivoire et d'argent, les plus belles étoffes, pour en emplir ses chariots ou bien gratifier ses capitaines. Dépouiller des innocents pour combler ses amis, voilà la grandeur de cet homme-là.

Mais ceux à qui je souhaite qu'ils périssent de male

mort et rôtissent en géhenne éternelle... oui, oui, tout
bon chrétien que je suis... ce sont ces chevaliers
gascons, aquitains, poitevins, et même certains de nos
petits sires du Périgord, qui préfèrent suivre le duc
anglais que leur roi français et qui, par goût de la
rapine ou par méchant orgueil, ou par jalousie de
voisinage, ou parce qu'ils ont en travers du cœur un
mauvais procès, s'emploient à ravager leur propre
pays. Non, ceux-là, je prie bien fort Dieu de ne les
point pardonner.

Ils n'ont à leur décharge que la sottise du roi Jean
qui ne leur a guère prouvé qu'il était homme à les
défendre, levant toujours ses bannières trop tard et
les envoyant roidement du côté où les ennemis ne
sont plus. Ah ! c'est un bien grand scandale que
Dieu a permis, en laissant naître un prince si décevant !

Pourquoi donc avait-il consenti au traité de Valognes, dont je vous entretenais hier, et échangé avec
son gendre de Navarre un nouveau gros baiser de
Judas ? Parce qu'il redoutait l'armée du prince
Edouard d'Angleterre qui faisait voile vers Bordeaux.
Alors, la droite raison eût voulu, s'étant libéré les
mains du côté de la Normandie, qu'il courût sus à
l'Aquitaine. Il n'y a pas besoin d'être cardinal pour y
penser. Mais que non. Notre piteux roi musarde, donnant de grands ordres pour de petites choses. Il laisse
le prince de Galles débarquer sur la Gironde et faire
entrée de triomphe à Bordeaux. Il sait, par rapports
d'espies et de voyageurs, que le prince rassemble ses
troupes, et les grossit de tous ces Gascons et Poitevins
dont je vous disais tout à l'heure en quelle estime je les
ai. Tout lui indique donc qu'une rude expédition s'apprête. Un autre eût fondu comme l'aigle pour défendre
son royaume et ses sujets. Mais ce parangon de chevalerie, lui, ne bouge pas.

Il avait, il faut en convenir, des ennuis de finances, en cette fin de septembre de l'an passé, un peu plus qu'à son ordinaire. Et justement comme le prince Édouard équipait ses troupes, le roi Jean, pour sa part, annonçait qu'il avait à surseoir de six mois au paiement de ses dettes et aux gages de ses officiers.

Souvent, c'est quand un roi est à court de monnaie qu'il lance ses gens à la guerre. « Soyez vainqueurs et vous serez riches ! Faites-vous du butin, gagnez des rançons... » Le roi Jean préféra se laisser appauvrir davantage en permettant à l'Anglais de ruiner à loisir le midi du royaume.

Ah ! la chevauchée fut bonne et facile, pour le prince d'Angleterre ! Il ne lui fallut qu'un mois pour conduire son armée des rives de la Garonne jusqu'à Narbonne et à sa mer, se plaisant à faire trembler Toulouse, brûlant Carcassonne, ravageant Béziers. Il laissait derrière lui un long sillon de terreur, et s'en acquit, à peu de frais, une grande renommée.

Son art de guerre est simple, que notre Périgord a éprouvé cette année ; il attaque ce qui n'est point défendu. Il envoie une avant-garde éclairer la route assez loin, et reconnaître les villages ou châteaux qui seraient solidement tenus. Ceux-là, il les contourne. Sur les autres, il lance un gros corps de chevaliers et d'hommes d'armes qui fondent sur les bourgs dans un fracas de fin du monde, dispersent les habitants, écrasent contre les murs ceux qui n'ont pas fui assez vite, embrochent ou assomment tout ce qui s'offre à leurs lances et à leurs masses ; puis se partagent en épi vers les hameaux, manoirs ou monastères avoisinants.

Viennent derrière les archers, qui raflent la subsistance nécessaire à la troupe et vident les maisons avant d'y bouter le feu ; puis les coutilliers et les goujats qui entassent le butin dans les chariots et achèvent la besogne d'incendie.

Tout ce monde, buvant jusqu'à plus soif, avance de trois à cinq lieues par jour ; mais la peur que répand cette armée la précède de loin.

Le but du Prince Noir ? Je vous l'ai dit : affaiblir le roi de France. On doit accorder que l'objet fut atteint.

Les grands bénéficiaires, ce sont les Bordelais et les gens du vignoble, et l'on conçoit qu'ils se soient coiffés de leur duc anglais. Ces dernières années, ils n'ont connu qu'un chapelet de malheurs : la dévastation de la guerre, les vignes malmenées par les combats, les routes du commerce fort incertaines, la mévente, sur quoi était venue s'ajouter la grande peste qui avait obligé de raser tout un quartier de Bordeaux pour assainir la ville. Et voici que les calamités de la guerre à présent s'abattent sur d'autres ; eh bien, ils s'en gaussent. A chacun, n'est-ce pas, son tour de peine !

Aussitôt débarqué, le prince de Galles a fait battre monnaie et circuler de belles pièces d'or, frappées au lis et au lion... au léopard comme veulent dire les Anglais... bien plus épaisses et lourdes que celles de France marquées à l'agneau. « Le lion a mangé l'agneau », disent les gens en manière de joyeuseté. Les vignes donnent bien. La province est gardée. Le mouvement du port est riche et nombreux, et en quelques mois il en est parti vingt mille tonneaux de vin, presque tout vers l'Angleterre. Si bien que depuis l'hiver passé, les bourgeois de Bordeaux montrent des faces réjouies et des ventres aussi ronds que leurs futailles. Leurs femmes se pressent chez les drapiers, les orfèvres et les joailliers. La ville vit dans les fêtes, et chaque retour du prince, en cette armure noire qu'il affectionne et qui lui vaut son surnom, est salué par des réjouissances. Toutes les bourgeoises en ont la tête tournée. Les soldats, riches de leurs pillages, dépensent sans compter. Les capitaines de Galles et de Cornouailles tiennent le haut du pavé ; et il s'est fait beaucoup de cocus à Bordeaux, ces temps-ci, car la fortune n'encourage pas la vertu.

On dirait de la France, depuis un an, qu'elle a deux capitales, ce qui est la pire chose qui puisse advenir à un royaume. A Bordeaux, l'opulence et la puissance ; à Paris, la pénurie et la faiblesse. Que voulez-vous ? Les monnaies parisiennes ont été altérées quatre-vingts fois depuis le début du règne. Oui, Archambaud, quatre-vingts fois ! La livre tournois n'a plus que le dixième de la valeur qu'elle avait à l'avènement du roi. Comment veut-on conduire un Etat avec de pareilles finances ? Quand on laisse s'enfler sans mesure le prix de toutes denrées, et quand on amincit en même temps la monnaie, il faut bien s'attendre à de grands troubles et de grands revers. Les revers, la France les connaît, et les troubles, elle y entre.

Qu'a donc fait notre roi si futé, l'autre hiver, pour conjurer des périls que chacun apercevait ? Ne pouvant plus guère obtenir d'aides de la Langue d'oc, après la chevauchée anglaise, il a convoqué les Etats généraux de la Langue d'oïl. La réunion n'a point tourné à sa satisfaction.

Pour accepter l'ordonnance d'une levée exceptionnelle de huit deniers à la livre sur toute vente, ce qui est lourde imposition pour tous métiers et négoces, ainsi qu'une particulière gabelle mise sur le sel, les députés se firent tirer l'oreille et émirent de grosses exigences. Ils voulaient que la recette fût perçue par receveurs spéciaux choisis par eux ; que l'argent de ces impôts n'aille ni au roi, ni aux officiers de son service ; que, s'il y avait une autre guerre, nulle levée d'aides nouvelles ne se fît qu'ils n'en aient délibéré...

que sais-je encore ? Les gens du Tiers étaient fort
véhéments. Ils avançaient l'exemple des communes de
Flandres où les bourgeois se gouvernent eux-mêmes,
ou bien du Parlement d'Angleterre qui a barre sur le
roi beaucoup plus que les Etats en France. « Faisons
comme les Anglais, cela leur réussit. » C'est un travers
des Français, lorsqu'ils sont dans la difficulté politique,
de chercher des modèles étrangers plutôt que d'appli-
quer avec scrupule et exactitude les lois qui leur sont
propres... Ne nous étonnons point que la nouvelle
réunion des Etats, que le Dauphin a dû avancer, tourne
de la mauvaise façon que je vous contais l'autre jour.
Le prévôt Marcel s'est exercé la gorge déjà l'année
dernière... Ce n'était pas à vous ? Ah non, c'était à dom
Calvo, en effet... Je ne l'ai pas fait remonter avec moi
depuis ; il est malade en litière...

Et le Navarrais, me direz-vous, pendant ce temps ?
Le Navarrais s'attachait à persuader le roi Edouard
qu'il ne l'avait pas joué en acceptant de traiter avec
Jean II à Valognes, qu'il était toujours à son endroit
dans les mêmes sentiments, qu'il n'avait feint de s'accorder au roi de France que pour mieux servir leurs
desseins communs, et que le temps ne tarderait pas
qu'il le lui ferait voir. Autrement dit, qu'il attendait
la première occasion de trahir.

Cependant, il travaillait à affermir son amitié avec
le Dauphin, par tous moyens de cajolerie, de flatteries
et de plaisir, et même par le moyen des femmes, car
je sais des demoiselles, dont la Gracieuse que j'ai déjà
dû vous nommer, et aussi une Biette Cassinel, qui
sont fort dévouées au roi de Navarre et dont on dit
qu'elles ont mis de l'entrain dans les petites fêtes
des deux beaux-frères. A la faveur de quoi, s'étant
fait son maître en péché, le Navarrais commença
de sourdement encourager le Dauphin contre son
père.

●

Il lui représentait que le roi Jean ne l'aimait guère, lui, son aîné fils. Et c'était chose vraie. Qu'il était piètre roi. Et c'était vrai encore. Qu'après tout, ce serait œuvre pie que d'aider Dieu, sans aller jusqu'à abréger ses jours, au moins à le déchasser du trône. « Vous feriez, mon frère, un meilleur roi que lui. N'attendez point qu'il vous laisse un royaume tout effondré ». Un jeune homme est aisément pris à cette chanson-là. « A nous deux, je vous l'assure, nous pouvons accomplir cela. Mais il faut nous gagner des appuis en Europe. » Et d'imaginer qu'ils aillent trouver l'empereur Charles IV, l'oncle du Dauphin, pour requérir son soutien et lui demander des troupes. Rien de moins. Qui eut cette belle idée d'appeler l'étranger pour régler les affaires du royaume et d'offrir à l'Empereur, qui déjà donne tant de fil à retordre à la papauté, d'arbitrer le sort de la France ? Peut-être l'évêque Le Coq, ce mauvais prélat, que Navarre avait ramené dans l'entourage du Dauphin. Toujours est-il que l'affaire était bien montée et poussée fort avant...

Quoi ? Pourquoi s'arrête-t-on quand je ne l'ai pas commandé ? Ah ! des fardiers encombrent la route. C'est que nous entrons dans les faubourgs. Faites dégager. Je n'aime point ces arrêts imprévus. On ne sait jamais... Quand il s'en produit, que l'escorte se resserre autour de ma litière. Il y a des routiers pleins d'audace que le sacrilège n'effraie point, et pour qui un cardinal serait de bonne prise...

Donc, le voyage des deux Charles, celui de France et celui de Navarre, était résolu dans le secret ; et l'on sait même à présent qui devait être de l'équipée qui les conduirait à Metz : le comte de Namur, le comte Jean d'Harcourt, le très gros, à qui il allait arriver malheur, comme je vous dirai ; et aussi un Boulogne, Godefroy, et Gaucher de Lor, et puis bien sûr les sires de Graville, de Clères et d'Aunay, Maubué de Maine-

QUAND UN ROI PERD LA FRANCE   123

mares, Colin Doublel et l'inévitable Friquet de Fricamps, c'est-à-dire les conjurés de la Truie-qui-file. Et aussi, la chose est d'intérêt car je pense bien que c'étaient eux qui baillaient finance à l'expédition, Jean et Guillaume Marcel, deux neveux du prévôt, qui étaient dans l'amitié du roi de Naverre et qu'il conviait à ses réjouissances. Comploter avec un roi, cela éblouit toujours les jeunes bourgeois riches !

Le départ était prévu pour la Saint-Ambroise. Trente Navarrais devaient attendre le Dauphin à la barrière de Saint-Cloud, au soir tombant, pour le conduire à Mantes chez son cousin ; et de là ce beau monde gagnerait l'Empire.

Et puis, et puis... tout ne peut être contraire toujours à un homme qui a le mauvais sort, et même le plus sot des rois ne parvient pas à tout manquer... La veille, jour de la Saint-Nicolas, notre Jean II a vent de l'affaire. Il mande son fils, le cuisine assez bien, et le Dauphin, lui faisant l'aveu du projet, prend sentiment du même coup qu'il s'est fourvoyé, non seulement pour lui-même, mais pour l'intérêt du royaume.

Là, le roi Jean, je dois le dire, se conduisit plus habilement qu'à son accoutumée. Il ne retient contre son fils que d'avoir voulu quitter le royaume sans son autorisation, lui montre gré de sa franchise en lui accordant tout aussitôt pardon et rémission de cette faute, et, découvrant que son héritier avait de la décision personnelle, déclare vouloir l'associer plus étroitement aux charges du trône en le faisant duc de Normandie. C'était bien sûr l'envoyer dans un piège, que de lui remettre ce duché tout peuplé de partisans des Evreux-Navarre ! Mais c'était bien joué.

Monseigneur le Dauphin n'avait plus qu'à prévenir le Mauvais qu'il rendait la liberté à tous ceux qui étaient dans la confidence de leur dessein.

Vous pensez bien que cette affaire n'avait pas fait recroître l'amour du père pour le fils, même si le dépit était dissimulé sous ce fier cadeau. Mais surtout la haine du roi pour son gendre commençait à être bien recuite et dure comme pâte remise six fois au feu. Tuer son connétable, fomenter des troubles, débarquer des troupes, prendre langue avec l'ennemi anglais... et il ne savait pas encore à quel point !... enfin détourner son fils, c'en était trop ; le roi Jean attendait l'heure propice à faire payer tout ce débit au Navarrais.

Pour nous, qui observions ces choses d'Avignon, l'inquiétude grandissait, et nous voyions approcher des circonstances extrêmes. Des provinces détachées, d'autres ravagées, une monnaie fuyante, un trésor vide, une dette croissante, des députés grondeurs et véhéments, de grands vassaux entêtés dans leurs factions, un roi qui n'est plus servi que par ses conseillers immédiats, et enfin, brochant sur le tout, un héritier du trône prêt à requérir l'aide étrangère contre sa propre dynastie... J'ai dit au pape : « Très-Saint-Père, la France se fissure. » Je n'avais point tort. Je me suis seulement trompé sur le temps.

Je donnais deux ans pour que se produisît l'écroulement. Il n'en a même pas fallu un. Et nous n'avons pas encore vu le pire. Que voulez-vous ? Quand il n'y a point de fermeté à la tête, comment pourrait-on attendre qu'il y en ait dans les membres ? A présent, il nous faut tenter de recoller les morceaux, vaille que vaille, et pour cela nous voilà en nécessité de recourir aux bons offices de l'Allemagne, et de donner du coup plus d'autorité à cet Empereur dont nous aurions plutôt souhaité museler l'arrogance. Avouez qu'il y a de quoi pester !

Allez maintenant, Archambaud, reprendre votre monture et vous placer en tête du cortège. Je veux

que pour entrer dans Bourges, même si l'heure est
tardive, on puisse voir flotter votre pennon du
Périgord à côté de celui du Saint-Siège. Et faites
écarter les rideaux de ma litière, pour les bénédictions.

DEUXIÈME PARTIE

LE BANQUET DE ROUEN

I

DISPENSES ET BÉNÉFICES

OH ! ce Monseigneur de Bourges m'a fort échauffé les humeurs, pendant ces trois jours que nous avons passés en son palais. Que voilà donc un prélat qui a l'hospitalité bien encombrante et bien quémandeuse ! Tout le temps à vous tirer par la robe pour obtenir quelque chose. Et que de protégés et de clients a cet homme-là, auxquels il a fait promesses et qu'il vous jette dans les souliers. « Puis-je présenter à Sa Très Sainte Eminence un clerc de grand mérite... Sa Très Sainte Eminence voudra-t-elle abaisser son regard bienveillant vers le chanoine de je ne sais quoi... J'ose recommander aux faveurs de Votre Très Sainte Eminence... » Je me suis vraiment tenu à quatre, hier soir, pour ne pas lui lâcher : « Allez vous purger, l'évêque, et veuillez... oui, la paix à ma Sainte Eminence ! »

Je vous ai pris avec moi, ce matin, Calvo... vous commencez à mieux tolérer, j'espère, le balancement de ma litière ; d'ailleurs je serai bref... pour que nous récapitulions bien précisément ce que je lui ai accordé, et rien de plus. Car il ne va pas manquer, maintenant qu'il est dans notre route, de vous venir bassiner de prétendus agréments que j'aurais donnés à toutes ses requêtes. Déjà, il m'a dit : « Pour les dispenses mineures, je n'en veux point fatiguer Votre Très Sainte Eminence ; je les présenterai à messire Francesco Calvo, qui est assurément personne de grand savoir, ou bien à messire du Bousquet... » Holà ! Je n'ai pas emmené avec moi un auditeur pontifical, deux docteurs, deux licenciés ès lois et quatre bacheliers pour relever de leur illégitimité tous les fils de prêtres qui disent la messe dans ce diocèse, ou y possèdent un bénéfice. C'est merveille d'ailleurs qu'après toutes les dispenses qu'accorda durant son pontificat mon saint protecteur, le pape Jean XXII... près de cinq mille, dont plus de la moitié à des bâtards de curés, et moyennant pénitence d'argent, bien sûr, ce qui aida fort à restaurer le trésor du Saint-Siège... il se retrouve aujourd'hui autant de tonsurés qui sont les fruits du péché.

Comme légat du pape, j'ai latitude de donner dix dispenses au cours de ma mission, pas davantage. J'en accorde deux à Monseigneur de Bourges ; c'est déjà trop. Pour les offices de notaire, j'ai droit d'en conférer vingt-cinq, et à des clercs qui m'auront rendu de personnels services, pas à des gens qui se sont glissés dans les papiers de Monseigneur de Bourges. Vous lui en donnerez un, en choisissant le plus bête et le moins méritant, pour qu'il ne lui en vienne que des ennuis. Si l'on s'étonne, vous répondrez : « Ah ! c'est Monseigneur qui l'a recommandé tout expressément... » Pour les bénéfices sans charge d'âmes, autrement dit les commendes, que ce soit à des ecclésiastiques ou des laïcs, nous n'en distribuerons aucune. « Monseigneur de Bourges en demandait trop. Son Eminence n'a pas voulu faire de jalousies... » Et j'en

ajouterai une ou deux à Monseigneur de Limoges, qui
s'est montré plus discret. Ne dirait-on pas que je suis
venu d'Avignon, tout seulement pour répandre les
faveurs et les profits autour de ce Monseigneur de
Bourges ? Je prise peu les gens qui se poussent en
faisant étalage de beaucoup d'obligés et il se leurre,
cet évêque-là, s'il croit que je parlerai de lui pour le
chapeau.

Et puis je l'ai trouvé bien indulgent pour les fratricelles dont j'ai vu pas mal rôder dans les couloirs de
son palais. J'ai été forcé de lui rappeler la lettre du
Saint-Père contre ces franciscains égarés... je la
connais d'autant mieux que c'est moi qui l'ai rédigée...
qui s'attribuent le ministère de la prédication, sédui-
sent les simples par un habit d'une humilité feinte et
font des discours dangereux contre la foi et le respect
dû au Saint-Siège. Je lui ai remis en mémoire qu'il
avait commandement de corriger et punir ces malfaisants selon les canons, et en implorant si de besoin le
secours du bras séculier, comme Innocent VI l'a fait
l'autre année en laissant brûler Jean de Chastillon et
François d'Arquate qui soutenaient des hérésies... « Des
hérésies, des hérésies... des erreurs certes, mais il faut
les comprendre. Ils n'ont pas tort en tout. Et puis les
temps changent... » Voilà ce qu'il m'a répondu, Monseigneur de Bourges. Moi, je n'aime guère ces prélats
qui comprennent trop les mauvais prêcheurs et plutôt
que de sévir veulent se faire populaires en allant du
côté où souffle le vent.

Je vous aurai donc gré, dom Calvo, de me surveiller
un peu ce bonhomme-là, durant le voyage, et d'éviter
qu'il endoctrine mes bacheliers, ou bien qu'il s'épan-
che trop auprès de Monseigneur de Limoges ou des
autres évêques que nous allons prendre en chemin.

Faites-lui la route un peu dure, encore que nous
n'aurons plus, les jours raccourcissant et le froid

devenant plus vif, que des étapes courtes. Dix à douze lieues la journée, pas davantage. Je ne veux point qu'on chemine de nuit. C'est pourquoi, aujourd'hui, nous n'allons pas plus loin que Sancerre. Nous y aurons longue soirée. Prenez garde au vin qu'on y boit. Il est fruité et gouleyant, mais plus gaillard qu'il n'y paraît. Faites-le savoir à La Rue, et qu'il me surveille l'escorte. Je ne veux point de soûlards sous la livrée du pape... Mais vous pâlissez, Calvo. Décidément vous ne tolérez point la litière... Non, descendez, descendez vite, je vous prie.

II

LA COLÈRE DU ROI

Donc, l'équipée d'Allemagne avait tourné court, laissant le Navarrais dans le dépit. Reparti pour Evreux, il ne manqua pas de s'y agiter. Trois mois passent ; nous arrivons à la fin mars de l'an dernier... Si, de l'an dernier, je dis bien... ou l'an présent, si vous voulez... mais Pâques étant cette année tombé le 24 avril, c'était encore l'an dernier...

Oui ; je sais, mon neveu ; c'est assez sotte coutume qui veut en France, alors que l'on fête l'an neuf le premier janvier, que pour les registres, traités et toutes choses à se remémorer, on ne change le nombre qu'à partir de Pâques. La sottise, surtout, et qui met beaucoup de confusion, c'est d'avoir aligné le début légal de l'an sur une fête mobile. De sorte que certaines années comptent deux mois de mars, alors que d'autres sont privées d'avril... Certes, il faudrait changer cela, j'en tombe bien d'accord avec vous.

Il y a déjà fort longtemps qu'on en parle, mais l'on ne s'y résout point. C'est le Saint-Père qui devrait en décider une bonne fois, pour toute la chrétienté. Et croyez bien que la pire embrouille, c'est pour nous, en Avignon ; car en Espagne, comme en Allemagne, l'an commence le jour de Noël ; à Venise, le 1er mars ; en Angleterre, le 25. Si bien que lorsque plusieurs pays sont parties à un traité conclu au printemps, on ne sait jamais de quelle année on parle. Imaginez qu'une trêve entre la France et l'Angleterre ait pu être signée dans les jours d'avant Pâques ; pour le roi Jean, elle serait datée de l'an 1355 et pour les Anglais de 1356. Oh ! je vous le concède volontiers, c'est chose la plus bête qui soit ; mais nul ne veut revenir sur ses habitudes, même détestables, et l'on dirait que les notaires, tabellions, prévôts et toutes gens d'administration prennent plaisir à s'encroûter dans les difficultés qui égarent le commun.

Nous en arrivons, vous disais-je, à cette fin du mois de mars où le roi Jean eut une grande colère... Contre son gendre, bien sûr. Oh ! reconnaissons que les motifs de déplaisir ne lui manquaient pas. Aux Etats de Normandie, assemblés au Vaudreuil par-devant son fils devenu le nouveau duc, il s'était dit de rudes paroles à son endroit, comme jamais on n'en avait ouï auparavant, et c'étaient les députés de la noblesse, montés par les Evreux-Navarre, qui les avaient proférées. Les deux d'Harcourt, l'oncle et le neveu, étaient les plus violents, à ce qu'on m'a dit ; et le neveu, le gros comte Jean, s'était emporté jusqu'à crier : « Par le sang Dieu, ce roi est mauvais homme ; il n'est pas bon roi, et je me garderai de lui. » Cela était revenu, vous imaginez bien, aux oreilles de Jean II. Et puis, aux nouveaux Etats de Langue d'oïl, qui s'étaient tenus à la suite, les députés de Normandie n'étaient point venus. Refus de paraître, tout bonnement. Ils ne voulaient plus s'associer aux aides et subsides, ni les payer. D'ailleurs, l'assemblée eut à constater que la gabelle et l'imposition sur les ventes n'avaient point produit ce qu'on en attendait. Alors on décida d'y substituer un impôt sur le revenu vaillant, en bout d'année où l'on se trouvait.

Je vous laisse à penser comme la mesure fut bien prise, d'avoir à payer au roi une part de tout ce qu'on avait reçu, perçu ou gagné, au fil de l'an, et souvent déjà dépensé... Non, cela ne fut point appliqué au Périgord, ni nulle part en Langue d'oc. Mais je sais des personnes de chez nous qui sont passées à l'Anglais par peur, simplement, que la mesure ne leur fût étendue. Cet impôt sur le revenu vaillant, joint à l'enchérissement des vivres, provoqua de l'émeute en diverses places, et surtout Arras, où le menu peuple s'insurgea ; et le roi Jean dut envoyer son connétable, avec plusieurs compagnies de gens d'armes, pour charger ces meneurs... Non, certes, tout cela ne lui offrait guère raisons de se réjouir. Mais si gros ennuis qu'il ait, un roi doit conserver empire sur soi-même. Ce qu'il ne fit pas en l'occasion que voici.

Il était à l'abbaye de Beaupré-en-Beauvaisis pour le baptême du premier né de Monseigneur Jean d'Artois, comte d'Eu depuis qu'il a été gratifié des biens et titres de Raoul de Bienne, le connétable décapité... Oui, c'est cela même, le fils du comte Robert d'Artois, auquel il ressemble fort d'ailleurs, par la tournure. Quand on le voit, on en est saisi ; on croit voir le père, à son âge. Un géant, une tour qui marche. Les cheveux rouges, le nez bref, les joues piquées de soies de porc, et des muscles qui lui joignent d'un trait la mâchoire à l'épaule. Il lui faut, pour sa remonte, des chevaux de fardier, et lorsqu'il charge, harnaché en bataille, il vous fait des trous dans une armée. Mais là s'arrête la semblance. Pour l'esprit, c'est le contraire. Le père était astucieux, délié, rapide, malin, trop malin. Celui-là a la cervelle comme un mortier de

chaux, et qui a bien pris. Le comte Robert était pro-
cédurier, comploteur, faussaire, parjure, assassin. Le
comte Jean, comme s'il voulait racheter les fautes
paternelles, se veut modèle d'honneur, de loyauté et de
fidélité. Il a vu son père déchu et banni. Lui-même, en
son enfance, a un peu séjourné en prison, avec sa mère
et ses frères. Je crois qu'il n'est point encore accoutumé au pardon qu'il a reçu, et à son retour en fortune. Il regarde le roi Jean comme le Rédempteur en
personne. Et puis il est ébloui de porter le même pré-
nom. « Mon cousin Jean... mon cousin Jean... »

Ils se balancent du cousin Jean toutes les trois
paroles. Les hommes de mon âge, qui ont connu
Robert d'Artois, même s'ils ont eu à souffrir de ses
entreprises, ne peuvent se défendre d'un certain regret
en voyant la bien pâle copie qu'il nous a laissée. Ah !
c'était un autre gaillard, le comte Robert ! Il a rempli
son temps de ses turbulences. Quand il mourut, on
eût dit que le siècle tombait dans le silence. Même la
guerre semblait avoir perdu de sa rumeur. Quel âge
aurait-il à présent ? Voyons... bah... autour de soixante-
dix ans. Oh ! il avait de la force pour vivre jusque-là,
si une flèche perdue ne l'avait abattu, dans le camp
anglais, au siège de Vannes... Tout ce qu'on peut dire,
c'est que les preuves de loyauté que multiplie le fils
n'ont pas eu pour la couronne meilleur effet que les
trahisons du père.

Car ce fut Jean d'Artois qui, juste avant le baptême,
et comme pour remercier le roi du grand honneur de
son parrainage, lui révéla le complot de Conches, ou
ce qu'il croyait être un complot.

Conches... oui, je vous l'ai dit... un des châteaux
autrefois confisqués à Robert d'Artois et que Monseigneur de Navarre s'est fait donner par le traité de
Valognes. Mais il reste là-bas quelques vieux serviteurs
des d'Artois qui leur sont toujours attachés.

De la sorte, Jean d'Artois put chuchoter au roi... un chuchotement qui s'entendait à l'autre bout du bail-liage... que le roi de Navarre s'était réuni à Conches avec son frère Philippe, les deux d'Harcourt, l'évêque Le Coq, Friquet de Fricamps, plusieurs sires normands de vieille connaissance, et encore Guillaume Marcel, ou Jean... enfin l'un des neveux Marcel... et un seigneur qui arrivait de Pampelune, Miguel d'Espelette, et qu'ils auraient tous ensemble comploté d'assaillir par sur-prise le roi Jean, à la première fois que celui-ci se rendrait en Normandie, et de l'occire. Etait-ce vrai, était-ce faux ? Je pencherais à croire qu'il y avait un peu de vrai là-dedans, et que sans être allés jusqu'à mettre la conjuration sur pied, ils avaient envisagé la chose. Car elle est bien dans la manière de Charles le Mauvais qui, ayant manqué l'opération dans la gran-deur en allant chercher appui auprès de l'empereur d'Allemagne, ne répugnait sans doute pas à l'accomplir dans la vilenie, en répétant le coup de la Truie-qui-file. Il faudra attendre d'être devant le tribunal de Dieu pour connaître le fond de la vérité.

Ce qui est sûr, c'est qu'on avait beaucoup discuté à Conches, pour savoir si l'on se rendrait à Rouen, dans une semaine de là, le mardi d'avant la mi-carême, au festin auquel le Dauphin, duc de Normandie, avait prié tous les plus importants chevaliers normands, pour tenter de s'accorder avec eux. Philippe de Navarre conseillait qu'on refusât ; Charles au contraire était enclin à accepter. Le vieux Godefroy d'Harcourt, celui qui boite, était contre, et le disait bien fort. D'ailleurs, lui qui s'était brouillé avec feu le roi Philippe VI pour une affaire de mariage où l'on avait contrarié ses amours, ne se regardait plus tenu par aucun lien de vassalité envers la couronne. « Mon roi, c'est l'An-glais », disait-il.

Son neveu, l'obèse comte Jean, que le fumet d'un

banquet eût traîné à l'autre bout du royaume, penchait pour y aller. A la fin, Charles de Navarre dit que chacun en ferait à son gré, que lui-même se rendrait à Rouen avec ceux qui le voudraient, mais qu'il approuvait autant les autres de ne point paraître chez le Dauphin, et que même c'était sagesse qu'il y en eût dans le retrait, car jamais il ne fallait mettre tous les chiens dans le même terrier.

Une chose encore fut rapportée au roi qui pouvait étayer le soupçon de complot. Charles de Navarre aurait dit que, si le roi Jean venait à mourir, aussitôt il rendrait public son traité passé avec le roi d'Angleterre, par lequel il le reconnaissait pour roi de France, et qu'il se conduirait en tout comme son lieutenant dans le royaume.

Le roi Jean ne demanda pas de preuves. Le premier soin d'un prince doit être de toujours faire vérifier la délation, et la plus plausible aussi bien que la plus incroyable. Mais notre roi manque tout à fait de cette prudence. Il gobe comme œufs frais tout ce qui nourrit ses rancunes. Un esprit plus rassis eût écouté, et puis cherché à rassembler renseignements et témoignages au sujet de ce traité secret qui venait de lui être révélé. Et si, de cette présomption, il avait pu faire vérité, il eût alors été bien fort contre son gendre.

Mais lui, dans l'instant, prit la chose pour certifiée ; et c'est tout enflammé de colère qu'il entra dans l'église. Il y eut, m'a-t-on dit, une conduite étrange, n'entendant point les prières, prononçant tout de travers les répons, regardant chacun d'un air furieux et jetant sur le surplis d'un diacre la braise d'un encensoir auquel il s'était heurté. Je ne sais trop comment fut baptisé le rejeton des d'Artois ; mais, avec un semblable parrain, je crois qu'il faudra bien vite faire renouveler ses vœux à ce petit chrétien-là, si l'on veut que le bon Dieu l'ait en miséricorde.

Et dès l'issue de la cérémonie, ce fut l'ouragan. Jamais les moines de Beaupré n'entendirent tant de jurons affreux, comme si le diable s'était venu loger dans la gorge du roi. Il pleuvait, mais Jean II n'en avait cure. Pendant toute une grande heure et alors qu'on avait déjà corné l'eau du dîner, il se fit saucer en arpentant le jardin des moines, battant les flaques de ses poulaines... ces ridicules chaussures que le beau Monsieur d'Espagne et lui mirent en mode... et forçant toute sa suite, messire Nicolas Braque, son maître de l'hôtel, et messire de Lorris, et les autres chambellans, et le maréchal d'Audrehem et le grand Jean d'Artois, tout éberlué et penaud, à se tremper avec lui. Il se gâta là pour des milliers de livres de velours, de broderies et de fourrures.

« Il n'y a nul maître en France hors moi, hurlait le roi. Je ferai qu'il crève, ce mauvais, cette vermine, ce blaireau pourri qui conspire ma fin avec tous mes ennemis. Je m'en vais l'occire moi-même. Je lui arracherai le cœur de mes mains, et je partagerai son puant corps en tant de morceaux, m'entendez-vous ? qu'il y en aura assez pour en pendre un à la porte de chacun des châteaux que j'ai eu la faiblesse de lui octroyer. Et qu'on ne vienne plus jamais intercéder pour lui, et qu'aucun de vous ne s'avise de me prêcher l'accommodement. D'ailleurs, il n'y aura plus lieu de plaider pour ce félon, et la Blanche et la Jeanne pourront se vider à faire couler leurs larmes ; on apprendra qu'il n'y a nul maître en France hors moi. » Et sans cesse il revenait sur ce ««nul maître en France, hors moi », comme s'il avait eu besoin de se persuader qu'il était le roi.

Il se calma à demi pour demander quand se tiendrait ce banquet que son âne de fils offrait si courtoisement à son serpent de gendre... « Le jour de la Sainte-Irène, le 5 avril »... « Le 5 avril, la Sainte-Irène », répéta-t-il comme s'il avait peine à se mettre une chose si simple dans l'esprit. Il resta un moment à secouer la tête, tel un cheval, pour égoutter ses cheveux jaunes tout collés de pluie. « Ce jour-là, j'irai chasser à Gisors », fit-il.

On était habitué à ses sautes d'humeur ; chacun pensa que la colère du roi s'était épuisée en paroles et que la chose en resterait là. Et puis advint ce qui se passa au banquet de Rouen... Oui, mais vous ne le savez pas par le menu. Je vais vous conter cela, mais demain ; car pour ce jour d'hui, l'heure avance, et nous devons être proches d'arriver.

Vous voyez, à bavarder ainsi, le chemin paraît plus court. Pour ce soir, nous n'avons qu'à souper et dormir. Demain, nous serons à Auxerre, où j'aurai des nouvelles d'Avignon et de Paris. Ah ! un mot encore, Archambaud. Soyez circonspect avec Monseigneur de Bourges, qui nous accompagne, si jamais il vous entreprend. Il ne me plaît guère, et je ne sais pourquoi, j'ai dans l'idée que cet homme-là a des intelligences avec le Capocci. Lancez le nom, sans paraître y toucher, et vous me direz ce qu'il vous en semble.

III

VERS ROUEN

Le roi Jean s'en fut effectivement à Gisors, mais il n'y resta que le temps de prendre cent piquiers de la garnison. Puis il partit bien ostensiblement par la route de Chaumont et de Pontoise, afin que chacun pût croire qu'il rentrait à Paris. Il emmenait avec lui son second fils, le duc d'Anjou, et puis son frère, le duc d'Orléans, lequel paraît plutôt comme un de ses fils, car Monseigneur d'Orléans, qui a vingt ans, en compte dix-sept de différence avec le roi, et seulement deux avec le Dauphin.

Le roi s'était fait escorter du maréchal d'Audrehem, de ses seconds chambellans, Jean d'Andrisel et Guy de La Roche, parce qu'il avait expédié à Rouen, quelques jours plus tôt, Lorris et Nicolas Braque, sous le prétexte qu'il les prêtait au Dauphin pour veiller aux préparatifs de son banquet.

Qui y avait-il encore derrière le roi ? Oh ! Il avait bien constitué sa troupe. Il emmenait les frères d'Artois, Charles et l'autre... « mon cousin Jean »... qui lui collait à la croupe et dépassait de la tête toute la chevauchée, et encore Louis d'Harcourt, qui était en brouille avec son frère et son oncle Godefroy, et tenait à cause de cela le parti du roi. Je vous passe les écuyers de chasse et les veneurs, les Corquilleray, Huet des Ventes, et autres Maudétour. Dame ! Le roi allait chasser et voulait en donner l'apparence ; il montait son cheval de chasse, un napolitain vite, brave et bien embouché qu'il affectionne particulièrement. Nul ne pouvait s'étonner qu'il fût suivi des sergents de sa garde étroite, commandés par deux gaillards fameux pour la grosseur de leurs muscles, Enguerrand Lalemant et Perrinet le Buffle. Ces deux-là vous retournent un homme rien qu'en le prenant par la main... Il est bon qu'un roi ait toujours autour de lui une garde rapprochée. Le Saint-Père a la sienne. J'ai mes hommes de protection, moi aussi, qui chevauchent au plus près de ma litière, comme vous avez dû vous en aviser. Je suis tellement accoutumé à eux que je finis par ne plus les voir ; mais eux ne me quittent pas des yeux.

Ce qui eût pu surprendre, mais il aurait fallu avoir le regard bien ouvert, c'était que les valets de la chambre, sans doute Tassin et Poupart le Barbier, portaient, pendus à leur selle, le heaume, la cervellière, la grande épée, tout le harnais de bataille du roi. Et puis aussi la présence du roi des ribauds, un bonhomme qui se nomme... Guillaume... Guillaume je ne sais plus quoi... et qui non seulement veille à la police des bordels, dans les villes où le roi réside, mais est chargé de la justice directe du roi. Il y a davantage de travail dans cette charge depuis que Jean II est au trône.

Avec les écuyers des ducs, les varlets, le domestique de tous ces seigneurs et les piquiers embarqués à Gisors, cela faisait bien deux cents cavaliers, dont beaucoup hérissés de lances, un bien gros équipage pour aller buissonner le chevreuil.

Le roi avait pris la direction de Chaumont-en-Vexin mais jamais on ne le vit passer dans ce bourg. Sa troupe s'évanouit en route comme par un tour d'enchanteur. Il avait fait couper à travers la campagne pour remonter droit au nord, sur Gournay-en-Bray où il ne s'attarda guère, juste le temps de prendre le comte de Tancarville, un des rares grands seigneurs de Normandie qui soit resté de ses féaux parce qu'il est comme chien à chien avec les d'Harcourt. Un Tancarville stupéfait, car il attendait là, entouré de vingt chevaliers de sa bannière, le maréchal d'Audrehem, mais nullement le roi.

« Mon fils le Dauphin ne vous avait-il pas convié demain à Rouen, messire comte ? — Oui, Sire ; mais le mandement que j'ai reçu de messire le maréchal, qui venait inspecter les forteresses de ce pays, m'a dispensé de paraître dans une compagnie où beaucoup de visages m'auraient fort déplu. — Eh bien ! vous irez quand même à Rouen, Tancarville, et je vais vous instruire de ce que nous y allons faire. »

Sur quoi, toute la chevauchée pique vers le sud, dans la nuit tombante, une petite trotte, trois ou quatre lieues, mais qui s'ajoutent aux dix-huit parcourues depuis le matin, pour aller dormir dans un château fort bien écarté, en bordure de la forêt de Lyons.

Les espies du roi de Navarre, s'il en avait par là, devaient être bien en peine de lui dire où courait le roi de France, sur ce chemin haché, et pour y quoi faire... on a vu le roi qui partait chasser... le roi est à inspecter les forteresses...

Le roi était debout avant l'aurore, plein de hâte et de fièvre, pressant son monde, et déjà en selle pour foncer, cette fois au plus droit, à travers la forêt de Lyons. Ceux qui voulaient manger un quignon de pain et une tranche de lard durent le faire d'une main, les rênes au creux du bras, de l'autre main tenant leur lance, tout en trottant.

Elle est dense et longue, la forêt de Lyons ; elle a plus de sept lieues et pourtant en deux heures on l'a presque traversée. Le maréchal d'Audrehem pense qu'à ce train-là on va arriver sûrement trop tôt. On pourrait bien s'arrêter un moment, ne serait-ce que pour laisser pisser les chevaux. Sans compter que pour sa propre part... C'est le maréchal lui-même qui me l'a raconté. « Une envie, que Votre Eminence me pardonne, à me couper les flancs. Or, un maréchal de l'ost ne peut tout de même pas se soulager du haut de sa monture, comme le font les simples archers quand le besoin les presse, et tant pis s'ils arrosent le cuir de l'arçon. Alors je dis au roi : « Sire, rien ne sert de tant se hâter ; cela ne fait pas avancer plus vite le soleil... En plus, les chevaux ont besoin de faire de l'eau. » Et le roi de me répondre : « Voici la lettre que j'écrirai au pape, pour expliquer ma justice et prévenir les mauvais récits qu'on pourra lui faire... Trop longtemps, Très-Saint-Père, les mansuétudes et accommodements que j'ai consentis par douceur chrétienne à ce mauvais parent l'ont encouragé à forfaire, et à cause de lui sont venus méchefs et malheurs au royaume. Il en apprêtait un plus grand encore en me déprivant de la vie ; et c'est pour prévenir qu'il accomplisse ce nouveau crime... »

Et pique avant sans s'apercevoir de rien, qu'il est sorti de la forêt de Lyons, qu'il a débuché en plaine, qu'il est entré dans une autre forêt. Audrehem m'a dit qu'il ne lui avait jamais vu tel visage, l'œil comme fou, son lourd menton trémulant sous la maigre barbe.

Soudain Tancarville pousse sa monture jusqu'à la hauteur du roi pour demander à celui-ci, bien poliment, s'il a choisi de se rendre à Pont-de-l'Arche.

« Mais non, crie le roi, je vais à Rouen ! — Alors, Sire, je crains que vous n'y parveniez pas par ici. Il eût fallu prendre à droite, à la dernière patte-d'oie. » Et le roi de faire faire demi-tour sur place à son cheval napolitain, et de remonter au galop toute la colonne, en commandant à grands coups de gueule qu'on le suive, ce qui ne s'accomplit pas sans désordre, mais toujours sans pisser, pour la grand-peine du maréchal...

Dites-moi, mon neveu, ne sentez-vous rien dans notre allure ?... Eh bien, moi, si.

Brunet, holà ! Brunet ! Un de mes sommiers boite... Ne me dites pas : « Non, Monseigneur » et regardez. Celui d'arrière. Et je pense même qu'il boite de l'antérieur droit... Faites arrêter... Et alors ? Ah ! il se déferge ? Et de quel pied... Alors, qui avait raison ? J'ai les reins plus éveillés que vous n'avez les yeux.

Allons, Archambaud, descendons. Nous ferons quelques pas tandis qu'on va changer les chevaux... L'air est frais, mais point méchant. Qu'apercevons-nous d'ici ? Le savez-vous Brunet ? Saint-Amand-en-Puisaye... C'est ainsi, Archambaud, que le roi Jean dut apercevoir Rouen, le matin du 5 avril.

IV

LE BANQUET

Vous ne connaissez pas Rouen, Archambaud, ni donc
le château du Bouvreuil. Oh ! c'est un gros château à
six ou sept tours disposées en rond, avec une grande
cour centrale. Il fut bâti voici cent et cinquante ans,
par le roi Philippe Auguste, pour surveiller la ville et
son port, et commander le cours extrême de la rivière
de Seine. C'est une place importante que Rouen, une
des ouvertures du royaume du côté de l'Angleterre,
donc une fermeture aussi. La mer remonte jusqu'à
son pont de pierre qui relie les deux parties du duché
de Normandie.

Le donjon n'est pas au milieu du château ; c'est
une des tours, un peu plus haute et épaisse que les
autres. Nous avons des châteaux pareils en Périgord,
mais ils ont ordinairement plus de fantaisie dans
l'aspect.

La fleur de la chevalerie de Normandie y était assemblée, vêtue avec autant de richesse qu'il était possible. Soixante sires étaient venus, chacun avec au moins un écuyer. Les sonneurs venaient de corner l'eau quand un écuyer de messire Godefroy d'Harcourt, tout suant d'un long galop, vint avertir le comte Jean que son oncle le mandait en hâte et le priait de quitter Rouen sur-le-champ. Le message était fort impérieux, comme si messire Godefroy avait eu vent de quelque chose. Jean d'Harcourt se mit en devoir d'obtempérer, se coulant hors de la compagnie ; et il était déjà au bas de l'escalier du donjon qu'il encombrait presque tout de sa personne, tant il était gras, une vraie futaille, quand il tomba sur Robert de Lorris qui lui barra le passage de l'air le plus affable. « Messire comte, messire, vous vous en partez ? Mais Monseigneur le Dauphin n'attend plus que vous pour dîner ! Votre place est à sa gauche. » N'osant faire affront au Dauphin, le gros d'Harcourt se résigna à différer son départ. Il partirait après le repas. Et il remonta l'escalier, sans trop de regret. Car la table du Dauphin avait grande réputation ; on savait qu'il s'y servait merveilles ; et Jean d'Harcourt n'avait pas acquis tout le lard dont il était bardé à sucer seulement des brins d'herbes.

Et de fait, quel festin ! Ce n'était pas en vain que Nicolas Braque avait aidé le Dauphin à l'apprêter. Ceux qui y furent, et qui en réchappèrent, n'en ont rien oublié. Six tables, réparties dans la grande salle ronde. Aux murs, des tapisseries de verdure, si vives de couleur qu'on aurait cru dîner au milieu de la forêt. Auprès des fenêtres, des buissons de cierges, pour renforcer le jour qui venait par les ébrasements, comme le soleil à travers les arbres. Derrière chaque convive, un écuyer tranchant, soit, pour les grands seigneurs, le leur propre, et pour les autres quelqu'un de la maison du Dauphin. On usait de couteaux à manche d'ébène, dorés et émaillés aux armes de France, tout spécialement réservés pour le temps de carême. C'est la coutume de la cour de ne sortir les couteaux à manche d'ivoire qu'à partir des fêtes de Pâques.

Car on respectait le carême. Pâtés de poisson, ragoûts de poisson, carpes, brochets, tanches, brèmes, saumons et bars, plats d'œufs, volailles, gibiers de plume ; on avait vidé les viviers et les basses-cours, écumé les rivières. Les pages de cuisine, formant une chaîne continue dans l'escalier, montaient les plats d'argent et de vermeil où rôtisseurs, queux et sauciers avaient disposé, dressé, nappé les mets préparés sous les cheminées de la tour des cuisines. Six échansons versaient les vins de Beaune, de Meursault, d'Arbois et de Touraine. ... Ah ! vous aussi, cela vous met en appétit, Archambaud ! J'espère qu'on nous fera bonne chère, tout à l'heure à Saint-Sauveur...

Le Dauphin, au milieu de la table d'honneur, avait Charles de Navarre à sa droite et Jean d'Harcourt à sa gauche. Il était vêtu d'un drap bleu marbré de Bruxelles et coiffé d'un chaperon de même étoffe, orné de broderies de perles disposées en forme de feuillage. Je ne vous ai jamais encore décrit Monseigneur le Dauphin... Le corps étiré, les épaules larges et maigres, il a le visage allongé, un grand nez un peu bossué en son milieu, un regard dont on ne sait s'il est attentif ou songeur, la lèvre supérieure mince, l'autre plus charnue, le menton effacé.

On dit qu'il ressemble assez, pour autant qu'on ait moyen de savoir, à son ancêtre Saint Louis, qui était comme lui très long et un peu voûté. Cette tournure-là, à côté d'hommes très sanguins et redressés, apparaît de temps à autre dans la famille de France.

Les huissiers de cuisine venaient d'un pas empesé présenter les plats l'un après l'autre ; et lui, le Dauphin, désignait la table vers laquelle ils devaient être portés, faisant ainsi honneur à chacun de ses hôtes, au comte d'Etampes, au sire de la Ferté, au maire de Rouen, accompagnant d'un sourire, avec beaucoup de dignité courtoise, le geste qu'il faisait de la main, la main gauche toujours. Car, je vous l'ai dit, je crois, sa main droite est enflée, rougeâtre et le fait souffrir ; il s'en sert le moins possible. A peine peut-il jouer à la paume, une demi-heure, et tout de suite sa main gonfle. Ah ! c'est une grande faiblesse pour un prince... Ni chasse ni guerre. Son père ne se cache pas pour l'en mépriser. Comme il devait envier, le pauvre Dauphin, tous ces seigneurs qu'il traitait, les sires de Clères, de Graville, du Bec Thomas, de Mainemares, de Braque-mont, de Sainte-Beuve ou d'Houdetot, ces chevaliers solides, sûrs d'eux, tapageurs, fiers de leurs exploits aux armes. Il devait même envier le gros d'Harcourt, que son quintal de graisse n'empêchait pas de maîtri-ser un cheval ni d'être un redoutable tournoyeur, et surtout le sire de Biville, un fameux homme qu'on entoure beaucoup dès qu'il paraît en société et à qui l'on fait raconter son exploit... C'est celui-là même... vous voyez, son nom vous est parvenu... oui, d'un seul coup d'épée, un Turc fendu en deux, sous les yeux du roi de Chypre. A chaque récit qu'il recommence, l'en-taille augmente d'un pouce. Un jour il aura aussi fendu le cheval...

Mais je reviens au Dauphin Charles. Il sait, ce gar-çon, à quoi sa naissance et son rang l'obligent ; il sait pourquoi Dieu l'a fait naître, la place que la Pro-vidence lui a assignée, au plus haut de l'échelle des hommes, et que, sauf à mourir avant son père, il sera roi. Il sait qu'il aura le royaume à gouverner souve-rainement ; il sait qu'il sera la France. Et si dans le

secret de soi il s'afflige que Dieu ne lui ait pas dispensé,
en même temps que la charge, la robustesse qui l'aide-
rait à la bien porter, il sait qu'il doit pallier les insuffisances de son corps par une bonne grâce, une attention
à autrui, un contrôle de son visage et de ses propos,
un air tout ensemble de bienveillance et de certitude
qui jamais ne laissent oublier qui il est, et se composer
de la sorte une manière de majesté. Cela n'est point
chose aisée, quand on a dix-huit ans et que la barbe
vous pousse à peine !

Il faut dire qu'il y a été entraîné de bonne heure.
Il avait onze ans quand son grand-père le roi Philippe VI parvint enfin à racheter le Dauphiné à Humbert II de Vienne. Cela effaçait quelque peu la défaite
de Crécy et la perte de Calais. Je vous ai dit après
quelles négociations... Ah ! je croyais... Vous voulez
donc en savoir le menu ?

Le Dauphin Humbert était aussi gonflé d'orgueil
que perclus de dettes. Il désirait vendre, mais continuer à gouverner quelque partie de ce qu'il cédait,
et que ses Etats après lui restassent indépendants. Il
avait d'abord voulu traiter avec le comte de Provence,
roi de Sicile ; mais il monta le prix trop haut. Il se
retourna alors vers la France, et c'est là que je fus
appelé à m'occuper des tractations. Dans un premier
accord, il céda sa couronne mais seulement pour après
sa mort... il avait perdu son unique fils... partie au
comptant, cent vingt mille florins s'il vous plaît, et
partie en pension viagère. Avec cela, il eût pu vivre à
l'aise. Mais au lieu d'éteindre ses dettes, il dissipa tout
ce qu'il avait reçu en allant chercher la gloire à combattre les Turcs. Harcelé par ses créanciers, il lui
fallut alors vendre ce qui lui restait, c'est-à-dire ses
droits viagers. Ce qu'il finit par accepter, pour
deux cent mille florins de plus et vingt-quatre mille
livres de rente, mais non sans continuer de faire le

superbe. Heureusement pour nous, il n'avait plus
d'amis.

C'est moi, je le dis modestement, qui trouvai l'accommodement par lequel on put satisfaire à l'honneur
d'Humbert et de ses sujets. Le titre de Dauphin de
Viennois ne serait pas porté par le roi de France, mais
par l'aîné des petits-fils du roi Philippe VI et ensuite
par son aîné fils. Ainsi les Dauphinois, jusque-là indépendants, gardaient l'illusion de conserver un prince
qui ne régnait que sur eux. C'est la raison pour laquelle
le jeune Charles de France, ayant reçu l'investiture à
Lyon, eut à accomplir, au long de l'hiver de 1349 et du
printemps de 1350, la visite de ses nouveaux Etats.
Cortèges, réceptions, fêtes. Il n'avait, je vous le répète,
que onze ans. Mais avec cette facilité qu'ont les
enfants d'entrer dans leur personnage, il prit l'habitude d'être accueilli dans les villes par des vivats,
d'avancer entre des fronts courbés, de s'asseoir sur un
trône tandis qu'on se hâtait de lui glisser sous les
pieds assez de carreaux de soie pour qu'ils ne pendis-
sent pas dans le vide, de recevoir en ses mains l'hommage des seigneurs, d'écouter gravement les doléances
des villes. Il avait surpris par sa dignité, son affabilité,
le bon sens de ses questions. Les gens s'attendrissaient
de son sérieux ; les larmes venaient aux yeux des vieux
chevaliers et de leurs vieilles épouses lorsque cet
enfant les assurait de son amour et de son amitié,
les louait de leurs mérites et leur disait compter sur
leur fidélité. De tout prince, la moindre parole est
objet de gloses infinies par lesquelles celui qui l'a
reçue se donne importance. Mais d'un si jeune garçon,
d'une miniature de prince, quels récits émus ne provo-
quait pas la plus simple phrase ! « A cet âge, on ne
peut point feindre. » Mais si, il feignait, et même il
se plaisait à feindre comme tous les gamins. Feindre
l'intérêt pour chacun qu'il voyait, même si on lui

offrait un regard louche et une bouche édentée, feindre
le contentement devant le présent qu'on lui remettait
même s'il en avait déjà reçu quatre semblables, feindre l'autorité lorsqu'un conseil de ville venait se plaindre pour une affaire de péage ou quelque litige com-
munal... « Vous serez rétabli dans votre droit, si l'on
vous a fait tort. Je veux que l'on conduise enquête avec
diligence. » Il avait vite compris combien prescrire
une enquête d'un ton décidé produit grand effet sans
engager à rien.

Il ne savait pas encore qu'il serait d'une santé si
faible, bien qu'il fût tombé malade pendant plusieurs
semaines, à Grenoble. Ce fut durant ce voyage qu'il
apprit la mort de sa mère, puis de sa grand-mère, et
bientôt après le remariage de son grand-père et celui
de son père, coup sur coup, avant qu'on lui annonçât
qu'il allait lui-même bientôt épouser Madame Jeanne
de Bourbon, sa cousine, qui avait le même âge que lui.
Ce qui s'était fait, à Tain l'Hermitage, au début d'avril,
dans une grande pompe et toute une affluence d'Eglise
et de noblesse... Il n'y a que six ans.

C'est miracle qu'il n'ait pas eu la tête tournée, ou
perturbée, par toutes ces pompes. Il avait seulement
révélé le penchant commun à tous les princes de sa
famille pour la dépense et le luxe. Des mains percées.
Avoir tout de suite tout ce qui leur plaît. Je veux ceci,
je veux cela. Acheter, posséder les choses les plus
belles, les plus rares, les plus curieuses, et surtout les
plus coûteuses, les animaux de ménagerie, les orfè-
vreries somptueuses, les livres enluminés, dépenser,
vivre dans des chambres tendues de soie et de drap
d'or de Chypre, faire coudre sur leur vêtement des
fortunes en pierreries, rutiler, c'est, pour le Dauphin
comme pour tous les gens de son lignage, le signe du
pouvoir et la preuve, à leurs propres yeux, de la
majesté. Une naïveté qui leur vient de leur aïeul, le

premier Charles, le frère de Philippe le Bel, l'empereur titulaire de Constantinople, ce gros bourdon qui tant s'agita et agita l'Europe, et même un moment songea à l'empire d'Allemagne. Un dispendieux, si jamais il en fut... Tous ont cela dans le sang. Quand on se commande des souliers, dans la famille, c'est par vingt-quatre, quarante ou cinquante-cinq paires à la fois, pour le roi, pour le Dauphin, pour Monseigneur d'Orléans. Il est vrai que leurs sottes poulaines ne tiennent pas à la boue ; les longues pointes se déforment, les broderies se ternissent, et l'on abîme en trois jours ce qui a pris un mois de labeur aux meilleurs artisans qui sont dans la boutique de Guillaume Loisel, à Paris. Je le sais parce que c'est de là que je fais venir mes mules rouges ; mais moi il me suffit de huit paires à l'année. Et regardez ; ne suis-je pas toujours proprement chaussé ?

Comme la cour donne le ton, seigneurs et bourgeois se ruinent en passementerie, en fourrures, en joyaux, en dépenses de vanité. On rivalise d'ostentation. Pensez que pour orner le chaperon que portait Monseigneur le Dauphin, ce jour de Rouen que je vous conte, on avait usé un marc de grosses perles et un marc de menues, commandées chez Belhommet Thurel pour trois cents ou trois cent vingt écus ! Allez vous étonner que les coffres soient vides quand chacun dépense plus qu'il ne lui reste d'argent ?

Ah ! voilà ma litière qui revient. On a changé d'attelage. Eh bien, remontons...

Il en est un, en tout cas, à qui ces difficultés de finances profitent, et qui fait bien ses affaires sur la pénurie de la caisse royale ; c'est messire Nicolas Braque, le premier maître de l'hôtel, qui est aussi le trésorier et le gouverneur des monnaies. Il a monté une petite compagnie de banque, je devrais dire une compagnie de frime, qui rachète parfois aux deux tiers,

parfois à la moitié, parfois même au tiers prix, les
dettes du roi et de sa parenté. La machinerie est simple. Un fournisseur de la cour est saisi à la gorge parce
que depuis deux ans ou plus on ne lui a rien versé et
qu'il ne sait plus comment payer ses compagnons ou
acheter ses marchandises. Il s'en vient trouver messire
Braque et lui agite ses mémoires sous le nez. Il a grand
air, messire Braque ; il est bel homme, toujours sévè-
rement vêtu, et il ne prononce jamais plus de mots
qu'il n'en faut. Il n'a pas son pareil pour rabattre aux
gens leur caquet. Tel qui arrivait tempêtant... « cette
fois, il va m'entendre ; c'est que j'en ai gros à lui dire,
et je ne lui mâcherai pas mes mots... » se retrouve en
un tournemain balbutiant et suppliant. Messire Braque laisse tomber sur lui, comme une douche de gout-
tière, quelques paroles froides et roides : « Vos prix
sont forcés, comme toujours sur les travaux qu'on fait
pour le roi... la clientèle de la cour vous attire maintes
pratiques sur lesquelles vous gagnez gros... si le roi est
en difficulté de payer, c'est que tout l'argent de son Trésor passe à subvenir aux frais de la guerre... prenez-
vous-en aux bourgeois, comme maître Marcel, qui
rechignent à consentir les aides... puisque vous peinez
tant à fournir le roi, eh bien, on vous retirera les
commandes... » Et quand le doléant est bien assagi,
bien marri, bien grelottant, alors Braque lui dit : « Si
vraiment vous êtes dans la gêne, je veux essayer de
vous venir en aide. Je puis peser sur une compagnie de
change où je compte des amis pour qu'elle reprenne
vos créances. Je tenterai, je dis bien, je tenterai,
qu'elles vous soient rachetées pour les quatre sixiè-
mes ; et vous donnerez quittance du tout. La Compagnie se fera rembourser quand Dieu voudra regarnir
le Trésor... si jamais Il le veut. Mais n'en allez point
parler, sinon chacun dans le royaume m'en viendrait
demander autant. C'est grande faveur que je vous fais. »

Après quoi, dès qu'il y a trois sous dans la cassette, Braque prend l'occasion de glisser au roi : « Sire, je ne voulais point, pour votre honneur et votre renom, laisser traîner cette dette criarde, d'autant que le créancier était fort monté et menaçait d'un esclandre. J'ai pour l'amour de vous, éteint cette dette avec mes propres deniers. » Et par priorité de faveur, il se fait rembourser du tout. Comme c'est lui, d'autre part, qui ordonne la dépense du palais, il se fait arroser de beaux cadeaux pour chaque commande passée. Il gagne aux deux bouts, cet honnête homme.

Ce jour du banquet, il s'affairait moins à négocier le paiement des aides refusées par les Etats de Normandie qu'à traiter avec le maire de Rouen, maître Mustel, du rachat des créances des marchands rouennais. Car des mémoires qui dataient du dernier voyage du roi, et même d'avant, restaient impayés. Quant au Dauphin, depuis qu'il était lieutenant du roi en Normandie, avant même d'être duc en titre, il commandait, il commandait, mais sans jamais solder aucun de ses comptes. Et messire Braque se livrait à son trafic habituel, en assurant le maire que c'était par amitié pour lui et pour l'estime dans laquelle il tenait les bonnes gens de Rouen qu'il allait leur rafler le tiers de leurs profits. Davantage même, car il les paierait en francs à la chaise, c'est-à-dire dans une monnaie amincie, et par qui ? Par lui, qui décidait des altérations... Reconnaissons que lorsque les Etats se plaignent des grands officiers royaux, ils y ont quelques motifs. Quand je pense que messire Enguerrand de Marigny fut naguère pendu parce qu'on lui reprochait, dix ans après, d'avoir une fois rogné la monnaie ! Mais c'était un saint auprès des argentiers d'aujourd'hui !

Qui y avait-il encore, à Rouen, qui mérite d'être

nommé, hors les serviteurs habituels, et Mitton le Fol,
le nain du Dauphin, qui gambadait entre les tables,
portant lui aussi chaperon emperlé... des perles pour
un nain, je vous le demande, est-ce bonne manière de
dépenser les écus qu'on n'a pas ? Le Dauphin le fait
vêtir d'un drap rayé qu'on lui tisse tout exprès, à
Gand... Je désapprouve cet emploi qu'on fait des nains.
On les oblige à bouffonner, on les pousse du pied, on
en fait risée. Ce sont créatures de Dieu, après tout,
même si l'on peut dire que Dieu ne les a pas trop
réussies. Raison de plus pour leur témoigner un peu
de charité. Mais les familles, à ce qu'il paraît, tiennent
pour une bénédiction la venue d'un nain. « Ah ! il est
petit. Puisse-t-il ne pas grandir. On pourra le vendre à
un duc, ou peut-être au roi... »

Non, je crois vous avoir cité tous les convives d'importance, avec Friquet de Fricamps, Graville, Mainemares, oui, je les ai nommés... et puis, bien sûr, le plus
important de tous, le roi de Navarre.

Le Dauphin lui réservait toute son attention. Il
n'avait guère d'efforts à faire, d'ailleurs, du côté du
gros d'Harcourt. Celui-là ne causait qu'avec les plats,
et il était bien vain de lui adresser parole pendant qu'il
engloutissait des montagnes.

Mais les deux Charles, Normandie et Navarre, les
deux beaux-frères, parlaient beaucoup. Ou plutôt
Navarre parlait. Ils ne s'étaient guère revus depuis
leur équipée manquée d'Allemagne ; et c'était tout à
fait dans la manière du Navarrais que de chercher,
par flatterie, protestations de bonne amitié, souvenirs
joyeux et récits plaisants à reprendre empire sur son
jeune parent.

Tandis que son écuyer, Colin Doublel, déposait les
mets devant lui, Navarre, rieur, charmant, plein d'entrain et de désinvolte... « c'est la fête de nos retrou-
vailles ; grand merci, Charles, de me permettre de te

montrer l'attachement que j'ai pour toi ; je m'ennuie, depuis ton éloignement... » lui rappelait leurs fines parties de l'hiver précédent et les aimables bourgeoises qu'ils jouaient aux dés, à qui la blonde, à qui la brune ? « ... la Cassinel est grosse à présent et nul ne doute que c'est de toi... », et de là passait aux affectueux reproches... « ah ! qu'est-tu allé conter tous nos projets à ton père !... Tu en as retiré le duché de Normandie, c'est bien joué, je le reconnais. Mais avec moi, c'est tout le royaume que tu pourrais avoir à cette heure... » pour lui glisser enfin, reprenant son antienne : « Avoue que tu ferais un meilleur roi que lui ! »

Et de s'enquérir, sans avoir l'air d'y toucher, de la prochaine rencontre entre le Dauphin et le roi Jean, si la date en était arrêtée, si elle aurait lieu en Normandie... « J'ai ouï dire qu'il était à chasser du côté de Gisors. »

Or il trouvait un Dauphin plus réservé, plus secret que par le passé. Affable certes, mais sur ses gardes, et ne répondant que par sourires ou inclinaisons de tête à tant d'empressement.

Soudain, il se produisit un grand fracas de vaisselle qui domina les voix des dîneurs. Mitton le Fol, qui s'employait à singer les huissiers de cuisine en présentant un merle, tout seul, sur le plus grand plat d'argent qu'il avait pu trouver, Mitton venait de laisser tomber le plat. Et il ouvrait la bouche toute grande, en désignant la porte.

Les bons chevaliers normands, déjà fortement abreuvés, s'amusaient du tour qu'ils jugeaient fort drôle. Mais leurs rires se coincèrent aussitôt dans leur gorge.

Car de la porte surgissait le maréchal d'Audrehem, tout armé, tenant son épée droite, la pointe en l'air, et qui leur criait de sa voix de bataille : « Que nul d'entre vous ne bouge pour chose qu'il voit, s'il ne veut mourir de cette épée ».

Ah ! mais, ma litière est arrêtée... Eh oui, nous voici arrivés ; je ne m'en avisais point. Je vous dirai la suite après souper.

V

L'ARRESTATION

GRAND merci, messire abbé, je suis votre obligé... Non,
de rien, je vous l'assure, je n'ai plus besoin de rien...
seulement que l'on me remette quelques bûches au
feu... Mon neveu va me faire compagnie ; j'ai à m'entretenir avec lui. C'est cela, messire abbé, la bonne
nuit. Merci des prières que vous allez dire pour le
Très-Saint-Père et pour mon humble personne... oui,
et toute votre pieuse communauté... L'honneur est
pour moi. Oui, je vous bénis ; le bon Dieu vous ait en
Sa sainte garde...

Ououh ! Si je le lui avais permis, il nous aurait tenu
jusqu'à la minuit, cet abbé-là ! Il a dû naître le jour
de la Saint-Bavard...

Voyons, où en étions-nous ? Je ne veux point vous
laisser languir. Ah oui... le maréchal, l'épée haute...

Et derrière le maréchal surgirent une douzaine d'archers qui rabattirent brutalement échansons et valets
contre les murs ; et puis Lalemant et Perrinet le Buffle,
et sur leurs talons le roi Jean II lui-même, tout armé,
heaume en tête, et dont les yeux jetaient du feu par
la ventaille levée. Il était suivi de près par Chaillouel

et Crespi, deux autres sergents de sa garde étroite.
« Je suis piégé », dit Charles de Navarre.

La porte continuait de dégorger l'escorte royale
dans laquelle il reconnaissait quelques-uns de ses pires
ennemis, les frères d'Artois, Tancarville...

Le roi marcha droit vers la table d'honneur. Les
seigneurs normands esquissèrent un vague mouvement pour lui faire révérence. D'un geste des deux
mains, il leur imposa de rester assis.

Il saisit son gendre par le col fourré de son surcot,
le secoua, le souleva, tout en lui criant du fond de son
heaume : « Mauvais traître ! Tu n'es pas digne de
t'asseoir à côté de mon fils. Par l'âme de mon père,
je ne penserai jamais à boire ni à manger tant que tu
vivras ! »

L'écuyer de Charles de Navarre, Colin Doublel,
voyant son maître ainsi malmené, eut une folle impul-
sion et brandit un couteau à trancher pour en frapper
le roi. Mais son geste fut prévenu par Perrinet le
Buffle qui lui retourna le bras.

Le roi, pour sa part, lâcha Navarre et, perdant contenance un instant, regarda avec surprise ce simple
écuyer qui avait osé lever la main sur lui. « Prenez-moi
ce garçon et son maître aussi », commanda-t-il.

La suite du roi s'était portée en avant d'un seul élan,
les frères d'Artois au premier rang, qui encadrèrent
Navarre comme un noisetier pincé entre deux chênes.
Les hommes d'armes avaient complètement investi la
salle ; les tapisseries étaient comme hérissées de
piques. Les huissiers de cuisine semblaient vouloir
rentrer dans les murs. Le Dauphin s'était levé et
disait : « Sire mon père, Sire mon père... »

Charles de Navarre tentait de s'expliquer, de se
défendre. « Monseigneur, je ne puis comprendre ! Qui
vous a si mal informé contre moi ? Que Dieu m'aide,
mais jamais, faites-m'en grâce, je n'ai pensé trahison,

ni contre vous ni contre Monseigneur votre fils ! S'il
est homme au monde qui m'en veuille accuser, qu'il
le fasse, devant vos pairs, et je jure que je me purgerai
de ses dires et le confondrai. »

Même en si périlleuse situation, il avait la voix
claire, et la parole lui coulait aisément de la bouche.
Il était vraiment très petit, très fluet, au milieu de tous
ces gens de guerre ; mais il gardait son assurance dans
le caquet.

« Je suis roi, Monseigneur, d'un moindre royaume
que le vôtre, certes, mais je mérite d'être traité en roi.
— Tu es comte d'Evreux, tu es mon vassal, et tu es
félon ! — Je suis votre bon cousin, je suis l'époux de
Madame votre fille, et je n'ai jamais forfait. Il est vrai
que j'ai fait tuer Monsieur d'Espagne. Mais il était
mon adversaire et m'avait offensé. J'en ai fait pénitence. Nous nous sommes donné la paix et vous avez
accordé des lettres de rémission à tous... — En prison,
traître. Tu as assez joué de menterie. Allez ! qu'on
l'enferme, qu'on les enferme tous les deux ! » cria le
roi en montrant Navarre et son écuyer. « Et celui-là
aussi », ajouta-t-il en désignant de son gantelet Friquet
de Fricamps qu'il venait de reconnaître et qu'il savait
avoir monté l'attentat de la Truie-qui-file.

Alors que sergents et archers entraînaient les trois
hommes vers une chambre voisine, le Dauphin se jeta
aux genoux du roi. Si effrayé qu'il pût être de la grande
fureur où il voyait son père, il était demeuré assez
lucide pour en apercevoir les conséquences, au moins
pour lui-même.

« Ah ! Sire mon père, pour Dieu merci, vous me
déshonorez ! Que va-t-on dire de moi ? J'avais prié le
roi de Navarre et ses barons à dîner, et vous les traitez
ainsi. On dira de moi que je les ai trahis. Je vous supplie par Dieu de vous calmer et de changer d'avis. —
Calmez-vous vous-même, Charles ! Vous ne savez pas

ce que je sais. Ils sont mauvais traîtres, et leurs méfaits se découvriront bientôt. Non, vous ne savez pas tout ce que je sais. »

Là-dessus notre Jean II, se saisissant de la masse d'armes d'un sergent, alla en frapper le comte d'Harcourt d'un coup formidable dont tout autre, moins gras que lui, aurait eu l'épaule cassée. « Debout, traître ! Passez vous aussi en prison. Vous serez bien malin si vous m'échappez. »

Et comme le gros d'Harcourt, tout éberlué, ne se levait pas assez vite, il l'empoigna par sa cotte blanche qu'il déchira, faisant craquer tout son vêtement jusqu'à la chemise.

Poussé par les archers, Jean d'Harcourt, dépoitraillé, passa devant son cadet, Louis, et lui dit quelque chose qu'on ne comprit point, mais qui était méchant, et auquel l'autre répondit d'un geste qui pouvait signifier ce qu'on voulait... je n'ai rien pu faire ; je suis chambellan du roi... tu l'as cherché, tant pis pour toi...

« Sire mon père, insistait le duc de Normandie, vous faites mal de traiter ainsi ces vaillants hommes... »

Mais Jean II ne l'entendait plus. Il échangeait des regards avec Nicolas Braque et Robert de Lorris qui lui désignaient silencieusement certains convives. « Et celui-là, en prison !... Et celui-là... » ordonnait-il en bousculant le sire de Graville et en cognant du poing Maubué de Mainemares, deux chevaliers qui avaient, eux aussi, trempé dans l'assassinat de Charles d'Espagne, mais qui avaient reçu, depuis deux ans, leurs lettres de rémission, signées de la main du roi. Comme vous le voyez, c'était de la haine bien recuite.

Mitton le Fol, grimpé sur un banc de pierre, dans l'ébrasement d'une fenêtre, faisait des signes à son maître en lui montrant les plats posés sur une desserte, et puis le roi, et puis agitait ses doigts devant sa bouche... manger...

« Mon père, dit le Dauphin, voulez-vous qu'on vous serve à manger ? » L'idée était heureuse ; elle évita d'expédier au cachot toute la Normandie.

« Pardieu oui ! C'est vrai que j'ai faim. Savez-vous, Charles, que je suis parti d'au-delà de la forêt de Lyons, et que je cours depuis l'aube pour châtier ces méchants ? Faites-moi servir. »

Et il appela de la main pour qu'on lui délaçât son heaume. Il apparut les cheveux collés, la face rougie ; la sueur lui coulait dans le barbe. En s'asseyant à la place de son fils, il avait déjà oublié son serment de ne manger ni boire tant que son gendre serait encore en vie.

Tandis qu'on se hâtait à lui dresser un couvert, qu'on lui versait du vin, qu'on le faisait patienter avec un pâté de brochet point trop entamé, qu'on lui présentait un cygne, resté intact et encore tiède, il se fit, entre les prisonniers qu'on emmenait et les valets qui dévalaient de nouveau vers les cuisines, un flottement dans la salle et les escaliers ; les seigneurs normands en profitèrent pour s'échapper, tel le sire de Clères qui comptait également parmi les meurtriers du bel Espagnol et qui s'en tira de justesse. Le roi ne faisant plus mine d'arrêter personne, les archers les laissaient passer.

L'escorte crevait de faim et de soif, elle aussi. Jean d'Artois, Tancarville, les sergents louchaient vers les plats. Ils attendaient un geste du roi les autorisant à se restaurer. Comme ce geste ne venait pas, le maréchal d'Audrehem arracha la cuisse d'un chapon qui traînait sur une table et se mit à manger, debout. Louis d'Orléans eut une moue d'humeur. Son frère, vraiment, montrait trop peu de souci de ceux qui le servaient. Il s'assit au siège que Navarre occupait un moment avant, en disant : « Je me fais devoir de vous tenir compagnie, mon frère. »

Le roi, alors, avec une sorte de mansuétude indiffé-
rente, invita ses parents et barons à s'asseoir. Et tous
aussitôt s'attablèrent, autour des nappes maculées,
pour épuiser les reliefs de la ripaille. On ne se soucia
pas de changer les écuelles d'argent. On attrapait ce
qui se présentait au passage, le gâteau de lait avant le
canard confit, l'oie grasse avant la soupe de coquilla-
ges. On mangeait des restes de friture froide. Les
archers se bourraient de tranches de pain ou bien
filaient se faire nourrir aux cuisines. Les sergents lam-
paient les gobelets abandonnés.

Le roi, bottes écartées sous la table, restait enfermé
dans une songerie brutale. Sa colère n'était pas apai-
sée ; elle semblait même reflamber avec la mangeaille.
Pourtant il aurait dû avoir quelques motifs de contentement. Il était dans son rôle de justicier, le bon roi !
Il venait enfin de remporter une victoire ; il avait une
belle prouesse à faire consigner par ses clercs pour la
prochaine assemblée de l'Ordre de l'Etoile. « Comment
Monseigneur le roi Jean défit les traîtres qu'il saisit
au château du Bouvreuil... » Il parut s'étonner soudain de ne plus voir les chevaliers normands, et s'en
inquiéta. Il se méfiait d'eux. S'ils allaient lui organiser
une révolte, soulever la ville, libérer les prisonniers ?...
Il montrait là toute sa nature, cet habile homme. Dans
un premier temps, poussé par une fureur longuement
remâchée, il se ruait, sans réfléchir à rien ; puis il
négligeait de consolider ses actes ; puis il se faisait
des imaginations, toujours à côté de la réalité, mais
dont il était difficile de l'ôter. Maintenant, il voyait
Rouen en rébellion, comme Arras l'avait été un mois
auparavant. Il voulut qu'on fît venir le maire. Plus
de maître Mustel. « Mais il était là voici à peine un
moment », disait Nicolas Braque. On rattrapa le maire
dans la cour du château. Il comparut, blanc d'une
digestion coupée, devant le roi bâfrant. Il s'entendit

ordonner de fermer les portes de la ville et de crier
par les rues que chacun restât chez soi. Interdiction à
quiconque de circuler, bourgeois ou manant, et pour
aucune raison. C'était l'état de siège, le couvre-feu en
plein jour. Une armée ennemie enlevant la ville n'eût
pas agi autrement.

Mustel eut le courage de se montrer outragé. Les
Rouennais n'avaient rien fait qui justifiât de telles
mesures... « Si ! Vous refusez de verser les aides, en
suivant les exhortements de ces méchants que je suis
venu confondre. Mais, par saint Denis, ils ne vous
exhorteront plus. »

En voyant se retirer le maire, le Dauphin dut penser
avec tristesse que tous ses efforts patients poursuivis
depuis plusieurs mois pour se concilier les Normands
étaient réduits à néant. A présent, il aurait tout le
monde contre lui, noblesse et bourgeoisie. Qui pourrait croire, en effet, qu'il n'était pas complice de ce
guet-apens ? En vérité, son père lui donnait un bien
méchant rôle.

Et puis le roi demanda qu'on allât quérir Guillaume... ah ! Guillaume comment... le nom m'échappe,
pourtant je l'ai su... enfin, son roi des ribauds. Et
chacun comprit qu'il avait résolu de procéder sans
plus attendre à l'exécution immédiate des prisonniers.

« Ceux qui ne savent pas garder la chevalerie, il n'y
a point de raison qu'on leur garde la vie, disait le roi.
— Certes, mon cousin Jean », approuvait Jean d'Artois,
ce monument de sottise.

Je vous le demande, Archambaud, était-ce vraiment
de la chevalerie que de se mettre en arroi de bataille
pour prendre des gens désarmés, et en se servant de
son fils comme appât ? Navarre, sans doute, avait
d'assez beaux états de gredinerie ; mais le roi Jean,
sous ses dehors superbes, a-t-il beaucoup plus d'honneur dans l'âme ?

VI

LES APPRETS

GUILLAUME à la Cauche... Voilà, je l'ai retrouvé ! Le nom que je cherchais ; le roi des ribauds... Curieux office que le sien qui résulte d'une institution de Philippe Auguste. Il avait organisé pour sa garde étroite un corps de sergents, tous des géants, qu'on appelait les *ribaldi regis*, les ribauds du roi. Inversion de génitif ou bien jeu de mots, le chef de cette garde est devenu le *rex ribaldorum*. Nominalement, il commande aux sergents comme Perrinet le Buffle et les autres ; et c'est lui, chaque soir, à l'heure du souper, qui fait le tour de l'hôtel royal pour voir si en sont bien sortis toutes gens qui ont entrée à la cour mais ne doivent pas y coucher. Mais surtout, comme je vous l'ai dit, je crois, il a charge de surveiller les mauvais lieux dans toute ville où le roi séjourne. C'est-à-dire que, d'abord, il réglemente et inspecte les bordeaux de Paris, qui ne sont pas en petit nombre, sans parler des follieuses qui travaillent à leur compte dans les rues qui leur sont réservées. De même les maisons où l'on joue les jeux de hasard. Tous ces méchants endroits sont ceux où l'on a le plus de chance de dépister voleurs, tire-laine, faussaires et meurtriers à gages ; et puis de connaître les vices des gens, parfois très haut placés, qui vous ont des mines tout à fait honorables.

Si bien que le roi des ribauds est devenu le chef d'une sorte de police fort spéciale. Il a ses espies un peu partout. Il tient et entretient toute une vermine de taverne qui le fournit en rapports et indices. Si l'on veut faire suivre un voyageur, en explorer le porte-manteau ou savoir à qui il se réunit, on s'adresse à lui. Ce n'est point un homme aimé, mais c'est un homme craint. Je vous en parle pour le jour où vous serez à la cour. Il vaut mieux n'être point mal avec lui.

Il gagne gros, car sa charge est moelleuse. Surveiller les catins, inspecter les bouges, c'est de bon profit. Outre les gages en argent et avantages en nature qu'il touche dans la maison du roi, il perçoit deux sous de redevance à la semaine sur tous les logis bordeaux et toutes les femmes bordelières. Voilà un bel impôt, n'est-ce pas, et dont la rentrée fait moins de difficultés que la gabelle. Egalement il touche cinq sous des femmes adultères... enfin, de celles qui sont connues. Mais en même temps, c'est lui qui engage les galantes pour l'usage de la cour. On le paie pour avoir les yeux ouverts, mais on le paie souvent aussi pour les fermer. Et puis, c'est lui, quand le roi est en chevauchée, qui exécute ses sentences ou celles du tribunal des maréchaux. Il règle l'ordonnance des supplices ; et dans ce cas les dépouilles des condamnés lui reviennent, tout ce qu'ils ont sur le corps au moment de leur arrestation. Comme, ordinairement, ce n'est point le fretin du crime qui provoque la colère royale, mais de puissantes et riches gens, les vêtements et joyaux qu'il récolte sur eux ne sont pas prises négligeables.

Le jour de Rouen, c'était l'aubaine. Un roi à décoller,
et cinq seigneurs d'un coup ! Jamais roi des ribauds
n'avait, oh ! depuis Philippe Auguste, connu fortune
pareille. Une occasion sans égale de se faire apprécier
du souverain. Aussi ne ménageait-il pas sa peine. Un
supplice, c'est un spectacle... Il lui avait fallu trouver,
en s'adressant au maire, six charrettes, parce que le
roi avait exigé une charrette par condamné, c'était
ainsi. Cela ferait le cortège plus long. Elles attendaient
dans la cour du château, attelées de percherons pat-
tus. Il lui avait fallu trouver un bourreau... parce que
le bourreau de la ville n'était pas là, ou bien qu'il n'y
en avait pas d'appointé dans le moment. Le roi des
ribauds avait tiré de la prison un méchant drôle
appelé Bétrouve, Pierre Bétrouve... eh bien, ce nom-là,
vous voyez, je m'en souviens, allez savoir pourquoi...
qui avait quatre homicides sur la conscience, ce qui
paraissait une bonne préparation au travail qu'on
allait lui confier, en échange d'une lettre de rémission
délivrée par le roi. Il l'échappait belle, ce Bétrouve.
S'il y avait eu un bourreau en ville...

Il avait fallu aussi trouver un prêtre ; mais c'est
denrée moins rare, et l'on ne s'était guère mis en peine
pour le choisir... le premier capucin venu, dans le
couvent le plus voisin.

Durant ces apprêts, le roi Jean tenait petit conseil
dans la salle du banquet un peu nettoyée...

Décidément le temps est à la pluie. Il y en a pour
la journée. Bah ! nous avons de bonnes fourrures, de
la braise dans nos échauffettes, des dragées, de l'hypo-
cras pour nous revigorer contre la mouillure ; nous
avons de quoi tenir jusqu'à Auxerre. Je suis bien aise
de revoir Auxerre ; cela va raviver mes souvenirs...

Donc le roi tenait conseil, un conseil où il était
presque seul à parler. Son frère d'Orléans se taisait ;
son fils d'Anjou également. Audrehem était sombre.

Le roi lisait bien sur les visages de ses conseillers que même les plus acharnés à perdre le roi de Navarre n'approuveraient pas qu'il fût décapité ainsi, sans procès et comme à la sauvette. Cela rappelait trop l'exécution de Raoul de Brienne, l'ancien connétable, décidée de la sorte sur un coup de colère, pour des raisons jamais éclairées, et qui avait mal inauguré le règne.

Seul Robert de Lorris, le premier chambellan, semblait seconder le souverain dans son vouloir de vengeance instantanée ; mais c'était platitude plutôt que conviction. Il avait connu plusieurs mois de disgrâce pour s'être, aux yeux du roi, trop avancé du côté navarrais lors du traité de Mantes. Il fallait à Lorris prouver sa fidélité.

Nicolas Braque, qui a de l'habileté et sait manœuvrer le roi, chercha diversion en parlant de Friquet de Fricamps. Il opinait pour qu'on le gardât en vie, provisoirement, afin de lui faire subir une question en bonne et due forme. Nul doute que le gouverneur de Caen, suffisamment traité, n'ait à livrer des secrets bien intéressants. Comment connaître tous les rameaux de la conspiration si l'on ne conservait aucun des prisonniers ?

« Oui, c'est sagement pensé, dit le roi. Qu'on garde Friquet. »

Alors, Audrehem ouvrit une des fenêtres et cria au roi des ribauds, dans la cour : « Cinq charrettes, il suffira ! », confirmant du geste, la main grande ouverte : cinq. Et l'une des charrettes fut renvoyée au maire.

« Si c'est sagesse de garder Fricamps, ce le serait plus encore de garder son maître », dit alors le Dauphin.

Le premier émoi passé, il avait repris son calme et son air réfléchi. Son honneur était engagé dans l'affaire. Il cherchait par tous moyens à sauver son beau-frère. Jean II avait demandé à Jean d'Artois de répéter, pour la gouverne de tous, ce qu'il savait du complot. Mais « mon cousin Jean » s'était montré moins assuré, devant le Conseil, que devant le roi seul. Chuchoter de bouche à oreille une délation vous a un bon air de certitude. Redite à haute voix, pour dix personnes, elle perd de la force. Après tout, il ne s'agissait que d'on-dit. Un ancien serviteur avait vu... un autre avait entendu...

Même si, dans le secret de l'âme, le duc de Normandie ne pouvait s'empêcher d'accorder crédit aux accusations portées, les présomptions ne lui semblaient pas assez établies.

« Pour mon mauvais gendre, nous en savons assez, ce me semble, dit le roi. — Non, mon père, nous ne savons guère, répondit le Dauphin.

« Charles, êtes-vous donc si obtus ? dit le roi avec colère. N'avez-vous pas entendu que ce méchant parent sans foi ni aveu, cette bête nuisible, nous voulait saigner bientôt, moi puis vous ? Car, vous aussi, il voulait vous occire. Croyez-vous qu'après moi vous eussiez été un grand obstacle aux entreprises de votre bon frère qui voulait naguère vous tirer en Allemagne, contre moi ? C'est notre place et notre trône qu'il guigne, rien moins. Ou bien êtes-vous toujours si coiffé de lui que refusiez de rien comprendre ? »

Alors le Dauphin qui prenait de l'assurance et de la détermination : « J'ai fort bien entendu, mon père ; mais il n'y a preuve ni aveux. — Et quelle preuve voulez-vous, Charles ? La parole d'un loyal cousin ne vous suffit-elle pas ? Attendez-vous de gésir, navré dans votre sang et percé comme le fut mon pauvre Charles d'Espagne, pour fournir la preuve ? »

Le Dauphin s'obstinait. « Il y a présomptions très fortes, mon père, je ne le contredis point ; mais pour l'heure, rien de plus. Présomption n'est pas crime.

— Présomption est crime pour le roi, qui a devoir de
se garder, dit Jean II devenu tout rouge. Vous ne parlez pas en roi, Charles, mais comme un clerc d'université rencogné derrière ses gros livres. »

Mais le jeune Charles tenait bon. « Si devoir royal
est de se garder, ne nous mettons pas à nous décapiter entre rois. Charles d'Evreux a été oint et sacré
pour la Navarre. Il est votre beau-fils, félon sans doute,
mais votre beau-fils. Qui respectera les personnes
royales si les rois s'envoient l'un l'autre au bourreau ?

— Il n'avait qu'à ne point commencer », cria le roi.

Alors le maréchal d'Audrehem intervint, pour fournir son avis. « Sire, en l'occasion, c'est vous, aux yeux
du monde, qui paraîtriez commencer. »

Un maréchal, Archambaud, de même qu'un connétable, c'est toujours difficile à manier. Vous l'installez
dans une autorité et puis, tout à coup, il en use pour
vous contredire. Audrehem est un vieil homme de
guerre... pas si vieux que cela, au fond ; il a moins
d'âge que moi... mais enfin un homme qui a longtemps
obéi en se taisant et vu beaucoup de sottises se commettre sans pouvoir rien dire. Alors, il se rattrapait.

« Si encore nous avions pris tous les renards dans
le même piège ! continua-t-il. Mais Philippe de Navarre
est libre, lui, et aussi acharné. Expédiez l'aîné, et le
cadet le remplace, qui soulèvera tout aussi bien son
parti, et traitera tout aussi bien avec l'Anglais, d'autant
qu'il est meilleur chevalier et plus ardent à la bataille. »

Louis d'Orléans vint alors appuyer le Dauphin et le
maréchal, représentant au roi qu'aussi longtemps qu'il
tiendrait Navarre en prison, il garderait prise sur ses
vassaux.

« Instruisez longuement procès contre lui, faites
éclater sa noirceur, faites-le juger par les pairs du
royaume ; alors nul ne vous reprochera votre sen-
tence. Quand le père de notre cousin Jean commit tous

les actes qu'on sait, le roi notre père ne procéda pas autrement que par jugement public et solennel. Et quand notre grand oncle Philippe le Bel découvrit l'inconduite de ses brus, si rapide qu'ait été sa justice, elle fut établie sur interrogatoires et prononcée en grande audience. »

Tout cela ne fut point du goût du roi Jean qui s'emporta derechef : « Les beaux exemples, et bien profitables, que vous me baillez là, mon frère ! Le grand jugement de Maubuisson a mis le déshonneur et le désordre dans la famille royale. Quant à Robert d'Artois, pour l'avoir seulement banni, n'en déplaise à notre cousin Jean, au lieu de le proprement saisir et occire, il nous a ramené la guerre d'Angleterre. »

Monseigneur d'Orléans qui n'aime point trop son aîné et se plaît à lui tenir tête, aurait alors reparti... on m'a assuré que cela fut dit... « Sire, mon frère, faut-il vous rappeler que Maubuisson ne nous a pas trop desservis ? Sans Maubuisson où notre grand-père Valois, que Dieu garde, joua sa part, c'est sans doute notre cousin de Navarre qui serait au trône en cette heure, au lieu de vous. Quant à la guerre d'Angleterre, le comte Robert y poussa peut-être, mais il ne lui apporta qu'une lance, la sienne. Or, la guerre d'Angleterre dure depuis dix-huit ans... »

Il paraît que le roi fléchit sous l'estocade. Il se retourna vers le Dauphin qu'il regarda durement en disant : « C'est vrai, dix-huit ans ; juste votre âge, Charles », comme s'il lui faisait grief de cette coïncidence.

Sur quoi Audrehem bougonna : « Nous aurions plus aisé à bouter l'Anglais hors de chez nous si nous n'étions pas toujours à nous battre entre Français. »

Le roi resta muet un moment, l'air fort courroucé. Il faut être bien sûr de soi pour se maintenir dans une décision quand nul de ceux qui vous servent ne l'approuve. C'est à cela qu'on peut juger le caractère des princes. Mais le roi Jean n'est pas déterminé ; il est buté.

Nicolas Braque, qui a appris dans les conseils l'art de profiter des silences, fournit au roi une porte de retraite en ménageant tout ensemble son orgueil et sa rancune.

« Sire, n'est-ce point expier bien vite que de mourir d'un coup ? Voici deux années et plus que Monseigneur de Navarre vous fait souffrir. Et vous lui accorderiez si courte punition ? Tenu en geôle, vous pouvez faire en sorte qu'il se sente mourir tous les jours. En outre, je gage que ses partisans ne laisseront pas de monter quelque tentative pour le délivrer. Alors vous pourrez capturer ceux-là qui aujourd'hui ont nargué vos filets. Et vous aurez bon prétexte à abattre votre justice sur une rébellion si patente... »

Le roi se rallia à ce conseil, disant qu'en effet son traître beau-fils méritait d'expier plus longtemps. « Je diffère son exécution. Puissé-je n'avoir pas à m'en repentir. Mais à présent qu'on hâte le châtiment des autres. C'est assez de paroles et nous n'avons perdu que trop de temps. » Il semblait craindre qu'on ne parvînt à le dessaisir d'une autre tête.

Audrehem, de la fenêtre, héla de nouveau le roi des ribauds et lui montra quatre doigts. Et comme il n'était pas sûr que l'autre eût bien compris, il lui dépêcha un archer pour lui dire qu'il y avait une charrette de moins.

« Qu'on se hâte ! répétait le roi. Faites délivrer ces traîtres. »

Délivrer... l'étrange mot qui peut surprendre ceux qui ne sont pas familiers de cet étrange prince ! C'est sa formule habituelle, quand il ordonne une exécution. Il ne dit pas : « Qu'on me délivre de ces traîtres », ce qui ferait sens, mais « délivrez ces traîtres »... qu'est-ce

que cela signifie pour lui ? Délivrez-les au bourreau ?
Délivrez-les de la vie ? Ou bien est-ce simplement un
lapsus dans lequel il s'obstine, parce que dans la colère
sa tête confuse ne contrôle plus ses paroles ?

Je vous conte tout cela, Archambaud, comme si j'y
avais été. C'est que j'en ai eu le récit fait, en juillet,
à peine trois mois après, quand les mémoires étaient
encore fraîches, et par Audrehem, et par Monseigneur
d'Orléans, et par Monseigneur le Dauphin lui-même,
et aussi par Nicolas Braque, chacun, bien sûr, se sou-
venant surtout de ce qu'il avait dit lui-même. De la
sorte, j'ai reconstitué, assez justement je crois, et dans
le menu, toute cette affaire, et j'en ai écrit au pape,
auquel étaient parvenues des versions plus courtes
et un peu différentes. Les détails, en ces sortes de
choses, ont plus d'intérêt qu'on ne pense, parce que
cela renseigne sur le caractère des gens. Lorris et
Braque sont tous deux des hommes fort avides d'argent et deshonnêtes dans leur âpreté à en faire ; mais
Lorris est d'assez médiocre nature, alors que Braque
est un politique judicieux...

Il pleut toujours... Brunet, où sommes-nous ? Fontenoy... Ah oui, je me rappelle ; c'était dans mon diocèse. Il s'est livré là une bataille fameuse, qui a eu de
grosses conséquences pour la France ; *Fontanetum*,
selon le nom ancien. Vers l'an 840 ou 841, Charles et
Louis le Germanique y ont défait leur frère Lothaire,
à la suite de quoi ils signèrent le traité de Verdun. Et
c'est à partir de là que le royaume de France a été
pour toujours séparé de l'Empire... Avec cette pluie,
on ne voit rien. D'ailleurs, il n'y a rien à voir. De temps
en temps, les manants, en labourant, trouvent une
poignée de glaive, un casque tout rongé, vieux de
cinq cents ans... Poursuivons, Brunet, poursuivons.

VII

LE CHAMP DU PARDON

Le roi, heaume en tête de nouveau, était seul à cheval avec le maréchal qui, lui, avait coiffé une simple cervellière de mailles. Il n'allait pas courir de si grands dangers qu'il lui fallût revêtir un arroi de bataille. Audrehem n'est pas de ces gens qui font grande ostentation guerrière quand il n'y a pas lieu. S'il plaisait au roi d'arborer son heaume à couronne pour assister à quatre décollations, c'était son affaire.

Tout le reste de la compagnie, du plus grand seigneur au dernier archer, irait à pied jusqu'au lieu du supplice. Le roi en avait décidé ainsi, car il est homme qui perd beaucoup de temps à régler lui-même les parades dans le menu, aimant à faire nouveauté de détail, au lieu de laisser agir selon l'usage de toujours.

Il n'y avait plus que trois charrettes, parce que d'ordres en contrordres mal compris, on en avait renvoyé une de trop.

Tout auprès se tenaient Guillaume... et bien non, ce n'est pas Guillaume à la Cauche ; j'ai confondu.

Guillaume à la Cauche est un valet de la chambre ;
mais c'est un nom qui y ressemble... la Gauche, le
Gauche, la Tanche, la Planche... Je ne sais même pas
s'il se prénomme Guillaume ; c'est d'ailleurs de petite
importance... Donc se tenaient auprès le roi des
ribauds et le bourreau improvisé, blanc comme un
navet d'avoir séjourné en cachot, un maigrelet,
m'a-t-on dit, et pas du tout tel qu'on aurait attendu un
mécréant coupable de quatre meurtres, et puis le
capucin qui tripotait, comme ils le font toujours, sa
cordelière de chanvre.

Tête nue et les mains liées derrière le dos, les
condamnés sortirent du donjon. Le comte d'Harcourt
venait le premier, dans son surcot blanc que le roi
lui avait déchiré à l'emmanchure, la chemise avec.
Il montrait son énorme épaule, rose comme couenne,
et son sein gras. On finissait d'affûter les haches, sur
une meule, dans un coin de la cour.

Personne ne regardait les condamnés, personne
n'osait les regarder. Chacun fixait un coin de pavé
ou de mur. Qui aurait osé, sous l'œil du roi, un regard
d'amitié ou seulement de compassion pour ces quatre-
là qui allaient périr ? Ceux même qui se trouvaient à
l'arrière de l'assistance gardaient le nez baissé, de peur
que leurs voisins ne puissent dire qu'on avait vu sur
leur figure... Nombreux ils étaient à blâmer le roi. Mais
de là à le montrer... Beaucoup d'entre eux connaissaient
le comte d'Harcourt de longue accointance, avaient
chassé avec lui, jouté avec lui, dîné à sa table, qui était
copieuse. Pour l'heure, pas un ne semblait se souvenir ; les toits du château et les nuages d'avril leur
étaient choses plus captivantes à contempler. Si bien
que Jean d'Harcourt, tournant de tous côtés ses pau-
pières plissées de graisse, ne trouvait pas un visage
auquel accrocher son malheur. Pas même celui de son
frère, surtout pas celui de son frère ! Dame ! une fois

son gros aîné raccourci, qu'allait décider le roi de ses titres et de ses biens ?

On fit monter dans la première charrette celui qui était encore pour un moment le comte d'Harcourt. Ce ne fut pas sans peine. Un quintal et demi, et les mains liées. Il fallut quatre sergents pour le pousser, le hisser. Il y avait de la paille disposée dans le fond de la charrette, et puis le billot.

Quand Jean d'Harcourt fut juché, il se tourna tout dépoitraillé vers le roi comme s'il voulait lui parler, le roi immobile sur sa selle, vêtu de mailles, couronné d'acier et d'or, le roi justicier, qui voulait bien faire apparaître que toute vie au royaume était soumise à son décret, et que le plus riche seigneur d'une province, en un instant, pouvait n'être plus rien si tel était son vouloir. Et d'Harcourt ne prononça mot.

Le sire de Graville fut mis dans la seconde charrette, et dans la troisième on fit grimper ensemble Maubué de Mainemares et Colin Doublel, l'écuyer qui avait levé sa dague sur le roi. Celui-ci paraissait dire à chacun d'eux : « Souviens-toi du meurtre de Monsieur d'Espagne ; souviens-toi de l'auberge de la Truie-qui-file. » Car toute l'assistance comprenait que, sinon pour d'Harcourt, en tout cas pour les trois autres, c'était la vengeance qui commandait cette brève et bien torve justice. Punir des gens à qui l'on a donné publiquement rémission... Il faut pouvoir faire état de nouveaux griefs, et bien patents, pour agir de la sorte. Cela eût mérité remontrance du pape, et des plus sévères, si le pape n'était pas aussi faible...

Dans le donjon, on avait méchamment poussé le roi de Navarre au plus près d'une fenêtre pour qu'il ne perdît rien du spectacle.

Le Guillaume, qui n'est pas la Cauche, se tourne vers le maréchal d'Audrehem... tout est prêt. Le maréchal se tourne vers le roi... tout est prêt. Le roi fait un geste de la main. Et le cortège se met en route.

En tête, une escouade d'archers, chapeaux de fer et gambisons de cuir, le pas alourdi par leurs gros houseaux. Ensuite, le maréchal, à cheval, et visiblement sans plaisir. Des archers encore. Et puis les trois charrettes. Et derrière, le roi des ribauds, le bourreau maigrelet et le capucin crasseux.

Et puis le roi, droit sur son destrier, flanqué des sergents de sa garde étroite, et enfin toute une procession de seigneurs en chaperon ou en chapeau de chasse, manteau fourré ou cotte hardie.

La ville est silencieuse et vide. Les Rouennais ont prudemment obéi à l'ordre de se tenir dans leurs maisons. Mais leurs têtes s'agglutinent derrière leurs grosses vitres verdâtres, soufflées comme des culs de bouteilles ; leurs regards se coulent par le bord entrebâillé de leurs fenêtres quadrillées de plomb. Ils ne peuvent pas croire que c'est le comte d'Harcourt qui est dans la charrette, lui qu'ils ont vu souvent passer dans leurs rues, et ce matin encore, en superbe équipage. Pourtant son embonpoint le désigne assez... « C'est lui ; je te disons que c'est lui. » Pour le roi, dont le heaume passe presque à hauteur du premier étage des maisons, ils n'ont point de doute. Il fut longtemps leur duc... « C'est lui, c'est bien le roi... » Mais ils n'auraient pas été frappés d'une crainte plus grande s'ils avaient aperçu une tête de mort sous la ventaille du casque. Ils étaient mécontents, les Rouennais, terrifiés mais mécontents. Car le comte d'Harcourt les avait toujours soutenus et ils l'aimaient bien. Alors ils chuchotaient : « Non, ce n'est pas bonne justice. C'est nous qu'on atteint. »

Les charrettes cahotaient. La paille glissait sous les pieds des condamnés qui avaient peine à garder leur aplomb. On m'a dit que Jean d'Harcourt, pendant tout le trajet, avait la tête renversée en arrière, et que

ses cheveux s'écartaient sur sa nuque qui faisait de
gros plis. Que pouvait penser un homme comme lui
en allant au supplice, et en regardant la coulée de
ciel entre les pignons des maisons ? Je me demande
toujours ce que peuvent avoir dans la tête les condamnés à mort, pendant leurs derniers moments... Est-ce
qu'il se reprochait de ne pas avoir assez admiré toutes
les belles choses que le bon Dieu offre à nos yeux,
tous les jours ? Ou bien songeait-il à l'absurdité de
ce qui nous empêche de profiter de tous ses bienfaits ? La veille, il discutait d'impôts et de gabelle...
Ou bien se disait-il qu'il y avait bien de la sottise dans
son affaire ? Car il était prévenu, son oncle Godefroy
l'avait fait prévenir... « Repartez-vous-en aussitôt... »
Il avait tôt éventé le piège, Godefroy d'Harcourt... « Ce
banquet de carême sent le guet-apens »... Si seulement
son messager était parvenu un tout petit moment
plus tôt, si Robert de Lorris ne s'était trouvé là, au
bas de l'escalier... si... si... Mais la faute n'était pas
au sort, elle était à lui-même. Il aurait suffi qu'il faus-
sât compagnie au Dauphin, il aurait suffi qu'il ne
cherchât pas de mauvaises raisons pour céder à sa
gourmandise. « Je partirai après le banquet ; ce sera
la même chose... »

Les grands malheurs des gens, voyez-vous, Archambaud, leur surviennent souvent ainsi pour de petites
raisons, pour une erreur de jugement ou de décision
dans une circonstance qui leur semblait sans importance, et où ils suivent la pente de leur nature... Un
petit choix de rien du tout, et c'est la catastrophe.

Ah ! comme ils voudraient alors avoir le droit de
reprendre leurs actes, remonter en arrière, à la bifurcation mal prise. Jean d'Harcourt bouscule Robert
de Lorris, lui crie : « Adieu, messire », enfourche son
gros cheval, et tout est différent. Il retrouve son
oncle, il retrouve son château, il retrouve sa femme et

ses neuf enfants, et il se flatte, tout le reste de sa vie,
d'avoir échappé au mauvais coup du roi... A moins,
à moins, si c'était son jour marqué, qu'en s'en repartant il ne se soit rompu la tête en se cognant à une
branche dans la forêt. Allez donc pénétrer la volonté
de Dieu ! Et il ne faut pas oublier tout de même...
ce que cette méchante justice finit par effacer... que
d'Harcourt complotait vraiment contre la couronne.
Eh bien, ce n'était pas le jour du roi Jean, et Dieu
réservait à la France d'autres malheurs dont le roi
serait l'instrument.

Le cortège monta la côte qui mène au gibet, mais
s'arrêta à mi-chemin, sur une grand-place bordée de
maisons basses où se tient chaque automne la foire
aux chevaux et qu'on appelle le champ du Pardon.
Oui, c'est là son nom. Les hommes d'armes s'alignè-
rent à droite et à gauche de la voie qui traversait la
place, laissant entre leurs rangs un espace de trois
longueurs de lances.

Le roi, toujours à cheval, se tenait bien au milieu
de la chaussée, à un jet de caillou du billot que les
sergents avaient roulé hors de la première charrette
et pour lequel on cherchait un endroit plat.

Le maréchal d'Audrehem mit pied à terre, et la
suite royale, où dominaient les têtes des deux frères
d'Artois... que pouvaient-ils penser, ceux-là ? C'était
l'aîné qui portait la responsabilité première de ces
exécutions. Oh ! ils ne pensaient rien... « mon cousin
Jean, mon cousin Jean »... La suite se rangea en demi-
cercle. On observa Louis d'Harcourt pendant qu'on
faisait descendre son frère ; il ne broncha point.

Les apprêts n'en finissaient pas, de cette justice
improvisée au milieu d'un champ de foire. Et il y avait
des yeux aux fenêtres tout autour de la place.

Le dauphin-duc, la tête penchant sous son chaperon
emperlé, piétinait en compagnie de son jeune oncle

d'Orléans, faisait quelques pas, revenait, repartait comme pour chasser un malaise. Et soudain le gros comte d'Harcourt s'adresse à lui, à lui et à Audrehem, criant de toutes ses forces :

« Ah ! sire duc, et vous gentil maréchal, pour Dieu, faites que je parle au roi, et je saurai bien m'excuser, et je lui dirai telles choses dont il tirera profit ainsi que son royaume. »

Nul qui l'entendit qui ne se souvienne d'avoir eu l'âme déchirée par l'accent qu'avait sa voix, un cri tout ensemble d'angoisse dernière et de malédiction.

Du même mouvement, le duc et le maréchal viennent au roi, qui l'a pu ouïr aussi bien qu'eux. Ils sont presque à toucher son cheval. « Sire mon père, pour Dieu, laissez qu'il vous parle ! — Oui, Sire, faites qu'il vous parle, et vous en serez mieux », insiste le maréchal.

Mais ce Jean II est un copiste ! En chevalerie, il copie son grand-père, Charles de Valois, ou le roi Arthur des légendes. Il a appris que Philippe le Bel, quand il avait ordonné une exécution, restait inflexible. Alors il copie, il croit copier le Roi de Fer. Mais Philippe le Bel ne se mettait pas un heaume quand ce n'était pas nécessaire. Et il ne condamnait pas à tort et à travers, en fondant sa justice sur la trouble rumination d'une haine.

« Faites délivrer ces traîtres », répète Jean II par sa ventaille ouverte.

Ah ! Il doit se sentir grand, il doit se sentir vraiment tout-puissant. Le royaume et les siècles se souviendront de sa rigueur. Il vient surtout de perdre une belle occasion de réfléchir.

« Soit ! confessons-nous », dit alors le comte d'Harcourt en se tournant vers le capucin sale. Et le roi de crier : « Non, pas de confession pour les traîtres ! »

Là, il ne copie plus, il invente. Il traite le crime de...

mais quel crime au fait ? le crime d'être soupçonné,
le crime d'avoir prononcé de mauvaises paroles qui
ont été répétées... disons le crime de lèse-majesté
comme celui des hérétiques ou des relaps. Car Jean II
a été oint, n'est-ce pas ? *Tu es sacerdos in œternum...*
Alors il se prend pour Dieu en personne, et décide de
la place des âmes après la mort. De cela aussi, le Saint-
Père à mon sens aurait dû lui faire dure remontrance.

« Celui-là seulement, l'écuyer... », ajoute-t-il en désignant Colin Doublel.

Allez savoir ce qui se passe dans cette cervelle trouée
comme un fromage ? Pourquoi cette discrimination ?
Pourquoi accorde-t-il la confession à l'écuyer tranchant qui a levé son couteau contre lui ? Aujourd'hui
encore les assistants, quand ils parlent entre eux de
cette heure terrible, s'interrogent sur cette étrangeté
du roi. Voulait-il établir que les degrés dans la faute
suivent la hiérarchie féodale, et signifier que l'écuyer
qui a forfait est moins coupable que le chevalier ? Ou
bien était-ce parce que le coutelas brandi vers sa poitrine lui a fait oublier que Doublel était aussi parmi
les assassins de Charles d'Espagne, comme Mainemares et Graville, Mainemares, un grand efflanqué
qui se démène dans ses liens et promène des yeux
furieux, Graville qui ne peut pas faire le signe de croix,
mais, bien ostensiblement, murmure des prières... si
Dieu veut entendre son repentir, il l'entendra bien sans
intercesseur.

Le capucin, qui commençait à se demander ce qu'il
faisait là, se saisit en hâte de l'âme qu'on lui laisse et
chuchote du latin dans l'oreille de Colin Doublel.

Le roi des ribauds pousse le comte d'Harcourt
devant le billot. « Agenouillez-vous, messire. »

Le gros homme s'affaisse, comme un bœuf. Il remue
les genoux, sans doute parce qu'il y a des graviers qui

le blessent. Le roi des ribauds, passant derrière lui,
bande ses yeux par surprise, le privant de regarder les
nœuds du bois, cette dernière chose du monde qu'il
aura eue devant lui.

C'était plutôt aux autres qu'on aurait dû mettre un
bandeau, pour leur épargner le spectacle qui allait
suivre.

Le roi des ribauds... c'est curieux tout de même que
je ne retrouve pas son nom ; je l'ai vu à plusieurs
reprises auprès du roi ; et je revois très bien sa mine,
un haut et fort gaillard qui porte une épaisse barbe
noire... le roi des ribauds prit la tête du condamné à
deux mains, comme une chose, pour la disposer ainsi
qu'il fallait, et partager les cheveux pour bien dégager
la nuque.

Le comte d'Harcourt continuait de remuer les
genoux à cause des graviers... « Allez, taille ! » fit le
roi des ribauds. Et il vit, et tout le monde vit que le
bourreau tremblait. Il n'en finissait pas de soupeser sa
grande hache, de déplacer ses mains sur le manche,
de chercher la bonne distance avec le billot. Il avait
peur. Oh ! il aurait été plus assuré avec un poignard,
dans un coin d'ombre. Mais une hache, pour ce malin-
gre, et devant le roi et tous ces seigneurs, et tous ces
soldats ! Après plusieurs mois de prison, il ne devait
pas se sentir les muscles bien solides, même si on lui
avait servi une bonne soupe et un gobelet de vin pour
lui donner des forces. Et puis on ne lui avait pas mis
de cagoule, comme cela se fait d'ordinaire, parce qu'on
n'en avait pas sous la main. Ainsi tout le monde saurait
désormais qu'il avait été bourreau. Criminel et bourreau. De quoi faire horreur à n'importe qui. A savoir
ce qui lui tournait dans la tête, à celui-là aussi, à ce
Bétrouve qui allait gagner sa liberté en accomplissant
le même acte que celui qui l'avait conduit en prison.
Il voyait la tête qu'il avait à trancher à la place où il

aurait dû avoir la sienne, un peu plus tard, si le roi n'était pas passé par Rouen. Peut-être y avait-il chez ce gredin plus de charité, plus de sentiment de communion, plus de lien avec son prochain qu'il n'y en avait chez le roi.

« Taille ! » dut répéter le roi des ribauds. Le Bétrouve leva sa hache, non pas droit au-dessus de lui comme un bourreau, mais de côté, comme un bûcheron qui va abattre un arbre et il laissa la hache retomber de son propre poids. Elle tomba mal.

Il y a des bourreaux qui vous décollent un chef en une fois, d'un seul coup bien frappé. Mais pas celui-là, ah non ! Le comte d'Harcourt devait être assommé, car il ne bougeait plus les genoux ; mais il n'était pas mort car la hache s'était amortie dans la couche de graisse qui lui tapissait la nuque.

Il fallut recommencer. Encore plus mal. Cette fois, le fer n'entama que le côté du cou. Le sang jaillit par une large plaie béante qui laissait voir l'épaisseur de la graisse jaune.

Le Bétrouve luttait avec sa hache dont le tranchant s'était fiché dans le bois du billot et qu'il ne pouvait plus en ressortir. La sueur lui coulait sur la figure.

Le roi des ribauds se tourna vers le roi avec un air d'excuse, comme s'il voulait dire : « Ce n'est pas ma faute. »

Le Bétrouve s'énerve, n'entend pas ce que les sergents lui disent, refrappe ; et l'on croirait que le fer tombe dans une motte de beurre. Et encore, et encore ! Le sang ruisselle du billot, gicle sous le fer, constelle la cotte déchirée du condamné. Des assistants se détournent, le cœur soulevé. Le Dauphin montre un visage d'horreur et de colère ; il serre les poings, ce qui lui fait la main droite toute violette. Louis d'Harcourt, blême, se contraint de rester au premier rang devant cette boucherie qu'on fait de son frère. Le maréchal déplace les pieds pour ne pas marcher dans la rigole de sang qui sinue vers lui.

Enfin, à la sixième reprise, la grosse tête du comte d'Harcourt se sépara du tronc, et, entourée de son bandeau noir, roula au bas du billot.

Le roi ne bougeait pas. Par sa fenêtre d'acier, il contemplait, sans donner marque de gêne, d'écœurement ni de malaise, cette bouillie sanglante entre les épaules énormes, juste en face de lui, et cette tête isolée, toute souillée, au milieu d'une flaque poisseuse. Si quelque chose parut sur son visage encadré de métal, ce fut un sourire. Un archer s'écroula, dans un bruit de ferraille. Seulement alors, le roi consentit à tourner les yeux. Cette mauviette ne resterait pas long-temps dans sa garde. Perrinet le Buffle se détendit en soulevant l'archer par le col de son gambison et en le giflant à toute volée. Mais la mauviette, par sa pâmoi-son, avait rendu service. Chacun se reprit un peu ; il y eut même des ricanements.

Trois hommes, il n'en fallut pas moins, tirèrent en arrière le corps du décapité. « Au sec, au sec », criait le roi des ribauds. Les vêtements lui revenaient de droit, n'oublions pas. Il suffisait qu'ils fussent déchi-rés ; si de surcroît ils étaient trop maculés, il n'en tire-rait rien. Déjà, il avait deux condamnés de moins qu'il n'escomptait...

Et pour la suite, il exhortait son bourreau, tout suant et soufflant, lui prodiguait ses conseils comme à un lutteur épuisé : « Tu montes droit au-dessus de toi, et puis tu ne regardes pas ta hache, tu regardes où tu dois frapper, à mi-col. Et han ! » Et de faire mettre de la paille au pied du billot, pour sécher le sol, et de bander les yeux du sire de Graville, un bon Normand plutôt replet, de le faire agenouiller, de lui poser le visage dans la bouillie de viande. « Taille ! » Et là, d'un coup... miracle... Bétrouve lui tranche le col ; et la tête tombe en avant tandis que le corps s'écroule de côté, déversant un flot rouge dans la poussière. Et les gens se sentent comme soulagés. Pour un peu, ils féliciteraient le Bétrouve qui regarde autour de lui, stupéfait, l'air de se demander comment il a pu réussir.

Vient le tour du grand déhanché, de Maubué de Mainemares qui a un regard de défi pour le roi. « Chacun sait, chacun sait... », s'écrie-t-il. Mais comme le barbu est devant lui et lui applique le bandeau, sa parole s'étouffe, et nul ne saisit ce qu'il a voulu proférer.

Le maréchal d'Aubrehem se déplace encore parce que le sang avance vers ses bottes... « Taille ! » Un coup de hache, à nouveau, un seul, bien assené. Et cela suffit.

Le corps de Mainemares est tiré en arrière, auprès des deux autres. On délie les mains des cadavres pour pouvoir les prendre plus aisément par les quatre membres, les balancer, et hisse ! les jeter dans la première charrette qui les emmène jusqu'au gibet, pour être accrochés au charnier. On les dépouillera là-haut. Le roi des ribauds fait signe de ramasser aussi les têtes.

Bétrouve cherche son souffle, appuyé sur le manche de la hache. Il a mal aux reins ; il n'en peut plus. Et c'est de lui, pour un peu, qu'on aurait pitié. Ah ! il les aura gagnées ses lettres de rémission ! Si jusqu'à la fin de ses jours il fait de mauvais rêves et pousse des cris dans son sommeil, il ne lui faudra pas s'en étonner.

Colin Doublel, l'écuyer courageux, était nerveux quoique absous. Il eut un mouvement pour se dégager des mains qui le poussaient vers le billot ; il voulait y aller seul. Mais le bandeau est fait justement pour éviter cela, les gestes désordonnés des condamnés.

On ne put pas empêcher toutefois que Doublel ne relevât la tête au mauvais moment, et que Bétrouve... là, vraiment, ce n'était pas sa faute !... ne lui ouvrît le crâne par le travers. Allons ! encore un coup. Voilà, c'était fait.

Ah ! ils en auraient des choses à raconter, les Rouennais qui étaient aux fenêtres environnantes, des choses qui allaient vite se répéter de bourg en bourg, jusqu'au fond du duché. Et les gens allaient venir de partout contempler cette place qui avait bu tant de sang. On ne croirait pas que quatre corps d'hommes puissent en contenir autant et que cela fasse une si large marque sur le sol.

Le roi Jean regardait son monde avec une étrange satisfaction. L'horreur qu'il inspirait en cet instant, même à ses serviteurs les plus fidèles, n'était pas, semblait-il, pour lui déplaire ; il était assez fier de soi. Il regardait particulièrement son fils aîné... « Voilà, mon garçon, comment on se conduit, quand on est roi... »

Qui aurait osé lui dire qu'il avait eu tort de céder à sa nature vindicative ? Pour lui aussi, ce jour était celui de la bifurcation. Le chemin de gauche ou le chemin de droite. Il avait pris le mauvais, comme le comte d'Harcourt au pied de l'escalier. Après six ans d'un règne malaisé, plein de troubles, de difficultés et de revers, il donnait au royaume, qui n'était que trop prêt à l'y suivre, l'exemple de la haine et de la violence. En moins de six mois, il allait dévaler la route des vrais malheurs, et la France avec lui.

TROISIÈME PARTIE

LE PRINTEMPS PERDU

I

LE CHIEN ET LE RENARDEAU

AH ! je suis bien aise, bien aise en vérité, d'avoir revu
Auxerre. Je ne pensais pas que Dieu m'accorderait
cette grâce, ni que je la goûterais autant. Revoir les
places qui logèrent un moment de votre jeunesse
remue toujours le cœur. Vous connaîtrez ce sentiment,
Archambaud, quand les années se seront accumulées
sur vous. S'il vous advient d'avoir à traverser Auxerre,
lorsque vous aurez l'âge que j'ai... que Dieu veuille
vous garder jusque-là... vous direz : « Je fus ici avec
mon oncle le cardinal, qui y avait été évêque, son
deuxième diocèse, avant de recevoir le chapeau... Je
l'accompagnais vers Metz, où il allait voir l'Empereur... »

Trois ans j'ai résidé ici, trois ans... oh ! n'allez pas
croire que j'aie regret de ce temps-là et que j'éprouvais
mieux la faveur de vivre quand j'étais évêque d'Auxerre
que je ne fais aujourd'hui. J'avais même, pour vous
avouer le vrai, l'impatience d'en partir. Je louchais du

côté d'Avignon, tout en sachant bien que j'étais trop jeune ; mais enfin je sentais que Dieu avait mis en moi le caractère et les ressources d'esprit qui pouvaient lui faire service à la cour pontificale. Afin de m'instruire à la patience, je poussai plus avant dans la science d'astrologie ; et c'est justement ma perfection en cette science qui décida mon bienfaiteur Jean XXII à m'imposer le chapeau, quand je n'avais que trente ans. Mais cela, je vous l'ai déjà conté... Ah ! mon neveu, avec un homme qui a beaucoup vécu, il faut s'habituer à entendre plusieurs fois les mêmes choses. Ce n'est pas que nous ayons la tête plus molle quand nous sommes vieux ; mais elle est pleine de souvenirs, qui s'éveillent en toutes sortes de circonstances. La jeunesse emplit le temps à venir d'imaginations ; la vieillesse refait le temps passé avec sa mémoire. Les choses sont égales... Non, je n'ai pas de regrets. Lorsque je compare ce que j'étais et ce que je suis, je n'ai que des raisons de louer le Seigneur, et un peu de me louer moi-même, en toute modeste honnêteté. Simplement, c'est du temps qui a coulé de la main de Dieu et qui n'existera plus quand j'aurai cessé de m'en souvenir. Sauf à la Résurrection, où nous aurons tous nos moments rassemblés. Mais cela dépasse mon entendement. Je crois à la Résurrection, j'enseigne à y croire, mais je n'entreprends pas de m'en faire image, et je dis qu'ils sont bien orgueilleux ceux-là qui mettent en doute la Résurrection... mais si, mais si, plus de gens que vous ne pensez... parce qu'ils sont infirmes à se la figurer. L'homme est pareil à un aveugle qui nierait la lumière parce qu'il ne la voit pas. La lumière est un grand mystère, pour l'aveugle !

Tiens... je pourrai prêcher là-dessus dimanche, à Sens. Car je devrai prononcer l'homélie. Je suis archidiacre de la cathédrale. C'est la raison pour laquelle je m'oblige à ce détour. Nous aurions eu plus court à

piquer sur Troyes, mais il me faut inspecter le cha-
pître de Sens.

Il n'empêche que j'aurais eu plaisir à prolonger un
peu à Auxerre. Ces deux jours ont passé trop vite...
Saint-Etienne, Saint-Germain, Saint-Eusèbe, toutes ces
belles églises où j'ai célébré messes, mariages, et com-
munions... Vous savez qu'Auxerre, *Autissidurum*, est
une des plus vieilles cités chrétiennes du royaume,
qu'elle était siège d'évêché deux cents ans avant Clovis,
qui d'ailleurs la ravagea presque autant que l'avait fait
Attila, et qu'il s'y tint, avant l'an 600, un concile... Mon
plus grand souci, tout le temps que je passai à la tête
de ce diocèse, fut d'y apurer les dettes laissées par
mon prédécesseur, l'évêque Pierre. Et je ne pouvais
rien lui réclamer ; il venait d'être créé cardinal ! Oui,
oui, un bon siège, qui fait antichambre à la curie... Mes
divers bénéfices et aussi la fortune de notre famille
m'aidèrent à boucher les trous. Mes successeurs trou-
vèrent une situation meilleure. Et celui d'aujourd'hui
à présent nous accompagne. Il est fort bon prélat, ce
nouveau Monseigneur d'Auxerre... Mais j'ai renvoyé
Monseigneur de Bourges... à Bourges. Il venait encore
me tirer par la robe pour que je lui accordasse un troisième notaire. Oh ! ce fut tôt fait. Je lui ai dit : « Monseigneur, s'il vous faut tant de tabellions, c'est que vos
affaires épiscopales sont bien embrouillées. Je vous
engage à retourner tout à l'heure en faire ménage vous-
même. Avec ma bénédiction. » Et nous nous passerons
de son office à Metz. L'évêque d'Auxerre le remplacera
avantageusement... J'en ai d'ailleurs averti le Dauphin.
Le chevaucheur que je lui ai dépêché hier devrait être
revenu demain, au plus tard après-demain. Nous
aurons donc des nouvelles de Paris avant de quitter
Sens... Il ne cède pas, le Dauphin ; malgré toutes sortes
de manœuvres et pressions qu'on exerce sur lui, il
maintient le roi de Navarre en prison...

Ce que firent nos gens de France, après l'affaire de Rouen ? D'abord, le roi resta sur place quelques jours, habitant le donjon du Bouvreuil tandis qu'il envoyait son fils loger dans une autre tour du château et qu'il faisait garder Navarre dans une troisième. Il estimait avoir diverses affaires à diligenter. En premier lieu, soumettre Fricamps à la question. « On va fricoter le Friquet. » Cette amusaille, je crois, fut trouvée par Mitton le Fol. Il n'y eut pas à beaucoup chauffer les feux, ni à prendre les grandes tenailles. Aussitôt que Perrinet le Buffle et quatre autres sergents l'eurent entraîné dans une cave et eurent manié quelques outils devant lui, le gouverneur de Caen fit preuve d'un bon vouloir extrême. Il parla, parla, parla, retournant son sac pour en secouer jusqu'à la plus petite miette. Apparemment. Mais comment douter qu'il eût tout dit quand il claquait si bien des dents et montrait tant de zèle pour la vérité ?

Et qu'avoua-t-il en fait ? Les noms des participants au meurtre de Charles d'Espagne ? On les savait depuis beau temps, et il n'ajouta aucun coupable à ceux qui avaient reçu, après le traité de Mantes, des lettres de rémission. Mais son récit prit une matinée entière. Les tractations secrètes, en Flandres et en Avignon, entre Charles de Navarre et le duc de Lancastre ? Il n'était plus guère de cour, en Europe, qui les ignorât ; et que lui-même, Fricamps, y eût pris part ajoutait peu à leur contenu. L'assistance de guerre que les rois d'Angleterre et de Navarre s'étaient mutuellement promise ? Les gens les moins fins avaient pu s'en aviser, l'été précédent, en voyant débarquer presque en même temps Charles le Mauvais en Cotentin et le prince de Galles en Bordelais. Ah ! certes, il y avait le traité caché par lequel Navarre reconnaissait le roi Edouard pour roi de France, et dans lequel ils se faisaient partage du royaume ! Fricamps avoua bien qu'un tel accord avait été préparé, ce qui donnait corps aux accusations avancées par Jean d'Artois. Mais le traité n'avait pas été signé ; seulement des préliminaires. Le roi Jean, quand on lui rapporta cette partie de la déposition de Friquet, cria : « Le traître, le traître ! N'avais-je pas raison ? »

Le Dauphin lui fit observer : « Mon père, ce projet était antérieur au traité de Valognes, que Charles passa avec vous, et qui dit tout le contraire. Celui donc que Charles a trahi, c'est le roi d'Angleterre plutôt que vous-même. »

Et comme le roi Jean hurlait que son gendre trahissait tout le monde : « Certes, mon père, lui répondit le Dauphin, et je commence à m'en convaincre. Mais vous auriez fausse mine en l'accusant d'avoir trahi précisément à votre profit. »

Sur l'équipée d'Allemagne, que n'avaient point accomplie Navarre et le Dauphin, Friquet de Fricamps ne tarissait point. Les noms des conjurés, le lieu où ils devaient se rejoindre, et qui était allé dire à qui, et devait faire quoi... Mais tout cela le Dauphin l'avait fait connaître à son père.

Un nouveau complot machiné par Monseigneur de Navarre à dessein de se saisir du roi de France et de l'occire ? Ah non, Friquet n'en avait pas ouï le plus petit mot ni décelé le moindre indice. Certes, le comte d'Harcourt... à charger un mort, le suspect ne risque guère ; c'est chose connue en justice... le comte d'Harcourt était fort courroucé ces derniers mois, et avait prononcé des paroles menaçantes ; mais lui seul et pour son propre compte.

Comment n'aller pas croire un homme, je vous le répète, si complaisant avec ses questionneurs, qui parlait par six heures d'affilée, sans laisser aux secrétaires le temps de tailler leurs plumes ? Un fameux madré, ce Friquet, tout à fait à l'école de son maître, noyant son monde dans une inondation de paroles et jouant les bavards pour mieux dissimuler ce qu'il lui importait de taire ! De toute manière, pour pouvoir faire usage de ses dires dans un procès, il faudrait recommencer son interrogatoire à Paris, devant une commission d'enquête dûment constituée, car celle-là ne l'était point. En somme, on avait jeté un gros filet pour ramener peu de poisson.

Dans les mêmes jours, le roi Jean s'occupait à saisir les places et biens des félons, et il dépêchait son vicomte de Rouen, Thomas Coupeverge, à mettre la main sur les possessions des d'Harcourt, tandis qu'il envoyait le maréchal d'Audrehem investir Evreux. Mais partout Coupeverge tomba sur des occupants peu amènes, et la saisie resta toute nominale. Il lui aurait fallu pouvoir laisser garnison dans chaque château ; mais il n'avait pas emmené assez de gens d'armes. En revanche, le gros corps décapité de Jean d'Harcourt ne demeura pas longtemps exposé au gibet de Rouen. La deuxième nuit, il fut dépendu secrètement par de bons Normands qui lui donnèrent sépulture chrétienne en même temps qu'ils s'offraient l'agrément de narguer le roi.

Quant à la ville d'Evreux, il fallut y mettre le siège. Mais elle n'était pas le seul fief des Evreux-Navarre. De Valognes à Meulan, de Longueville à Conches, de Pontoise à Coutances, il y avait de la menace dans les bourgs, et les haies, au long des routes, frémissaient.

Le roi Jean ne se sentait guère en sécurité à Rouen. Il était venu avec une troupe assez forte pour assaillir un banquet, non pas pour soutenir une révolte. Il évitait de sortir du château. Ses plus fidèles serviteurs, dont Jean d'Artois lui-même, lui conseillaient de s'éloigner. Sa présence excitait la colère.

Un roi qui en vient à avoir peur de son peuple est un pauvre sire dont le règne risque fort d'être abrégé.

Jean II décida donc de regagner Paris ; mais il voulut que le Dauphin l'accompagnât. « Vous ne vous soutiendrez plus, Charles, s'il y a tumulte dans votre duché. » Il craignait surtout que son fils ne se montrât trop accommodant avec le parti navarrais.

Le Dauphin se plia, réclamant seulement de voyager par l'eau. « J'ai accoutumé, mon père, d'aller de Rouen à Paris par la Seine. Si je faisais autrement, on pourrait croire que je fuis. En outre, nous éloignant lentement, les nouvelles nous joindront plus aisément, et si elles méritaient que je retourne, j'aurais plus de commodité à le faire. »

Et voici donc le roi embarqué sur le grand lin que le duc de Normandie a commandé tout exprès pour son usage, car, ainsi que je vous l'ai dit, il n'aime guère chevaucher. Un grand bateau à fond plat, tout décoré, orné et doré, qui arbore les bannières de France, de Normandie et de Dauphiné, et qui manœuvre à voile et à rames. Le château en est aménagé comme une vraie demeure, avec une belle chambre meublée de tapis et de coffres. Le Dauphin aime d'y deviser avec ses conseillers, d'y jouer aux échecs ou aux dames, ou de contempler le pays de France qui a, le long de cette grande rivière, bien de la beauté. Mais le roi, lui, bouillait de s'en aller à ce train calme. Quelle sotte idée de suivre toutes les courbes de Seine, qui triplent la longueur du chemin, alors qu'il y a des routes qui coupent droit ! Il ne pouvait se supporter sur cet espace restreint qu'il arpentait en dictant une lettre, une seule, toujours la même qu'il reprenait et remodelait sans cesse. Et, à tout moment, de faire accoster, de patauger dans la vase des débarcadères, d'essuyer ses houseaux dans les pâquerettes, et de se faire amener son cheval, qui suivait avec l'escorte le long des berges, pour aller visiter sans raison un château aperçu entre les peupliers. « Et que la lettre soit copiée pour mon retour. » Sa lettre au pape, par laquelle il voulait expliquer les causes et raisons de l'arrestation du roi de Navarre. Y avait-il d'autres affaires au royaume ? On ne l'aurait pas cru. En tout cas aucune qui dût requérir ses soins. La mauvaise rentrée des aides, la nécessité d'affaiblir de nouveau la monnaie, la taxe sur les draps qui causait la colère du négoce, la réparation des forteresses menacées par l'Anglais ; il balayait ces soucis. N'avait-il pas un chancelier, un gouverneur des monnaies, un maître de l'hôtel royal, des maîtres des requêtes et des présidents au Parlement pour y pourvoir ? Que Nicolas Braque, qui était reparti pour Paris, Simon de Bucy ou Robert de Lorris s'emploient à leur besogne. Ils s'y employaient, en effet, grossissant leur fortune en jouant sur le cours des pièces, en étouffant le mauvais procès d'un parent, en favorisant un ami, en mécontentant à jamais telle compagnie marchande, telle ville ou tel diocèse qui jamais ne le pardonneraient au roi.

Un souverain qui tantôt prétend veiller à tout, jusqu'aux plus petits règlements de cérémonies, et tantôt ne se soucie plus de rien, fût-ce des plus grandes affaires, n'est pas homme qui conduit son peuple vers de hautes destinées.

La nef dauphine était amarrée à Pont-de-l'Arche, le second jour, quand le roi vit arriver le prévôt des marchands de Paris, maître Etienne Marcel, chevauchant à la tête d'une compagnie de cinquante à cent lances sur laquelle flottait la bannière bleu et rouge de la ville. Ces bourgeois étaient mieux équipés que beaucoup de chevaliers.

Le roi ne descendit pas du bateau et n'invita pas le prévôt à y monter. Ils se parlèrent de pont à rive, aussi surpris l'un que l'autre de se trouver ainsi face à face. Le prévôt ne s'attendait visiblement pas à ren-

contrer le roi en ce lieu, et le roi se demandait ce que
le prévôt pouvait bien faire en Normandie avec un
tel équipage. Il y avait sûrement de l'intrigue navarraise là-dessous. Etait-ce une tentative pour délivrer
Charles le Mauvais ? La chose semblait bien prompte,
une semaine seulement après l'arrestation. Mais enfin,
c'était possible. Ou bien le prévôt était-il pièce du complot dénoncé par Jean d'Artois ? La machination alors
prenait vraisemblance.

« Nous sommes venus vous saluer, Sire », dit tout
seulement le prévôt. Le roi, plutôt que de le faire
parler un peu, lui répondit tout à trac d'un ton menaçant qu'il avait dû se saisir du roi de Navarre contre
lequel il avait de forts griefs, et que tout serait exposé
en grande lumière dans la lettre qu'il envoyait au
pape. Le roi Jean dit encore qu'il entendait trouver
sa ville de Paris en bon ordre, bon calme et bon travail quand il y rentrerait... « et à présent, messire prévôt, vous pouvez vous en retourner ».

Longue route pour petite palabre. Etienne Marcel
s'en repartit, sa touffe de barbe noire dressée sur le
menton. Et le roi, dès qu'il eut vu la bannière de
Paris s'éloigner entre les saules, manda son secrétaire
pour modifier une fois encore la lettre au pape... Tiens,
à propos... Brunet ? Brunet ! Brunet, appelle à mon
rideau dom Calvo... oui, s'il te plaît... dictant quelque
chose comme « Et encore, Très-Saint-Père, j'ai preuve
affirmée que Monseigneur le roi de Navarre a tenté
de soulever contre moi les marchands de Paris, en
s'abouchant avec leur prévôt qui s'en vint sans ordre
vers le pays normand, adjoint d'une si grande compagnie d'hommes d'armes qu'on ne la pouvait point
compter, afin d'aider les méchants du parti navarrais
à parfaire leur félonie par saisissement de ma personne et de celle du Dauphin mon aîné fils... »

La chevauchée de Marcel allait d'ailleurs se grossir

d'heure en heure dans sa tête, et bientôt elle compte-
rait cinq cents lances.

Et puis il décida de s'éloigner aussitôt de cet amar-
rage et, faisant extraire Navarre et Fricamps du château de Pont-de-l'Arche, il commanda aux nautoniers
de pousser vers Les Andelys. Car le roi de Navarre
suivait à cheval, d'étape en étape, entouré d'une
épaisse escorte de sergents qui le serraient du plus
près et avaient ordre de le poignarder s'il cherchait
à fuir ou si venait à se produire quelque tentative
pour le délivrer. Il devait toujours rester à vue du
bateau. Le soir on l'enfermait dans la tour la plus
proche. On l'avait enfermé à Elbeuf, on l'avait enfermé
à Pont-de-l'Arche. On allait l'enfermer à Château-Gaillard... oui, à Château-Gaillard, là où sa grand-mère de
Bourgogne avait si tôt fini ses jours... oui, à peu près
au même âge.

Comment supportait-il tout cela, Monseigneur de
Navarre ? A vrai dire assez mal. Sans doute, à présent,
s'est-il mieux accoutumé à son état de captif, en tout
cas depuis qu'il sait le roi de France lui-même prisonnier du roi d'Angleterre et que de ce fait il ne craint
plus pour sa vie. Mais dans les premiers temps...

Ah ! vous voilà, dom Calvo. Rappelez-moi si dans
l'évangile de dimanche prochain il y a le mot lumière
ou quelque autre qui en rappelle l'idée... oui, deuxième
dimanche de l'Avent. Ce serait bien surprenant de ne
l'y pas trouver... ou dans l'épître... Celle de dimanche
dernier évidemment... *Abjiciamus ergo opera tenebra-
rum, et induamur arma lucis...* Rejetons donc les œu-
vres de ténèbres et revêtons les armes de lumière...
Mais c'était dimanche dernier. Vous non plus, vous
ne l'avez pas en tête. Bon, vous me le direz tout à
l'heure ; je vous en ai gré...

Un renardeau pris au piège, tournant tout affolé
dans sa cage, les yeux ardents, le museau brouillé, le

corps amaigri, et couinant, et couinant... C'est ainsi qu'il était, notre Monseigneur de Navarre. Mais il faut dire qu'on faisait tout pour l'apeurer.

Nicolas Braque avait obtenu sursis à l'exécution en disant qu'il fallait que le roi de Navarre se sentît mourir tous les jours ; ce n'était pas tombé dans oreille sourde.

Non seulement le roi Jean avait commandé qu'il fût précisément reclus dans la chambre où était morte Madame Marguerite de Bourgogne, et qu'on le lui fît bien savoir... « c'est la chiennerie de sa gueuse de grand-mère qui a produit cette mauvaise race ; il est le rejeton d'une rejetonne de catin ; il faut qu'il pense qu'il va finir comme elle... » mais encore, durant les quelques jours qu'il le tint là, il lui fit annoncer maintes fois, et même la nuit, que son trépas était imminent.

Charles de Navarre voyait entrer dans son triste séjour le roi des ribauds, ou bien le Buffle ou quelque autre sergent qui lui disait : « Préparez-vous, Monseigneur. Le roi a commandé de monter votre échafaud dans la cour du château. Nous viendrons vous chercher bientôt. » Un moment après, c'était le sergent Lalemant qui paraissait et trouvait Navarre le dos collé au mur, haletant et les yeux affolés. « Le roi a décidé de surseoir ; vous ne serez point exécuté avant demain. » Alors Navarre reprenait souffle et allait s'effondrer sur l'escabelle. Une heure ou deux passaient, puis revenait Perrinet le Buffle. « Le roi ne vous fera point décapiter, Monseigneur. Non... Il veut que vous soyez pendu. Il fait dresser la potence. » Et puis, une fois sonné le salut, c'était le tour du gouverneur du château, Gautier de Riveau. « Me venez-vous chercher, messire gouverneur ? — Non, Monseigneur, je viens vous porter votre souper. — A-t-on dressé la potence ? — Quelle potence ? Non, Monseigneur, on n'a point apprêté de potence. — Ni d'échafaud ? — Non, Monseigneur, je n'ai rien vu de tel. »

A six reprises déjà, Monseigneur de Navarre avait été décollé, autant de fois pendu ou écartelé à quatre chevaux. Le pire fut peut-être de déposer un soir dans sa chambre un grand sac de chanvre, en lui disant qu'on l'y enfermerait durant la nuit pour aller le jeter en Seine. Le matin suivant, le roi des ribauds vint reprendre le sac, le retourna, vit que Monseigneur de Navarre y avait ménagé un trou, et s'en repartit en souriant.

Le roi Jean demandait sans cesse nouvelles du prisonnier. Cela lui faisait prendre patience pendant qu'on ajustait la lettre au pape. Le roi de Navarre mangeait-il ? Non, il touchait fort peu aux repas qu'on lui portait, et son couvert redescendait souvent comme il était monté. Sûrement il craignait le poison. « Alors, il maigrit ? Bonne chose, bonne chose. Faites que ses mets soient amers et malodorants, pour qu'il pense bien qu'on le veut enherber. » Dormait-il ? Mal. Dans le jour, on le trouvait parfois affalé sur la table, la tête dans les bras, et sursautant comme quelqu'un qu'on tire du sommeil. Mais la nuit, on l'entendait marcher sans trêve, tournant dans la chambre ronde... « comme un renardeau, Sire, comme un renardeau ». Sans doute redoutait-il qu'on vînt l'étrangler, ainsi qu'on en avait fait de sa grand-mère, dans ce même logis. Certains matins, on devinait qu'il avait pleuré. « Ah bien, ah bien, disait le roi. Est-ce qu'il vous parle ? » Oh que certes, il parlait ! Il essayait de nouer discours avec ceux qui pénétraient chez lui. Et il tentait d'entamer chacun par son point faible. Au roi des ribauds, il promettait une montagne d'or s'il l'aidait à s'évader, ou seulement consentait à lui passer des lettres à l'extérieur. Au sergent Perrinet, il proposait de l'emmener avec lui et de le faire son roi des ribauds

en Evreux et en Navarre, car il avait remarqué que le
Buffle jalousait l'autre. Auprès du gouverneur de la
forteresse, qu'il avait jugé soldat loyal, il plaidait l'in-
nocence et l'injustice. « Je ne sais ce qui m'est repro-
ché, car je jure Dieu que je n'ai nourri aucune mauvaise pensée contre le roi, mon cher père, ni rien
entrepris pour lui nuire. Il a été abusé sur mon compte
par des perfides. On m'a voulu perdre dans son esprit ;
mais je supporte toute peine qu'il lui plaît de me faire,
car je sais bien que cela ne vient point vraiment de
lui. Il est maintes choses dont je pourrais utilement
l'instruire pour sa sauvegarde, maints services que je
lui peux rendre et ne lui rendrai pas, s'il me fait périr.
Allez vers lui, messire gouverneur, allez lui dire qu'il
aurait grand avantage à m'entendre. Et si Dieu veut
que je rentre en fortune, soyez assuré que j'aurai soin
de la vôtre, car je vois que vous m'êtes compatissant
autant que vous avez de souci du vrai bien de votre
maître. »

Tout cela, bien sûr, était rapporté au roi qui aboyait :
« Voyez le félon ! Voyez le traître ! » comme si n'était
pas la règle de tout prisonnier de chercher à apitoyer
ses geôliers ou les soudoyer. Peut-être même les sergents insistaient-ils un peu sur les offres du roi de
Navarre, afin de se faire assez valoir. Le roi Jean leur
jetait une bourse d'or, en reconnaissance de leur
loyauté. « Ce soir vous feindrez que j'ai commandé
qu'on réchauffe sa geôle, et vous allumerez de la paille
et du bois mouillé, en bouchant la cheminée, pour le
bien enfumer. »

Oui, un renardeau piégé, le petit roi de Navarre.
Mais le roi de France, lui, était comme un grand chien
furieux tournant autour de la cage, un mâtin barbu,
l'échine hérissée, grondant, hurlant, montrant les
crocs, grattant la poussière sans pouvoir atteindre sa
proie à travers les barreaux.

Et cela dura ainsi jusque vers le vingt avril, où parurent aux Andelys deux chevaliers normands, assez dignement escortés et qui arboraient à leur pennon les armes de Navarre et d'Evreux. Ils portaient au roi Jean une lettre de Philippe de Navarre, datée de Conches. Fort raide, la lettre. Philippe se disait très courroucé des grands torts et injures causés à son seigneur et frère aîné... « que vous avez emmené sans loi, droit ni raison. Mais sachez que vous n'avez nul besoin de penser à son héritage ni au nôtre, pour le faire mourir par votre cruauté, car jamais vous n'en tiendrez un pied. De ce jour nous vous défions, vous et toute votre puissance, et nous vous livrerons guerre mortelle, aussi grande que nous pourrons ». Si ce ne sont point tout exactement les mots, en tout cas c'est bien le sens. Les choses y étaient marquées avec toute cette dureté ; et l'intention du défi y était. Et ce qui rendait la lettre plus roide encore, c'est qu'elle était adressée « à Jean de Valois, qui s'écrit roi de France... »

Les deux chevaliers saluèrent et, sans plus longue entrevue, tournèrent leurs chevaux et s'en allèrent comme ils étaient venus.

Bien sûr, le roi ne répondit pas à la lettre. Elle était irrecevable, de par sa suscription même. Mais la guerre était ouverte, et l'un des plus grands vassaux ne reconnaissait plus le roi Jean comme souverain légitime. Ce qui signifiait qu'il n'allait pas tarder à reconnaître l'Anglais.

On s'attendait qu'une si grosse offense mît le roi Jean dans une rage furieuse. Il surprit son monde par le rire qu'il eut. Un rire un peu forcé. Son père aussi avait ri, et de meilleur cœur, vingt ans plus tôt, quand l'évêque Burghersh, chancelier d'Angleterre, lui avait porté le défi du jeune Edouard III...

Le roi Jean commanda qu'on expédiât la lettre au pape sur-le-champ, oui, comme elle était ; d'avoir été

tant de fois remaniée, elle ne faisait pas grand sens et
ne prouvait rien du tout. En même temps, il ordonna
de sortir son gendre de la forteresse. « Je vais le clore
au Louvre. » Et, laissant le Dauphin remonter la Seine
sur le grand lin doré, lui-même prit la route au galop
pour regagner Paris. Où il ne fit rien de bien précieux,
cependant que le clan Navarre se rendait fort actif.

Ah ! Je ne m'étais pas avisé que vous étiez revenu,
dom Calvo... Alors vous avez trouvé... Dans l'évangile...
Jésus leur répondit... quoi donc ? *Allez raconter à Jean*
ce que vous avez entendu et ce que vous avez vu. Parlez
plus fort, dom Calvo. Avec ce bruit de chevauchée...
Les aveugles voient, les boiteux marchent... Oui, oui,
j'y suis. Saint Matthieu. *Cæci vident, claudi ambulant,*
surdi audiunt, mortui resurgunt, et cætera... Les aveugles voient. Ce n'est pas beaucoup, mais cela me suffira. Il s'agit d'y pouvoir accrocher mon homélie. Vous
savez comment je travaille.

II

LA NATION D'ANGLETERRE

JE vous disais tout à l'heure, Archambaud, que le parti navarrais se montrait bien actif. Dès le lendemain du banquet de Rouen, des messagers étaient partis en toutes directions. D'abord vers la tante et la sœur, Mesdames Jeanne et Blanche ; le château des reines veuves se mit à bruisser comme une fabrique de tisserand. Et puis vers le beau-frère, Phœbus... Il faudra que je vous parle de lui ; c'est un prince bien particulier, mais qui n'est point négligeable. Et comme notre Périgord est après tout moins distant de son Béarn que de Paris, il ne serait pas mauvais qu'un jour... Nous en recauserons. Et puis Philippe d'Evreux, qui avait pris les choses en main et se substituait bien à son frère, expédia en Navarre l'ordre d'y lever des troupes et de les acheminer par la mer le plus tôt qu'on pourrait, cependant que Godefroy d'Harcourt organisait les gens de leur parti, en Normandie. Et surtout Philippe dépêcha en Angleterre les sires de Morbecque et de Brévand, qui avaient participé aux négociations de naguère, pour requérir de l'aide.

Le roi Edouard leur fit un accueil frais. « J'aime loyauté dans les accords, et que la conduite réponde à ce que la bouche a dit. Sans confiance entre rois qui s'allient, il n'est pas d'entreprise qui se puisse mener à bien. L'an passé, j'ai ouvert mes portes aux vassaux de Monseigneur de Navarre ; j'ai équipé des troupes, aux ordres du duc de Lancastre, qui ont appuyé les siennes. Nous étions très avancés dans la préparation d'un traité à passer entre nous ; nous devions convenir d'une alliance perpétuelle, et nous engager à ne jamais faire paix, trêve ni accord l'un sans l'autre. Et aussitôt Monseigneur de Navarre débarqué en Cotentin, il accepte de traiter avec le roi Jean, lui jure bon amour et lui rend hommage. S'il est en geôle à présent, si son beau-père l'a pris aux rêts par coup de traîtrise, la faute n'est pas mienne. Et avant que de lui porter secours, j'aimerais savoir si mes parents d'Evreux ne viennent à moi que dans la détresse, pour se tourner vers d'autres aussitôt que je les en ai tirés. »

Néanmoins, il prit ses dispositions, appela le duc de Lancastre et fit commencer les apprêts d'une nouvelle expédition, en même temps qu'il adressait des instructions au prince de Galles, à Bordeaux. Et comme il avait appris par les envoyés navarrais que Jean II le mettait en cause dans les accusations portées contre son gendre, il adressa des lettres au Saint-Père, à l'Empereur et à divers princes chrétiens, où il niait toute connivence avec Charles de Navarre, mais où d'autre part il blâmait fort Jean II de son manque de foi et de ses agissements que « pour l'honneur de la chevalerie » il eût aimé ne jamais voir chez un roi.

Sa lettre au pape avait demandé moins de temps que celle du roi Jean, et elle était autrement troussée, veuillez m'en croire.

Nous ne nous aimons guère, le roi Edouard et moi ; il me juge trop favorable, toujours, aux intérêts de la France et moi je le tiens pour trop peu respectueux de la primauté de l'Eglise. Chaque fois que nous nous sommes vus, nous nous sommes heurtés. Il voudrait avoir un pape anglais, ou préférablement pas de pape du tout. Mais je reconnais qu'il est pour sa nation un prince excellent, habile, prudent quand il le doit, audacieux quand il le peut. L'Angleterre lui doit gros. Et puis, bien qu'il ne compte que quarante-quatre ans, il jouit du respect qui entoure un vieux roi, quand il a été un bon roi. L'âge des souverains ne se mesure pas à la date de leur naissance, mais à la durée de leur règne.

A cet égard, le roi Edouard fait figure d'ancien parmi tous les princes d'Occident. Le pape Innocent n'est suprême pontife que depuis quatre ans ; l'empereur Charles, élu il y a dix ans, n'est couronné que depuis deux. Jean de Valois a tout juste célébré... en captivité, triste célébration... le sixième anniversaire de son sacre. Edouard III, lui, occupe son trône depuis vingt-neuf ans, bientôt trente.

C'est un homme de belle stature et de grande prestance, assez corpulent. Il a de longs cheveux blonds, une barbe soyeuse et soignée, des yeux bleus un peu gros ; un vrai Capétien. Il ressemble fort à Philippe le Bel, son grand-père, dont il a plus d'une qualité. Dommage que le sang de nos rois ait donné un si bon produit en Angleterre et un si piètre en France ! Avec l'âge il semble de plus en plus porté au silence, comme son grand-père. Que voulez-vous ! Il y a trente ans qu'il voit des hommes s'incliner devant lui. Il sait à leur démarche, à leur regard, à leur ton, ce qu'ils espèrent de lui, ce qu'ils vont en requérir, quelles ambitions les animent et ce qu'ils valent pour l'Etat. Il est bref en ses ordres. Comme il dit : « Moins on prononce de paroles, moins elles sont répétées et moins elles sont faussées. »

Il se sait paré, aux yeux de l'Europe, d'une grande renommée. La bataille de l'Ecluse, le siège de Calais, la victoire de Crécy... Il est le premier, depuis plus d'un siècle, à avoir battu la France, ou plutôt son rival français puisqu'il n'a entrepris cette guerre, dit-il, que pour affirmer ses droits à la couronne de Saint Louis. Mais aussi pour mettre la main sur des provinces prospères.

Il ne se passe guère d'année qu'il ne débarque des troupes sur le continent, tantôt en Boulonnais, tantôt en Bretagne, ou bien qu'il n'ordonne, comme ces deux derniers étés, une chevauchée à partir de son duché de Guyenne.

Autrefois, il prenait lui-même la tête de ses armées, et il s'y est acquis une belle réputation de guerrier. A présent, il n'accompagne plus ses troupes. Il les fait commander par de bons capitaines qui se sont formés campagne après campagne ; mais je pense qu'il doit surtout ses succès à ce qu'il entretient une armée permanente composée pour le plus gros d'hommes de pied, et qui, toujours disponible, ne lui coûte pas finalement plus cher que ces osts pesants, que l'on convoque à grands frais, que l'on dissout, qu'il faut rappeler, qui ne s'assemblent jamais à temps, qui sont équipés à la disparate et dont les parties ne savent point s'endenter pour manœuvrer en bataille.

C'est fort beau de dire : « La patrie est en péril. Le roi nous appelle. Chacun doit y courir ! » Avec quoi ? Avec des bâtons ? Le temps vient où chaque roi prendra modèle sur celui d'Angleterre, et fera faire la guerre par gens de métier, bien assoldés, qui vont où on leur commande sans muser ni discuter.

Voyez-vous, Archambaud, il n'est point nécessaire à un royaume d'être très étendu ni très nombreux pour

devenir puissant. Il faut seulement qu'il ait un peuple
capable de fierté et d'effort, et qu'il soit assez longtemps conduit par un chef avisé qui sache lui proposer
de grandes ambitions.

D'un pays qui comptait à peine six millions d'âmes,
Galles comprises, avant la grande peste, et quatre millions seulement après le fléau, Edouard III a fait une
nation prospère et redoutée qui parle d'égale à égale
avec la France et avec l'Empire. Le commerce des laines, le trafic des mers, la possession de l'Irlande, une
bonne exploitation de l'abondante Aquitaine, les pouvoirs royaux partout exercés et partout obéis, une
armée toujours prête et toujours occupée ; c'est avec
cela que l'Angleterre est si forte, et qu'elle est riche.

Le roi lui-même possède des biens immenses ; on
dit qu'il ne saurait compter sa fortune, mais moi je
sais bien qu'il la compte, sinon il ne l'aurait pas. Il l'a
commencée il y a trente ans en trouvant pour héritage
un Trésor vide et des dettes dans toute l'Europe.
Aujourd'hui, c'est à lui qu'on vient emprunter. Il a
rebâti Windsor ; il a embelli Westminster... oui, West-
moutiers, si vous voulez ; à force d'aller là-bas, j'ai fini
par prononcer à l'anglaise, car, chose curieuse à remar-
quer, à mesure qu'ils s'emploient à conquérir la
France, les Anglais, même à la cour, parlent de plus
en plus leur langue saxonne et de moins en moins la
française... En chacune de ses résidences, le roi
Edouard entasse des merveilles. Il achète beaucoup
aux marchands lombards et aux navigateurs chyprio-
tes, non seulement des épices d'Orient, mais aussi
toute sorte d'objets ouvragés qui fournissent des
modèles à ses industries.

A propos d'épices, il faudra que je vous entretienne
du poivre, mon neveu. C'est fort bon placement. Le
poivre ne s'altère pas ; sa valeur marchande n'a cessé
de croître ces dernières années et tout permet de pen-

ser qu'elle continuera. J'en ai pour dix mille florins
dans un entrepôt de Montpellier ; j'ai pris ce poivre en
remboursement d'une moitié de la dette d'un marchand de là-bas, qui se nomme Pierre de Rambert, et
qui ne pouvait solder ses approvisionneurs à Chypre.
Comme je suis chanoine de Nicosie... sans y être allé,
sans y être allé, hélas, car cette île a grande réputation
de beauté... j'ai ainsi pu arranger son affaire... Mais
revenons à notre Sire Edouard.

Table de roi chez lui n'est pas un vain mot et qui
s'y assoit pour la première fois a le souffle retenu par
la profusion d'or qui s'y étale. Un cerf d'or, presque
aussi gros qu'un vrai, en décore le centre. Hanaps,
aiguières, plats, cuillers, couteaux, salières, tout est en
or. Les huissiers de cuisine portent à chaque service
de quoi battre monnaie pour tout un comté. « Si
d'aventure nous sommes dans le besoin, nous pourrons vendre tout cela », dit-il. Mais dans les moments
de gêne... quel Trésor n'en connaît pas ?... Edouard est
toujours assuré de trouver du crédit, parce qu'on le
sait posséder ces richesses. Lui-même ne paraît devant
ses sujets que superbement atourné, couvert de fourrures précieuses et de vêtements brodés, étincelant de
joyaux et chaussé d'éperons d'or.

Dans cet étalage de splendeurs, Dieu n'est pas oublié.
La seule chapelle de Westminster est desservie par
quatorze vicaires, à quoi s'ajoutent les clercs choristes
et tous les servants de sacristie. Pour faire pièce au
pape, qu'il dit être sous la main des Français, il multiplie les emplois d'Eglise et ne les veut voir conférés
qu'à des Anglais, sans partage des bénéfices avec le
Saint-Siège, ce sur quoi nous nous sommes toujours
heurtés.

Après Dieu servi, la famille. Edouard III a dix
enfants vivants. L'aîné, prince de Galles et duc d'Aquitaine, est ce que vous savez ; il a vingt-six ans. Le plus

jeune, le comte de Buckingham, vient à peine de quitter le sein de sa nourrice.

A tous ses fils, le roi Edouard constitue des maisons
imposantes ; à ses filles, il cherche de hauts établisse-
ments qui peuvent servir ses desseins.

Je gage qu'il se serait fort ennuyé à vivre, le roi
Edouard, s'il n'avait pas été désigné par la Providence
pour ce qu'il était le plus apte à faire : gouverner. Oui,
il aurait eu peu d'intérêt à durer, à vieillir, à regarder
la mort venir s'il n'avait pas eu à arbitrer les passions
des autres, et à leur désigner des buts qui les aident
à s'oublier. Car les hommes ne trouvent d'honneur et
de prix à vivre que s'ils vouent leurs actes et leurs
pensées à quelque grande entreprise avec laquelle ils
puissent se confondre.

C'est cela qui l'a inspiré quand il a créé à Calais son
Ordre de la Jarretière, un Ordre qui prospère, et dont
ce pauvre Jean II, avec son Etoile, n'a produit qu'une
pompeuse, d'abord, et puis piteuse copie...

Et c'est encore à cette volonté de grandeur que le
roi Edouard répond quand il poursuit le projet, non
avoué mais visible, d'une Europe anglaise. Non pas
qu'il songe à placer l'Occident directement sous sa
main, ni qu'il veuille conquérir tous les royaumes et
les mettre en servage. Non, il pense plutôt à un libre
groupement de rois ou de gouvernements dans lequel
il aurait préséance et commandement, et avec lequel
non seulement il ferait régner la paix à l'intérieur de
cette entente, mais encore n'aurait plus rien à redouter du côté de l'Empire, si même il ne l'englobait. Ni
plus rien à devoir au Saint-Siège ; je le soupçonne de
nourrir secrètement cette intention-là... Il a déjà réussi
avec les Flandres qu'il a détachées de la France ; il
intervient dans les affaires d'Espagne ; il pousse des
antennes en Méditerranée. Ah ! s'il avait la France,
vous imaginez, que ne ferait-il pas, que ne pourrait-il

faire à partir d'elle ! Son idée d'ailleurs n'est pas toute neuve. Le roi Philippe le Bel, son grand-père, avait eu déjà un projet de paix perpétuelle pour unir l'Europe.

Edouard se plaît à parler français avec les Français, anglais avec les Anglais. Il peut s'adresser aux Flamands dans leur langue, ce dont ils sont flattés et qui lui a valu maints succès auprès d'eux. Avec les autres, il parle latin.

Alors, me direz-vous, un roi si doué, si capable, et que la fortune accompagne, pourquoi ne pas s'accorder à lui et favoriser ses prétentions sur la France ? Pourquoi tant faire afin de maintenir au trône ce niais arrogant, né sous de mauvaises étoiles, dont la Providence nous a gratifiés, sans doute pour éprouver ce malheureux royaume ?

Eh ! mon neveu, c'est que la belle entente à former entre les royaumes du couchant, nous la voulons bien, mais nous la voulons française, je veux dire de direction et de prééminence françaises. L'Angleterre, nous en avons conviction, s'éloignerait bien vite, si elle était trop puissante, des lois de l'Eglise. La France est le royaume de Dieu désigné. Et le roi Jean ne sera pas éternel.

Mais vous comprenez aussi, Archambaud, pourquoi le roi Edouard soutient avec tant de constance ce Charles le Mauvais qui l'a beaucoup trompé. C'est que la petite Navarre, et le gros comté d'Evreux, sont pièces, non seulement dans son affaire avec la France, mais dans son jeu d'assemblage de royaumes qui lui chemine en cervelle. Il faut bien que les rois aussi aient un peu à rêver !

Bientôt après l'ambassade de nos bonshommes Morbecque et Brévand, ce fut Monseigneur Philippe d'Evreux-Navarre, comte de Longueville, qui vint lui-même en Angleterre.

Blond, de belle taille et de nature fière, Philippe de

Navarre est aussi loyal que son frère est fourbe ; ce
qui fait que, par loyauté à ce frère, il en épouse, mais
de cœur convaincu, toutes les fourberies. Il n'a pas
le grand talent de parole de son aîné, mais il séduit
par la chaleur de l'âme. Il plut fort à la reine Philippa,
qui dit qu'il ressemblait tout à fait à son époux, au
même âge. Ce n'est pas grande merveille ; ils sont
cousins plusieurs fois.

Bonne reine Philippa ! Elle a été une demoiselle
ronde et rose qui promettait de devenir grasse comme
souvent les femmes du Hainaut. Elle a tenu promesse.

Le roi l'a aimée de bon amour. Mais il a eu, l'âge
venant, d'autres entraînements du cœur, rares, mais
violents. Il y eut la comtesse de Salisbury ; et à présent c'est Dame Alice Perrère, ou Perrières, une suivante de la reine. Pour calmer son dépit, Philippa
mange, et elle devient de plus en plus grosse.

La reine Isabelle ? Mais si, mais si, elle vit toujours ;
du moins elle vivait encore le mois dernier... A Castle
Rising, un grand et triste château où son fils l'a enfer-
mée, après qu'il eut fait exécuter son amant, Lord
Mortimer, il y a vingt-huit ans. Libre, elle lui aurait
causé trop de soucis. La Louve de France... Il vient
la visiter une fois l'an, au temps de Noël. C'est d'elle
qu'il tient ses droits sur la France. Mais c'est elle aussi
qui a causé la crise dynastique en dénonçant l'adultère
de Marguerite de Bourgogne, et fourni bonne raison
pour écarter de la succession la descendance de Louis
Hutin. Il y a de la dérision, vous l'avouerez, à voir,
quarante ans après, le petit-fils de Marguerite de Bourgogne et le fils d'Isabelle faire alliance. Ah ! il suffit de
vivre pour avoir tout vu !

Et voilà Edouard et Philippe de Navarre, à Windsor,
remettant en chantier ce traité interrompu et dont
les premières assises avaient été posées lors des entretiens d'Avignon. Toujours traité secret. Dans les rédac-

tions préparatoires, les noms des princes contractants ne devaient pas figurer en clair. Le roi d'Angleterre y est appelé *l'aîné* et le roi de Navarre *le cadet*. Comme si cela pouvait suffire à les masquer, et comme si la teneur des notes ne les désignait pas à l'évidence ! Ce sont là précautions de chancelleries qui n'abusent guère ceux dont on se défie. Quand on veut qu'un secret soit gardé, eh bien, il ne faut pas l'écrire, voilà tout.

Le *cadet* reconnaissait *l'aîné* pour le roi de France légitime. Toujours la même chose ; c'est le début et l'essentiel ; c'est la clef de voûte de l'accord. *L'aîné* reconnaît au *cadet* le duché de Normandie, les comtés de Champagne et de Brie, le vicomté de Chartres et tout le Languedoc avec Toulouse, Béziers, Montpellier. Il paraît qu'Edouard n'a pas cédé sur l'Angoumois... trop près de la Guyenne, ce doit être pour cela ; il ne laisserait pas Navarre, si ce traité doit avoir effet, qu'à Dieu ne plaise, prendre pied entre l'Aquitaine et le Poitou. En revanche, il aurait accordé la Bigorre, ce que Phœbus, si cela lui est venu aux oreilles, ne doit guère goûter. Comme vous voyez, tout cela additionné, cela fait un gros morceau de France, un très gros morceau. Et l'on peut se surprendre qu'un homme qui prétend à y régner en abandonne tout à un seul vassal. Mais, d'une part, cette sorte de vice-royauté qu'il confère à Navarre répond bien à cette idée d'empire nouveau qu'il caresse ; et, d'autre part, plus il accroît les possessions du prince qui le reconnaît pour roi, plus il élargit l'assise territoriale de sa légitimité. Au lieu d'avoir à gagner les ralliements, pièce à pièce, il peut soutenir qu'il est reconnu d'un coup par toutes ces provinces.

Pour le reste, partage des frais de la guerre, engagement à ne point conclure de trêves séparées, ce sont clauses habituelles et reprises du projet précédent.

Mais l'alliance est énoncée « alliance perpétuelle ».

Je me suis laissé dire qu'il y eut une plaisante passe entre Edouard et Philippe de Navarre parce que celui-ci demandait que fût inscrit au traité le versement des cent mille écus, jamais payés, qui figuraient sur le contrat de mariage entre Charles de Navarre et Jeanne de Valois.

Le roi Edouard s'étonna. « Pourquoi aurais-je à payer les dettes du roi Jean ? — Si fait. Vous le remplacez au trône ; vous le remplacez aussi dans ses obligations. » Le jeune Philippe ne manquait pas d'aplomb. Il faut avoir son âge pour oser de ces choses. Cela fit rire Edouard III, qui ne rit guère à son ordinaire. « Soit. Mais après que j'aurai été sacré à Reims. Pas avant le sacre. »

Et Philippe de Navarre repartit pour la Normandie. Le temps de mettre sur vélin ce dont on était convenu, d'en discuter les termes article par article, de passer les notes d'un côté à l'autre de la Manche... « *l'aîné... le cadet* », et puis aussi les soucis de la guerre, tout cela fit que le traité, toujours secret, toujours connu, au moins de ceux qui avaient intérêt à en connaître, ne devait finalement être signé qu'au début de septembre, au château de Clarendon, il y a seulement trois mois, fort peu avant la bataille de Poitiers. Signé par qui ? Par Philippe de Navarre qui fit à ce dessein un second voyage en Angleterre.

Vous comprenez à présent, Archambaud, pourquoi le Dauphin, qui s'était si fort opposé, vous l'avez vu, à l'arrestation du roi de Navarre, le maintient si obstinément en prison, alors que, commandant céans au royaume, il aurait tout loisir de le libérer, comme de maintes parts on l'en presse. Aussi longtemps que le traité n'est signé que par Philippe de Navarre, on peut le tenir pour nul. Dès lors qu'il serait ratifié par Charles, ce serait une autre affaire.

A l'heure où nous sommes, le roi de Navarre, parce que le fils du roi de France le tient prisonnier, en Picardie, ne sait pas encore... il est sans doute le seul... qu'il a reconnu le roi d'Angleterre pour roi de France, mais d'une reconnaissance sans vigueur puisqu'il ne peut la signer.

Voilà qui ajoute un beau nœud d'embrouilles, où une chatte ne reconnaîtrait pas ses petits, que nous allons tenter de défaire à Metz ! Je gage que dans quarante ans d'ici personne n'y comprendra plus rien, sauf vous peut-être, ou votre fils, parce que vous lui aurez raconté...

III

LE PAPE ET LE MONDE

NE vous avais-je pas dit que nous aurions des nouvelles, à Sens ? Et de bonnes nouvelles. Le Dauphin,
plantant là ses Etats généraux tout houleux où Marcel
réclame la destitution du Grand Conseil et où l'évêque
Le Coq, en même temps qu'il plaide pour la libération
de Charles le Mauvais, s'oublie jusqu'à parler de déposer le roi Jean... si, si, mon neveu, nous en sommes là :
il a fallu que le voisin de l'évêque lui écrase le pied
pour qu'il se reprenne et précise que ce n'étaient
point les Etats qui pouvaient déposer un roi, mais le
pape à la demande des trois Etats... eh bien, le Dauphin, roulant son monde, s'en est parti hier lundi pour
Metz, lui aussi. Avec deux mille chevaux. Il a allégué
que les messages reçus de l'Empereur lui faisaient
obligation de se rendre à sa diète, pour le bien du
royaume. Oui... et surtout mon message. Il m'a
entendu. De la sorte, les Etats sont dans le vide et
vont se disperser sans avoir rien pu conclure. Si la
ville se montrait par trop turbulente, il pourrait y

revenir avec ses troupes. Il la tient sous menace...

Autre bonne nouvelle : le Capocci ne vient pas à Metz. Il refuse de me retrouver. Bienheureux refus. Il se met en tort vis-à-vis du Saint-Père, et moi je suis débarrassé de lui. J'envoie l'archevêque de Sens escorter le Dauphin, qu'accompagne déjà l'Archevêque-chancelier, Pierre de La Forêt ; cela fait deux hommes sages pour le conseiller. Pour ma part, j'ai douze prélats dans ma suite. Cela suffit. C'est autant qu'aucun légat n'en eût jamais. Et pas de Capocci. Vraiment, je ne peux comprendre pourquoi le Saint-Père s'est obstiné à me l'adjoindre et s'obstine encore à ne pas le rappeler. D'abord, sans lui, je serais parti plus tôt... Vraiment, ce fut un printemps perdu.

Dès que nous sûmes l'affaire de Rouen et que nous reçûmes en Avignon les lettres du roi Jean et du roi Edouard, et puis que nous apprîmes que le duc de Lancastre équipait une nouvelle expédition, cependant que l'ost de France était convoqué pour le premier juin, je devinai que tout allait tourner au pire. Je dis au Saint-Père qu'il fallait envoyer un légat, ce dont il tomba d'accord. Il gémissait sur l'état de la chrétienté. J'étais prêt à partir dans la semaine. Il en fallut trois pour rédiger les instructions. Je lui disais : « Mais quelles instructions, *sanctissimus pater* ? Il n'est que de recopier celles que vous reçûtes de votre prédécesseur, le vénéré Clément VI, pour une mission toute semblable, voici dix ans. Elles étaient fort bonnes. Mes instructions, c'est d'agir en tout pour empêcher une reprise générale de la guerre. »

Peut-être au fond de lui, sans en avoir conscience, car il est certes incapable d'une mauvaise pensée volontaire, ne souhaitait-il pas tellement que je réussisse là où il avait échoué naguère, avant Crécy. Il l'avouait du reste. « Je me suis fait rebuffer méchamment par Edouard III, et je crains qu'il ne vous en advienne de même. C'est un homme fort déterminé, Edouard III ; on le le contourne pas aisément. De plus, il croit que tous les cardinaux français ont parti pris contre lui. Je vais envoyer avec vous notre *venerabilis frater* Capocci. » C'était cela son idée.

Venerabilis frater ! Chaque pape doit cómmettre au moins une erreur durant son pontificat, sinon il serait le bon Dieu lui-même. Eh bien, l'erreur de Clément VI, c'est d'avoir donné le chapeau à Capocci.

« Et puis, m'a dit Innocent, si l'un de vous deux venait à souffrir de quelque maladie... Notre-Seigneur vous en garde... l'autre pourrait poursuivre la mission. » Comme il se sent toujours malade, notre pauvre Saint-Père, il veut que chacun le soit aussi, et il vous ferait donner l'extrême-onction dès que vous éternuez.

M'avez-vous vu malade depuis que nous sommes en route, Archambaud ? Mais le Capocci, lui, les cahots lui brisent les reins ; il lui faut s'arrêter toutes les deux lieues pour pisser. Un jour, il sue de fièvre, un autre il a un flux de ventre. Il voulait me prendre mon médecin, maître Vigier, dont vous reconnaîtrez qu'il n'est pas accablé de labeur, en tout cas de mon fait. Pour moi, le bon physicien est celui qui chaque matin me palpe, m'ausculte, me regarde l'œil et la langue, examine mes urines, ne m'impose pas trop de privations ni ne me saigne plus d'une fois le mois, et qui me tient en bonne santé... Et puis, pour faire ses apprêts, le Capocci ! Il est de cette sorte de gens qui intriguent et insistent pour être chargés de mission et qui, dès qu'ils l'ont obtenue, ne tarissent plus d'exigences. Un secrétaire papal, ce n'était point assez, il lui en fallait deux. Pour quel office, on se le demande, puisque toutes les lettres pour la Curie, avant que nous ne soyons séparés, c'est moi qui ai dû les dicter et les corriger... Tout cela fit que nous ne partîmes qu'au temps du solstice, le 21 juin. Trop tard. On

n'arrête point les guerres quand les armées sont en
route. On les arrête dans la tête des rois, lorsque la
décision est encore hésitante. Je vous dis, Archambaud, un printemps perdu.

La veille du départ, le Saint-Père me reçut, seul.
Peut-être se repentait-il un peu de m'avoir infligé ce
compagnon inutile. Je l'allai voir à Villeneuve, où il
réside. Car il refuse de loger dans le grand palais qu'ont
bâti ses prédécesseurs. Trop de luxe, trop de pompe
à son gré, un train d'hôtel trop nombreux. Innocent
a voulu satisfaire le sentiment public qui reprochait
à la papauté de vivre dans trop de faste. Le sentiment
public ! Quelques écrivailleurs, pour qui le fiel est
l'encre naturelle ; quelques prêcheurs que le Diable a
envoyés dans l'Eglise pour y mettre la discorde. Avec
ceux-ci, il suffisait d'une bonne excommunication, bien
assenée ; avec ceux-là, une prébende, ou un bénéfice,
accompagnés de quelque préséance, car c'est l'envie
souvent qui stimule leurs crachats ; ce qu'ils entendent
redresser dans le monde, c'est le trop peu de place, à
leurs yeux, qu'ils y ont. Voyez Pétrarque, dont vous
m'avez entendu parler, l'autre jour, avec Monseigneur
d'Auxerre. C'est un homme de mauvais naturel, mais
de grand savoir et valeur, il faut le lui reconnaître, et
qui est fort écouté des deux côtés des Alpes. Il était
ami de Dante Alighieri qui l'amena en Avignon ; et il
a été chargé de maintes missions entre les princes.
Voilà quelqu'un qui écrivait qu'Avignon était la sen-
tine des sentines, que tous les vices y prospéraient,
que les aventuriers y grouillaient, que l'on y venait
acheter les cardinaux, que le Pape y tenait boutique
de diocèses et d'abbayes, que les prélats y avaient des
maîtresses et leurs maîtresses des maquereaux... enfin,
la nouvelle Babylone.

Sur moi-même, il répandait de fort méchantes
choses. Comme il était personne à considérer, je l'ai

vu, je l'ai écouté, ce qui lui a donné de la satisfaction,
j'ai arrangé quelques-unes de ses affaires... on disait
qu'il s'adonnait aux arts noirs, magie et autres choses...
je lui ai fait rendre quelques bénéfices dont on l'avait
privé ; j'ai correspondu avec lui en lui demandant de
me copier dans chacune de ses lettres quelques vers
ou sentences des grands poètes anciens, qu'il possède
à merveille, pour orner mes sermons, car moi, je ne
m'abuse point là-dessus, j'ai un style de légiste ; un
moment même je l'ai proposé pour un office de secrétaire papal, et il n'a tenu qu'à lui que la chose aboutît.
Eh bien, il dit beaucoup moins de mal de la cour
d'Avignon, et de moi, il écrit merveilles. Je suis un
astre dans le ciel de l'Eglise, un pouvoir derrière le
trône papal ; j'égale ou surpasse en savoir aucun
juriste de ce temps ; j'ai été béni par la nature et raf-
finé par l'étude ; et l'on peut reconnaître en moi cette
capacité d'embrasser toute chose de l'univers que
Jules César attribuait à Pline l'Ancien. Oui, mon
neveu ; rien moins que cela ! Et je n'ai nullement
réduit mon appareil de maison ni mon nombreux
domestique qui naguère provoquaient sa diatribe... Il
est reparti pour l'Italie, mon ami Pétrarque. Quelque
chose en lui fait qu'il ne peut se fixer nulle part, comme
son ami Dante, sur lequel il s'est beaucoup modelé. Il
s'est inventé un amour sans mesure pour une dame
qui ne fut jamais sa maîtresse, et qui est morte. Avec
cela, il a sa raison de sublime... Je l'aime bien, ce
méchant homme. Il me manque. S'il était demeuré en
Avignon, sans doute serait-il assis à votre place, en ce
moment, car je l'aurais pris dans mon bagage...

Mais suivre le prétendu sentiment public, comme
notre bon Innocent ? C'est montrer faiblesse, donner
puissance à la critique, et s'aliéner beaucoup des gens
qui vous soutenaient, sans rallier aucun mécontent.

Donc, pour donner image d'humilité, notre Saint-

Père s'est allé loger dans son petit palais cardinalice, à Villeneuve, de l'autre côté du Rhône. Mais, même avec un train réduit, l'établissement s'est montré vraiment trop petit. Alors, il a fallu l'agrandir pour abriter les gens indispensables. La secrétairerie fonctionne mal faute de place ; les clercs changent sans cesse de chambre, au fur et à mesure des travaux. Les bulles s'écrivent dans la poussière. Et comme beaucoup d'offices sont demeurés en Avignon, il faut sans cesse traverser le fleuve, en affrontant le grand vent qui souffle souvent là-bas, et qui l'hiver vous gèle jusqu'à l'os. Toutes les affaires prennent retard... En outre, comme il a été élu de préférence à Jean Birel, le général des chartreux, qui jouissait d'une réputation de sainteté parfaite... je me demande, après tout, si j'ai eu raison de l'écarter ; il n'aurait pas été plus malencontreux... notre Saint-Père a fait vœu de fonder une chartreuse. On la bâtit en ce moment entre le logis pontifical et un nouvel appareil de défense, le fort Saint-André, que l'on est en train justement d'édifier. Mais là ce sont les officiers du roi qui ordonnancent les travaux. Si bien que la chrétienté pour l'heure est commandée au milieu d'un chantier.

Le Saint-Père me reçut dans sa chapelle, d'où il ne sort guère, une petite abside à cinq pans, attenante à la grande chambre d'audience... parce qu'il a besoin tout de même d'une salle d'audience ; il s'en est avisé... et qu'il a fait orner par un imagier venu de Viterbe, Matteo Giova quelque chose, Giovanotto, Giovanelli, Giovannetti... c'est bleu, c'est pâle ; cela conviendrait à un couvent de nonnes ; moi, je n'aime guère ; pas assez de rouge, pas assez d'or. Les couleurs vives ne coûtent pas plus cher que les autres... Et le bruit, mon neveu ! Il paraît que c'est le séjour le plus calme de tout le palais, et que c'est pourquoi le Saint-Père s'y retire ! Les scies grincent dans la pierre, les marteaux cliquettent contre les burins, les palans crissent, les charrois roulent, les madriers rebondissent, les ouvriers se hèlent et se querellent... Traiter de graves sujets dans ce vacarme, c'est le purgatoire. Je comprends qu'il souffre de la tête, le Saint-Père ! « Vous voyez, mon vénérable frère, me dit-il, je dépense beaucoup d'argent et me cause beaucoup de tracas pour construire autour de moi les apparences de la pauvreté. Et puis, il me faut tout de même entretenir le grand palais d'en face. Je ne peux pas le laisser crouler... »

Il me touche le cœur, le pape Aubert, quand il se moque de lui-même, tristement, et semble reconnaître ses erreurs, pour me faire plaisir.

Il était assis sur un piètre faudesteuil dont je n'aurais pas voulu pour siège dans mon premier évêché ; comme à l'accoutumée, il s'est tenu penché tout le long de l'entretien. Un grand nez busqué, dans le prolongement du front, de grandes narines, de grands sourcils levés très haut, de grandes oreilles dont le lobe sort du bonnet blanc, les coins de la bouche abaissés dans la barbe frisée. Il est de corps puissamment charpenté, et l'on s'étonne qu'il ait une santé si fragile. Un sculpteur sur pierre travaille à fixer son image, pour son gisant. Parce qu'il ne veut pas de statue debout : ostentation... Mais il accepte, tout de même, d'avoir un tombeau.

Il était dans un jour à se complaindre. Il continua : « Chaque pape, mon frère, doit vivre, à sa manière, la passion de Notre-Seigneur Jésus-Christ. La mienne est dans l'échec de toutes mes entreprises. Depuis que la volonté de Dieu m'a hissé au sommet de l'Eglise, je me sens les mains clouées. Qu'ai-je accompli, qu'ai-je réussi durant ces trois années et demie ? »

La volonté de Dieu, certes, certes ; mais reconnaissons qu'elle a choisi de s'exprimer un peu à travers ma modeste personne. Ce qui me permet quelque liberté avec le Saint-Père. Mais il est des choses, malgré tout, que je ne peux pas lui dire. Je ne puis lui dire, par exemple, que les hommes qui se trouvent investis d'une autorité suprême ne doivent pas chercher à trop modifier le monde pour justifier leur élévation. Il y a chez les grands humbles une forme sournoise d'orgueil qui est souvent la cause de leurs échecs.

Les projets du pape Innocent, ses hautes entreprises, je les connais bien. Il y en a trois, qui se commandent l'une l'autre. La plus ambitieuse : réunir les Eglises latine et grecque, sous l'autorité de la catholique, bien sûr ; ressouder l'Orient et l'Occident, rétablir l'unité du monde chrétien. C'est le rêve de tout pape depuis mille ans. Et j'avais, avec Clément VI, fort avancé les choses, plus loin qu'elles ne le furent jamais, et, en tout cas, qu'elles ne le sont à présent. Innocent a repris le projet à son compte et comme si l'idée lui était venue, toute neuve, par visitation du Saint-Esprit. Ne disputons point.

Pour y parvenir, seconde entreprise, et préalable à la première : réinstaller la papauté à Rome, parce que l'autorité du pape sur les chrétiens d'Orient ne saurait être acceptée que si elle s'exprime du haut du trône de saint Pierre. Constantinople, présentement en défaillance, pourrait sans perdre l'honneur s'incliner devant Rome, non devant Avignon. Là-dessus, vous le savez, je diffère tout à fait d'opinion. Le raisonnement serait juste à condition que le pape lui-même ne s'expose pas à être plus faible encore à Rome qu'il ne l'est en Provence...

Or, pour rentrer à Rome, il fallait d'abord, troisième dessein, se réconcilier avec l'Empereur. Ce qui fut entrepris, par priorité. Voyons donc où nous en sommes de ces beaux projets... On s'est hâté, contre mon conseil, de couronner l'empereur Charles, élu depuis huit ans, et sur lequel nous avions barre tant que nous lui tenions haute la dragée de son sacre. A présent, nous ne pouvons plus rien sur lui. Il nous a remerciés par sa Bulle d'Or, que nous avons dû gober, perdant notre autorité non seulement sur l'élection à l'Empire, mais encore sur les finances de l'Eglise dans l'Empire. Ce n'est pas une réconciliation, c'est une capitulation. Moyennant quoi, l'Empereur nous a généreusement laissé les mains libres en Italie, c'est-à-dire nous a fait la grâce de nous permettre de les poser dans un nid de frelons.

En Italie, le Saint-Père a envoyé le cardinal Alvarez d'Albornoz, qui est plus capitaine que cardinal, pour préparer le retour à Rome. Albornoz a commencé par se cheviller à Cola di Rienzi, qui domina Rome un moment. Né dans une taverne du Trastevere, ce Rienzo était un de ces hommes du peuple à visage de César comme il en surgit de temps en temps là-bas, et qui captivent les Romains en leur rappelant que leurs aïeux ont commandé à tout l'univers. D'ailleurs, il se donnait pour fils d'empereur, s'étant découvert bâtard d'Henri VII de Luxembourg, mais il resta seul de cet avis. Il avait choisi le titre de tribun, il portait toge de pourpre, et siégeait au Capitole, sur les ruines du temple de Jupiter. Mon ami Pétrarque le saluait comme le restaurateur des antiques grandeurs de l'Italie. Ce pouvait être un pion sur notre damier, mais à avancer avec discernement, et non pas en misant tout notre jeu dessus. Il fut assassiné voici deux ans par les Colonna, parce qu'Albornoz tardait à lui envoyer secours. Maintenant tout est à reprendre ; et l'on n'a jamais été aussi loin de rentrer à Rome, où l'anarchie est pire que par le passé. Rome, il faut en rêver toujours, et n'y retourner jamais.

Quant à Constantinople... Oh ! nous sommes très

avancés en paroles. L'empereur Paléologue est prêt
à nous reconnaître ; il en a pris l'engagement solennel ; il viendrait jusqu'à s'agenouiller devant nous, s'il
pouvait seulement sortir de son étroit empire. Il ne
met qu'une seule condition : qu'on lui envoie une
armée pour se délivrer de ses ennemis. Au point qu'il
se trouve, il accepterait de reconnaître un curé de
campagne, contre cinq cents chevaliers et mille hommes de pied...

Ah ! vous aussi, vous vous en étonnez ! Si l'unité
des chrétiens, si la réunion des Eglises ne tient qu'à
cela, ne peut-on expédier vers la mer grecque cette
petite armée ? Eh bien, non, mon bon Archambaud,
on ne le peut point. Parce que nous n'avons pas de
quoi l'équiper ni lui donner ses soldes. Parce que notre
belle politique a produit ses effets ; parce que, pour
désarmer nos détracteurs, nous avons résolu de nous
réformer et de revenir à la pureté de l'Eglise des origines... Quelles origines ? Bien audacieux celui qui
affirme qu'il les connaît vraiment ! Quelle pureté !
Dès qu'il y eut douze apôtres, il s'y trouva un traître !

Et de commencer à supprimer les commendes et
bénéfices qui ne s'accompagnent point de la cure des
âmes... « les brebis doivent être gardées par un pasteur, non par un mercenaire »... et d'ordonner que
soient éloignés des divins mystères ceux qui amassent
richesses... « faisons-nous semblables aux pauvres »...
et d'interdire tous tributs qui proviendraient des pros-
tituées et des jeux de dés... mais oui, nous sommes
descendus dans de tels détails... ah ! c'est que les jeux
de dés poussent à proférer des blasphèmes ; point
d'argent impur ; ne nous engraissons pas du péché,
lequel, devenant meilleur marché, ne fait que croître
et s'étaler.

Le résultat de toutes ces réformations c'est que les
caisses sont vides, car l'argent pur ne coule qu'en

très minces ruisseaux ; les mécontents ont décuplé, et il y a toujours des illuminés pour prêcher que le pape est hérétique.

Ah ! s'il est vrai que l'enfer est pavé de bonnes intentions, le cher Saint-Père en aura dallé un bon bout de chemin !

« Mon vénérable frère, ouvrez-moi toute votre pensée ; ne me cachez rien, même si ce sont reproches que vous avez à formuler à mon endroit. »

Puis-je lui dire que s'il lisait un peu plus attentivement ce que le Créateur écrit pour nous dans le ciel, il verrait alors que les astres forment de mauvaises conjonctions et de tristes quadrats sur presque tous les trônes, y compris le sien, sur lequel il n'est assis que, tout précisément, parce que la configuration est néfaste, car si elle était bonne ce serait sans doute moi qui m'y trouverais ? Puis-je lui dire que lorsqu'on est en si piètre position sidérale, ce n'est point le temps d'entreprendre de renouveler la maison de fond en comble, mais seulement de la soutenir du mieux qu'on peut, telle qu'elle nous a été léguée, et qu'il ne suffit pas d'arriver du village de Pompadour en Limousin, avec des simplicités de paysan, pour être entendu des rois et réparer les injustices du monde ? Le malheur du temps veut que les plus grands trônes ne sont point occupés par des hommes aussi grands que leur charge. Ah ! les successeurs n'auront pas la tâche facile !

Il me dit encore, en cette veille de départ : « Serais-je donc le pape qui aurait pu faire l'unité des chrétiens et qui l'aura manquée ? J'apprends que le roi d'Angleterre assemble à Southampton cinquante bâtiments pour passer près de quatre cents chevaliers et archers et plus de mille chevaux sur le continent. » Je pense bien qu'il avait appris ; c'était moi qui lui avais fait donner la nouvelle. « C'est la moitié de ce qu'il me fau-

drait pour satisfaire l'empereur Paléologue. Ne pourriez-vous avec l'aide de notre frère le cardinal Capocci,
dont je sais bien qu'il n'a pas tous vos mérites, et que
je ne parviens pas à aimer autant que je vous aime... »
Farine, farine, pour m'endormir... « mais qui n'est pas
sans crédit auprès du roi Edouard, ne pourriez-vous
convaincre celui-ci, au lieu d'employer cette expédition
contre la France... Oui, je vois bien ce que vous pensez... Le roi Jean, lui aussi, a convoqué son ost ; mais
il est accessible aux sentiments d'honneur chevaleresque et chrétien. Vous avez du pouvoir sur lui. Si les
deux rois renonçaient à se combattre pour dépêcher
ensemble partie de leurs forces vers Constantinople
afin qu'elle puisse rallier le giron de la seule Eglise,
quelle gloire n'en retireraient-ils pas ? Tentez de leur
représenter cela, mon vénérable frère ; montrez-leur
qu'au lieu d'ensanglanter leurs royaumes, et d'amasser
les souffrances sur leurs peuples chrétiens, ils se ren-
draient dignes des preux et des saints... »

Je répondis : « Très-Saint-Père, la chose que vous
souhaitez sera la plus aisée du monde, aussitôt que
deux conditions auront été remplies : pour le roi
Edouard, qu'il ait été reconnu roi de France et sacré
à Reims ; pour le roi Jean, que le roi Edouard ait
renoncé à ses prétentions et qu'il lui ait rendu l'hommage. Ces deux choses accomplies, je ne vois plus
d'obstacles... — Vous vous moquez de moi, mon frère ;
vous n'avez pas la foi. — J'ai la foi, Très-Saint-Père,
mais je ne me sens pas capable de faire briller le
soleil la nuit. Cela dit, je crois de toute ma foi que si
Dieu veut un miracle, il pourra l'accomplir sans nous. »

Nous restâmes un moment sans parler, parce qu'on
déversait un chariot de moellons dans une cour voisine et qu'une équipe de charpentiers s'était prise de
bec avec les rouliers. Le pape abaissait son grand nez,
ses grandes narines, sa grande barbe. Enfin, il me dit :

« Au moins, obtenez d'eux qu'ils signent une nouvelle
trêve. Dites-leur bien que je leur interdis de reprendre
les hostilités entre eux. Si aucun prélat ou clerc s'op-
pose à vos efforts de paix, vous le privez de tous ses
bénéfices ecclésiastiques. Et rappelez-vous que si les
deux rois persistent à se faire la guerre, vous pouvez
aller jusqu'à l'excommunication ; cela est écrit dans
vos instructions. L'excommunication et l'interdit. »

Après ce rappel de mes pouvoirs, j'avais bien besoin
de la bénédiction qu'il me donna. Car vous me voyez,
Archambaud, dans l'état où est l'Europe, excommunier
les rois de France et d'Angleterre ? Edouard aurait
aussitôt libéré son Eglise de toute obédience au Saint-
Siège, et Jean aurait envoyé son connétable assiéger
Avignon. Et Innocent, qu'aurait-il fait, à votre avis ?
Je vais vous le dire. Il m'aurait désavoué, et levé les
excommunications. Tout cela, ce n'étaient que paroles.

Le lendemain donc, nous partîmes.

Trois jours plus tôt, le 18 juin, les troupes du duc
de Lancastre avaient débarqué à La Hague.

QUATRIÈME PARTIE

L'ÉTÉ DES DÉSASTRES

I

LA CHEVAUCHÉE NORMANDE

Tout ne peut être tout le temps néfaste... Ah ! vous
avez noté, Archambaud, que c'était l'une de mes sentences favorites... Eh ! oui, au sein de tous les revers,
de toutes les peines, de tous les mécomptes, nous
sommes toujours gratifiés de quelque bien qui nous
vient réconforter. Il suffit seulement de le savoir apprécier. Dieu n'attend que notre gratitude pour nous
prouver davantage sa mansuétude.

Voyez, après cet été calamiteux pour la France, et
bien décevant, je le confesse, pour mon ambassade,
voyez comme nous sommes favorisés par la saison, et
le beau temps que nous avons pour continuer notre
voyage ! C'est un encouragement du ciel.

Je craignais, après les pluies que nous eûmes en
Berry, de rencontrer l'intempérie, la bourrasque et la
froidure à mesure que nous avancerions vers le nord.
Aussi m'apprêtais-je à me calfeutrer dans ma litière,
à m'emmitoufler de fourrures et à nous soutenir de vin
chaud. Or voici tout le contraire ; l'air s'est adouci, le

soleil brille, et ce décembre est comme un printemps.
Cela se voit parfois en Provence ; mais je n'attendais
pas pareille lumière qui ensoleille la campagne,
pareille tiédeur qui fait suer les chevaux sous les
housses, pour nous accueillir à notre entrée en Champagne.

Il faisait presque moins chaud, je vous assure, quand
j'arrivai à Breteuil en Normandie, au début de juillet,
pour y trouver le roi.

Car, parti d'Avignon le 21 du mois de juin, j'étais
le 12 juillet... ah ! bon, vous vous souvenez ; je vous
l'ai déjà dit... et le Capocci était malade... c'est cela...
du train auquel je l'avais mené...

Ce que le roi Jean faisait à Breteuil ? Le siège, le
siège du château, au terme d'une courte chevauchée
normande qui n'avait pas été pour lui un gros triomphe, c'est le moins qu'on puisse dire.

Le duc de Lancastre, je vous le rappelle, débarque
en Cotentin le 18 juin. Soyez attentif aux dates ; elles
ont de l'importance, en l'occurrence... Les astres ? Ah,
non, je n'ai pas étudié particulièrement les astres de ce
jour-là. Ce que je voulais dire, c'est qu'à la guerre, le
temps et la rapidité comptent autant et parfois plus
que le nombre des troupes.

Dans les trois jours, il fait sa jonction, à l'abbaye
de Montebourg, avec les détachements du continent,
celui que Robert Knolles, un bon capitaine, amène de
Bretagne, et celui qu'a levé Philippe de Navarre.
Qu'alignent-ils à eux trois ? Philippe de Navarre et
Godefroy d'Harcourt n'ont guère avec eux plus d'une
centaine de chevaliers. Knolles fournit le plus fort
contingent : trois cents hommes d'armes, cinq cents
archers, pas tous anglais d'ailleurs ; il y a là des Bre-
tons qui viennent avec Jean de Montfort, prétendant
au duché contre le comte de Blois qui est l'homme des
Valois. Enfin, Lancastre compte à peine cent cinquante

armures et deux cents archers, mais il a une grosse remonte de chevaux.

Lorsque le roi Jean II connut ces chiffres, il eut un grand dire qui le secoua de la panse aux cheveux. Pensait-on l'effrayer avec cette piteuse armée ? Si c'était là tout ce que son cousin d'Angleterre pouvait réunir, il n'y avait pas de quoi s'inquiéter grandement. « J'avais bien raison, vous voyez, Charles, mon fils, vous voyez, Audrehem, de ne pas craindre de mettre mon gendre en geôle ; oui, j'avais bien raison de me moquer des défis de ces petits Navarre, puisqu'ils ne peuvent produire que si maigres alliés. »

Et il se donnait gloire d'avoir, dès le début du mois, appelé l'ost à Chartres. « N'était-ce pas bonne prévoyance, qu'en dites-vous, Audrehem, qu'en dites-vous, Charles, mon fils ? Et vous voyez qu'il suffisait de convoquer le ban, et non l'arrière-ban. Qu'ils courent, ces bons Anglais, qu'ils s'enfoncent dans le pays. Nous allons fondre sur eux et les jeter dans la bouche de Seine. »

On l'avait rarement vu si joyeux, m'a-t-on dit, et je le veux bien croire. Car ce perpétuel battu aime la guerre, au moins en rêve. Partir, donner des ordres du haut de son destrier, être obéi, enfin ! car à la guerre les gens obéissent... en tout cas au départ ; laisser les soucis de finance ou de gouvernement à Nicolas Braque, à Lorris, à Bucy et aux autres ; vivre entre hommes, plus de femmes dans l'entourage ; bouger, bouger sans cesse, manger en selle, à grosses bouchées, ou bien sur un talus de route, à l'abri d'un arbre déjà chargé de petits fruits verts, recevoir le rapport des éclaireurs, prononcer de grandes paroles que chacun ira répétant... « si l'ennemi a soif, il boira son sang »... poser la main sur l'épaule d'un chevalier qui en rougit d'aise... « jamais las, Boucicaut... ta bonne épée fourmille, noble Coucy ! »...

Et pourtant, a-t-il remporté une seule victoire ?
Jamais. A vingt-deux ans, désigné par son père comme
chef de guerre en Hainaut... ah ! la belle appellation :
chef de guerre !... il s'est remarquablement fait décou-
dre par les Anglais. A vingt-cinq ans, avec un plus beau
titre encore, à croire qu'il les invente : seigneur de la
conquête... il a coûté fort cher aux populations du
Languedoc, sans réussir, en quatre mois de siège, à
s'emparer d'Aiguillon, au confluent du Lot et de la
Garonne. Mais à l'entendre, tous ses combats furent
prouesses, quelque triste issue ils aient eue. Jamais
homme ne s'est acquis tant d'assurance dans l'expérience de la défaite.

Cette fois, il faisait durer son plaisir.

Le temps, pour lui, d'aller prendre l'oriflamme à
Saint-Denis et, sans se presser, de gagner Chartres,
déjà le duc de Lancastre, passé au sud de Caen, fran-
chissait la Dives et s'en venait dormir à Lisieux. Le
souvenir de la chevauchée d'Edouard III, dix ans
plus tôt, et surtout du sac de Caen, n'était pas effacé.
Des centaines de bourgeois occis dans les rues, quarante mille pièces de drap raflées, tous les objets précieux enlevés pour l'outre-Manche, et l'incendie de
la ville évité de justesse... certes non, la population
normande n'avait pas oublié et elle montrait plutôt
de l'empressement à laisser passer les archers anglais.
D'autant plus que Philippe d'Evreux-Navarre et messire Godefroy d'Harcourt faisaient bien savoir que ces
Anglais étaient des amis. Le beurre, le lait et les fro-
mages étaient abondants, le cidre gouleyant ; les chevaux dans ces prés gras ne manquaient pas de four-
rage. Après tout, nourrir mille Anglais, un soir, coûtait
moins cher que payer au roi, toute l'année ronde, sa
gabelle, son fouage, et son impôt de huit deniers à la
livre sur les marchandises.

A Chartres, Jean II trouva son ost moins rassemblé

et moins prêt qu'il ne le croyait. Il comptait sur une armée de quarante mille hommes. A peine en dénombrait-on le tiers. Mais n'était-ce pas assez, n'était-ce pas déjà trop en regard de l'adversaire qu'il devait affronter ? « Eh, je ne paierai point ceux qui ne se sont pas présentés ; ce sera tout avantage. Mais je veux qu'on leur adresse remontrances. »

Le temps de s'installer dans son tref fleurdelisé et d'expédier ces remontrances... « quand le roi veut, chevalier doit »... le duc de Lancastre, lui, était à Pont-Audemer, un fief du roi de Navarre. Il délivrait le château, qu'un parti français assiégeait vainement depuis plusieurs semaines, et renforçait un peu la garnison navarraise, à laquelle il laissait du ravitaillement pour un an ; puis, piquant au sud, il allait piller l'abbaye du Bec-Hellouin.

Le temps, pour le connétable, duc d'Athènes, de mettre un peu d'ordre dans la cohue de Chartres... car ceux qui s'étaient présentés piétinaient les blés nouveaux depuis trois semaines et commençaient à s'impatienter... le temps surtout d'apaiser les discordes entre les deux maréchaux, Audrehem et Jean de Clermont, qui se haïssaient de bon cœur, et Lancastre déjà était sous les murs du château de Conches dont il délogea les gens qui l'occupaient au nom du roi. Et puis il y mit le feu. Ainsi les souvenirs de Robert d'Artois et ceux, plus frais, de Charles le Mauvais s'en allèrent en fumée. Il ne porte pas bonheur, ce château-là... Et Lancastre se dirigea sur Breteuil. A part Evreux, toutes les places que le roi avait voulu saisir dans le fief de son gendre étaient reprises l'une après l'autre.

« Nous écraserons ces méchants à Breteuil », dit fièrement Jean II quand son armée put enfin s'ébranler. De Chartres à Breteuil, il y a dix-sept lieues. Le roi voulut qu'on les couvrît en une seule étape. Dès midi, il paraît qu'on commença d'égrener des traînards. Quand les hommes parvinrent, fourbus, à Breteuil, Lancastre n'y était plus. Il avait enlevé la citadelle, pris la garnison française et installé en sa place une troupe solide, commandée par un bon chef navarrais, Sanche Lopez, auquel il laissait, là aussi, du ravitaillement pour un an.

Prompt à se consoler, le roi Jean s'écria : « Nous les taillerons à Verneuil ; n'est-ce pas mes fils ? » Le Dauphin n'osait dire ce qu'il m'a confié ensuite, à savoir qu'il lui semblait absurde de poursuivre mille hommes avec près de quinze mille. Il ne voulait point paraître moins assuré que ses frères cadets qui tous se modelaient sur leur père et faisaient les ardents, y compris le plus jeune, Philippe, qui n'a que quatorze ans.

Verneuil au bord de l'Avre ; l'une des portes de la Normandie. La chevauchée anglaise y était passée la veille, tel un torrent ravageur. Les habitants virent arriver l'armée française comme un fleuve en crue.

Messire de Lancastre sachant ce qui déferlait vers lui, se garda bien de pousser vers Paris. Emmenant le gros butin qu'il avait fait en chemin, ainsi qu'un beau nombre de prisonniers, il reprit prudemment la route de l'ouest... « Sur Laigle, sur Laigle, ils sont partis sur Laigle », indiquèrent les vilains. Entendant cela, le roi Jean se sentit marqué par l'attention divine. Vous voyez bien pourquoi... Mais non, Archambaud, pas à cause de l'oiseau... Ah ! vous y êtes... A cause de la Truie-qui-file... le meurtre de Monsieur d'Espagne... Là où avait été perpétré le crime, là même le roi arrivait pour accomplir le châtiment. Il ne permit pas à son armée de dormir plus de quatre heures. A Laigle, il allait rejoindre les Anglais et Navarrais, et ce serait l'heure, enfin, de sa vengeance.

Ainsi, le neuf juillet, ayant fait halte devant le seuil de la Truie-qui-file, le temps d'y ployer sa genouillère de fer... étrange spectacle pour l'armée que celui d'un roi en prière et en pleurs sur une porte d'auberge !... il apercevait enfin les lances de Lancastre, à deux lieues de Laigle, en lisière de la forêt de Tubœuf... Tout cela, mon neveu, venait de se passer quand on me le conta, trois jours après.

« Lacez heaumes, formez batailles », cria le roi.

Alors, pour une fois d'accord, le connétable et les deux maréchaux s'interposèrent. « Sire, déclara rudement Audrehem, vous m'avez toujours vu ardent à vous servir... — Et moi aussi, dit Clermont. — ...mais ce serait folie de nous engager sur-le-champ. Il ne faut plus demander un seul pas à vos troupes. Depuis quatre jours vous ne leur donnez point de répit, et ce jour même vous les avez menées avec plus grande hâte que jamais. Les hommes sont hors de souffle, voyez-les donc ; les archers ont les pieds en sang et s'ils n'avaient leur pique pour se soutenir, ils s'écrouleraient sur le chemin même. — Ah ! cette piétaille, toujours, qui ralentit tout ! » dit Jean II irrité. « Ceux qui chevauchent ne valent pas mieux, lui répliqua Audrehem. Maintes montures sont blessées au garrot par leur charge, et maintes autres boitent, qu'on n'a pu referger. Les hommes d'armure, à tant aller par la chaleur qu'il fait, ont le cul saignant. N'attendez rien de vos bannières, avant qu'elles n'aient pris repos. — Outre quoi, Sire, renchérit Clermont, voyez en quel territoire nous irions attaquer. Nous avons devant nous une forêt dense, où Messire de Lancastre s'est retrait. Il aura toute aisance de faire échapper son parti, cependant que nos archers vont s'empêtrer en taillis et nos lances charger des troncs d'arbres. »

Le roi Jean eut un moment d'humeur méchante, pestant contre les hommes et les circonstances qui faisaient échec à sa volonté. Puis il prit une de ces décisions surprenantes pour lesquelles ses courtisans l'appellent le Bon, afin que leur flatterie lui soit répétée.

Il envoya ses deux premiers écuyers, Pluyan du Val et Jean de Corquilleray, vers le duc de Lancastre pour lui porter défi et lui demander bataille. Lancastre se tenait dans une clairière, ses archers disposés devant lui, tandis que des éclaireurs, partout, observaient l'armée française et repéraient des chemins de repli. Le duc aux yeux bleus vit donc arriver devers lui, escortés de quelques gens d'armes, les deux écuyers royaux qui arboraient pennon fleurdelisé à la hampe de leur lance, et qui soufflaient en cornet comme des hérauts de tournoi. Entouré de Philippe de Navarre, de Jean de Montfort et de Godefroy d'Harcourt, il écouta le discours suivant, que lui tint Pluyan du Val.

Le roi de France arrivait à la tête d'une immense armée, alors que le duc n'en avait qu'une petite. Aussi proposait-il audit duc de s'affronter le lendemain, avec un même nombre de chevaliers de part et d'autre, cent, ou cinquante, ou même trente, dans un lieu à convenir et selon toutes les règles de l'honneur.

Lancastre reçut courtoisement les propositions du roi « qui se disait de France », mais n'en était pas moins partout réputé pour sa chevalerie. Il assura qu'il envisagerait la chose avec ses alliés, qu'il désignait de la main, car elle était trop sérieuse pour en décider seul. Les deux écuyers crurent pouvoir déduire de ces paroles que Lancastre donnerait réponse le lendemain.

C'est sur cette assurance que le roi Jean commanda de dresser son tref et plongea dans le sommeil. Et la nuit des Français fut celle d'une armée ronflante.

Au matin, la forêt de Tubœuf était vide. On y voyait des traces de passage, mais plus d'Anglais ni de Navarrais. Lancastre avait prudemment replié son monde vers Argentan.

Le roi Jean II laissa éclater son mépris pour ces ennemis sans loyauté, seulement bons au pillage quand ils n'avaient personne devant eux, mais qui s'éclipsaient dès qu'on leur offrait combat. « Nous portons l'Etoile sur le cœur, tandis que la Jarretière leur bat le mollet. Voilà ce qui nous distingue. Ce sont les chevaliers de la fuite. »

Mais songea-t-il à les prendre en chasse ? Les maréchaux proposaient de jeter les bannières les plus fraîches sur la voie de Lancastre ; à leur surprise, Jean II repoussa l'idée. On eût dit qu'il considérait la bataille gagnée dès lors que l'adversaire n'avait pas relevé son défi.

Il décida donc de revenir vers Chartres pour y dissoudre l'ost. Au passage, il reprendrait Breteuil.

Audrehem lui remontra que la garnison laissée à Breteuil par Lancastre était nombreuse, bien commandée et bien retranchée. « Je connais la place, Sire ; on ne l'enlève pas facilement. — Alors pourquoi les nôtres s'en sont-ils laissé déloger ? lui répondit le roi Jean. Je conduirai le siège moi-même. »

Et c'est là, mon neveu, que je le rejoignis, en compagnie de Capocci, le 12 juillet.

II

LE SIÈGE DE BRETEUIL

Le roi Jean nous reçut armé en guerre, comme s'il allait lancer l'assaut dans la demi-heure. Il nous baisa l'anneau, nous demanda nouvelles du Saint-Père, et, sans écouter la réponse un peu longue, dissertante et fleurie, dans laquelle Niccola Capocci s'était engagé, il me dit : « Monseigneur de Périgord, vous arrivez à point pour assister à un beau siège. Je sais la vaillance qu'on a dans votre famille, et qu'on y est expert aux arts de la guerre. Les vôtres toujours ont très hautement servi le royaume, et si vous n'étiez prince d'Eglise, vous seriez sans doute maréchal à mon ost. Je gage qu'ici vous allez prendre plaisir. »

Cette manière de ne s'adresser qu'à moi, et pour me complimenter sur ma parentèle, déplut au Capocci, qui n'est pas de très haut lignage, et qui crut bon de dire que nous n'étions pas là pour nous émerveiller de prouesses de guerre, mais pour parler de paix chrétienne.

Je sus aussitôt que les choses n'iraient guère entre

mon colégat et le roi de France, surtout quand ce dernier eut vu mon neveu Robert de Durazzo auquel il
fit force amitiés, le questionnant sur la cour de Naples
et sur sa tante la reine Jeanne. Il faut dire qu'il était
très beau, mon Robert, tournure superbe, visage rose,
cheveux soyeux... la grâce et la force tout ensemble.
Et je vis poindre dans l'œil du roi cette étincelle qui
ordinairement luit au regard des hommes quand passe
une belle femme. « Où prendrez-vous vos quartiers ? »
demanda-t-il. Je lui dis que nous nous accommode-
rions dans une abbaye voisine.

Je l'observai bien, et le trouvai assez envieilli,
épaissi, alourdi, le menton plus pesant sous la barbe
peu fournie, d'un jaune pisseux. Et il avait pris l'habitude de balancer la tête, comme s'il était gêné au col
ou à l'épaule par quelque limaille dans sa chemise
d'acier.

Il voulut nous montrer le camp, où notre arrivée
avait produit quelque remous de curiosité. « Voici Sa
Sainte Eminence Monseigneur de Périgord qui nous
est venu visiter », disait-il à ses bannerets, comme si
nous étions venus tout exprès pour lui porter l'aide
du ciel. Je distribuai les bénédictions. Le nez de
Capocci s'allongeait de plus en plus.

Le roi tenait beaucoup à me faire connaître le chef
de son engeignerie auquel il semblait accorder plus
d'importance qu'à ses maréchaux ou même son connétable. « Où est l'Archiprêtre ?... A-t-on vu l'Archiprêtre ?... Bourbon, faites appeler l'Archiprêtre... » Et je
me demandais ce qui pouvait bien valoir le surnom
d'archiprêtre au capitaine qui commandait les machines, mines et artillerie à poudre.

Etrange bonhomme que celui qui vint à nous, monté
sur de longues pattes arquées prises dans des jambières et des cuissots d'acier ; il avait l'air de marcher
sur des éclairs. Sa ceinture, très serrée sur le surcot de

cuir, lui donnait une tournure de guêpe. De grandes
mains aux ongles noirs et qu'il tenait écartées du
corps, à cause des cubitières de métal qui lui proté-
geaient les bras. Une gueule assez louche, maigre, aux
pommettes saillantes, aux yeux étirés, et l'expression
goguenarde de quelqu'un qui est toujours prêt à
s'offrir pour un quart de sol la figure d'autrui. Et pour
coiffer le tout, un chapeau de Montauban, à larges
bords, tout en fer, avançant en pointe au-dessus du nez,
avec deux fentes pour pouvoir regarder à travers
quand il baissait la tête. « Où étais-tu l'Archiprêtre ?
On te cherchait », dit le roi qui précise à mon intention : « Arnaud de Cervole, sire de Vélines. — Archiprêtre, pour vous servir... Monseigneur cardinal... »,
ajoute l'autre d'un ton moqueur qui ne me plaît guère.

Et soudain, je me rappelle... Vélines, c'est de chez
nous, Archambaud... bien sûr, près de Sainte-Foy-la-
Grande, aux limites du Périgord et de la Guyenne. Et
le bonhomme avait bel et bien été archiprêtre, un
archiprêtre sans latin ni tonsure, certes, mais archiprêtre quand même. Et d'où cela ? Mais tout naturellement de Vélines, son petit fief, dont il s'était fait
attribuer la cure, touchant ainsi à la fois les redevan-
ces seigneuriales et les revenus ecclésiastiques. Il ne
lui en coûtait que de payer un vrai clerc, au rabais,
pour assurer le travail d'Eglise... jusqu'à ce que le
pape Innocent lui supprime son bénéfice, comme toutes autres commendes de cette nature, au début du
pontificat. « Les brebis doivent être gardées par un
pasteur... » ; ce que je vous contais l'autre jour. Alors,
envolée l'archiprêtrise de Vélines ! J'avais eu à connaître de l'affaire entre cent de même sorte, et je savais
que le gaillard ne portait pas la cour d'Avignon au plus
haut de son cœur. Pour une fois, je dois dire, je donnais
pleine raison au Saint-Père. Et je devinai que ce Cervole n'allait pas, lui non plus, me faciliter les choses.

« L'Archiprêtre m'a fait un fier travail à Evreux, et la ville est redevenue nôtre », me dit le roi pour mettre en valeur son artificier. « C'est même la seule que vous ayez reprise au Navarrais, Sire », lui répondit Cervole avec un bel aplomb. « Nous en ferons autant de Breteuil. Je veux un beau siège, comme celui d'Aiguillon. — A ceci près que vous n'avez jamais pris Aiguillon, Sire. »

Diantre, me dis-je, l'homme est bien en cour, pour parler avec cette franchise.

« C'est qu'on ne m'en a point, hélas, laissé le temps », dit tristement le roi.

Il fallait être l'Archiprêtre... je me suis mis moi aussi à l'appeler l'Archiprêtre, puisque tout le monde le nommait ainsi... il fallait être cet homme-là pour balancer son chapeau de fer et murmurer, devant son souverain : « Le temps, le temps... six mois... »

Et il fallait être le roi Jean pour s'obstiner à croire que le siège d'Aiguillon, qu'il avait conduit dans l'année même où son père se faisait écraser à Crécy, représentait un modèle de l'art militaire. Une entreprise ruineuse, interminable. Un pont qu'il avait ordonné de construire pour approcher la forteresse, et dans un si bon emplacement que les assiégés l'avaient détruit six fois. Des machines compliquées qu'on avait dû acheminer à grands frais et grande lenteur, depuis Toulouse... et pour un résultat parfaitement nul.

Eh bien ! c'était là-dessus que le roi Jean fondait sa gloire et qu'il autorisait son expérience. En vérité, acharné comme il est à régler ses rancunes envers le destin, il voulait prendre, à dix ans de distance, sa revanche d'Aiguillon, et prouver que ses méthodes étaient les bonnes ; il voulait laisser dans la mémoire des nations le souvenir d'un grand siège.

Et c'était pour cela que, négligeant de poursuivre un

ennemi qu'il aurait pu battre sans beaucoup de peine, il venait de planter son tref devant Breteuil. Encore, s'adressant à l'Archiprêtre, fort versé dans le nouvel usage des destructions par la poudre, on eût pu croire qu'il avait résolu de miner les murailles du château, comme on avait fait à Evreux. Mais non. Ce qu'il demandait à son maître de l'engeignerie, c'était d'élever des constructions d'assaut qui permettraient de passer par-dessus les murs. Et les maréchaux et les capitaines écoutaient, pleins de respect, les ordres du roi et s'affairaient à les accomplir. Aussi longtemps qu'un homme commande, fût-ce le pire imbécile, il y a des gens pour croire qu'il commande bien.

Quant à l'Archiprêtre... j'eus l'impression que l'Archiprêtre se moquait de tout. Le roi voulait des rampes, des échafaudages, des beffrois ; eh bien, on lui en construirait, et l'on demanderait paiement en conséquence. Si ces appareils d'autrefois, ces machineries d'avant les pièces à feu n'apportaient pas le résultat escompté, le roi n'aurait à s'en prendre qu'à lui-même. Et l'Archiprêtre ne laisserait à personne le soin de le lui dire ; il avait sur le roi Jean cet ascendant qu'ont parfois les soudards sur les princes, et il ne se gênait pas pour en user, une fois que le trésorier lui avait aligné sa solde et celle de ses compagnons.

La petite ville normande se transforma en un immense chantier. On creusait des retranchements autour du château. La terre retirée des fossés servait à établir des plates-formes et des pentes d'assaut. Ce n'était que bruits de pelles et de charrois, grincements d'essieux, claquements de fouets et jurons. Je me serais cru revenu à Villeneuve.

Les haches retentissaient dans les forêts avoisinantes. Certains villageois des parages faisaient leurs affaires, s'ils vendaient de la boisson. D'autres avaient la mauvaise surprise de voir soudain six goujats

démolir leur grange pour en emporter les poutres.
« Service du roi ! » C'était vite dit. Et les pioches de
s'attaquer aux murs de torchis, et les cordes de tirer
sur les bois de colombages, et bientôt, dans un grand
craquement, tout s'écroulait. « Il aurait bien pu aller
se planter ailleurs, le roi, plutôt que de nous envoyer
ces malfaisants qui nous ôtent nos toits de dessus la
tête », disaient les manants. Ils commençaient à trouver que le roi de Navarre était un meilleur maître, et
que même la présence des Anglais pesait moins lourd
que celle du roi de France.

Je restai donc à Breteuil un morceau de juillet, au
grand dam de Capocci qui aurait préféré le séjour de
Paris... moi aussi je l'eusse préféré !... et qui envoyait
en Avignon des missives pleines d'acrimonie où il
laissait entendre fielleusement que je me plaisais plus
à contempler la guerre qu'à faire avancer la paix. Or
comment, je vous le demande, pouvais-je faire avancer
la paix sinon en parlant au roi, et où pouvais-je lui
parler, sinon au siège dont il ne paraissait pas vouloir
s'éloigner ?

Il passait ses journées à tourner autour des travaux
en compagnie de l'Archiprêtre ; il usait son temps à
vérifier un angle d'attaque, à s'inquiéter d'un épaule-
ment, et surtout à regarder monter la tour de bois, un
extraordinaire beffroi sur roues où l'on pourrait loger
force archers, avec tout un armement d'arbalètes et de
traits à feu, une machine comme on n'en avait point
vu depuis les temps antiques. Il ne suffisait pas d'en
bâtir les étages ; il fallait encore trouver assez de
peaux de bœufs pour revêtir cet énorme échafaud ; et
puis construire un chemin dur et plat, pour pouvoir
l'y pousser. Mais quand elle serait prête, la tour, on
verrait des choses étonnantes !

Le roi me conviait souvent à souper, et là je pouvais
l'entretenir.

« La paix ? me disait-il. Mais c'est tout mon désir. Voyez, je suis en train de dissoudre mon ost, gardant juste avec moi ce qu'il me faut pour ce siège. Attendez que j'aie pris Breteuil, et aussitôt après je veux bien faire la paix, pour complaire au Saint-Père. Que mes ennemis me soumettent leurs propositions. — Sire, disais-je, il faudrait savoir quelles propositions vous seriez prêt à considérer... — Celles qui ne seront pas contraires à mon honneur. » Ah ! ce n'était pas tâche facile ! Ce fut moi, hélas, qui eus à lui apprendre, car j'étais mieux informé que lui, que le prince de Galles rassemblait des troupes à Libourne et à La Réole pour une nouvelle chevauchée.

« Et vous me parlez de paix, Monseigneur de Périgord ? — Précisément, Sire, afin d'éviter que de nouveaux malheurs... — Cette fois, je ne permettrai pas que le prince d'Angleterre s'ébatte en Languedoc comme il le fit l'an passé. Je vais convoquer l'ost de nouveau, pour le 1er août, à Chartres. »

Je m'étonnai qu'il laissât partir ses bannières pour les rappeler, une semaine plus tard. Je m'en ouvris, discrètement, au duc d'Athènes, à Audrehem, car tout ce monde venait me voir et se confiait à moi. Non, le roi s'obstinait, par un souci d'économie qui ne lui ressemblait guère, à renvoyer d'abord le ban, qu'il avait appelé le mois précédent, pour le rappeler, avec l'arrière-ban. Quelqu'un avait dû lui dire, Jean d'Artois peut-être ou une aussi fine cervelle, qu'il épargnerait ainsi quelques jours de solde. Mais il aurait pris un mois de retard sur le prince de Galles. Oh ! oui, il lui fallait faire la paix ; et plus il attendrait, moins elle serait négociable à sa satisfaction.

Je connus mieux l'Archiprêtre, et je dois dire que le bonhomme m'amusa. Le Périgord le rapprochait de moi ; il vint de demander de lui faire rendre son bénéfice. Et en quels termes ! « Votre Innocent...

— Le Saint-Père, mon ami, le Saint-Père... lui disais-je.

— Bon, le Saint-Père, si vous voulez, m'a supprimé ma commende pour le bon ordre de l'Eglise... ah ! c'est ce que l'évêque m'a dit. Eh quoi ? Croit-il donc qu'il n'y avait pas d'ordre à Vélines, avant lui ? La cure des âmes, messire cardinal, vous pensez que je ne l'exerçais point ? Il aurait fait beau voir qu'un agonisant trépassât sans les sacrements. A la moindre maladie, j'envoyais le tonsuré. Ça se paie, les sacrements. Et les gens qui passaient devant ma justice : amende. Ensuite, à confesse ; et la taxe de pénitence. Les adultères, la même chose. Je sais comment ça se mène, moi, les bons chrétiens. » Je lui disais : « L'Eglise a perdu un archiprêtre, mais le roi a gagné un bon chevalier. » Car Jean II l'avait armé chevalier, l'an passé.

Tout n'est pas mauvais, dans ce Cervole. Il a, pour parler des bords de notre Dordogne, des accents tendres qui surprennent. L'eau verte de la vaste rivière où se reflètent nos manoirs, le soir, entre les peupliers et les frênes ; les prairies grasses au printemps, la chaleur sèche des étés qui fait mûrir les orges jaunes ; les soirs qui sentent la menthe ; les raisins de septembre où nous mordions, enfants, dans des grappes chaudes... Si tous les hommes de France aimaient leur terre autant que l'aime cet homme-là, le royaume serait mieux défendu.

Je finis par comprendre les raisons de la faveur dont il jouissait. D'abord, il avait rejoint le roi dans la chevauchée de Saintonge, en 51, une petite équipée, mais qui avait permis à Jean II de croire qu'il serait un roi victorieux. L'Archiprêtre lui avait amené sa troupe, vingt armures et soixante sergents de pied. Comment les avait-il pu rassembler, à Vélines ? Toujours est-il que cela formait une compagnie. Mille écus d'or, réglés par le trésorier des guerres, pour le service d'une année... Cela permettait au roi de dire :

« Nous sommes compagnons de longtemps, n'est-ce pas vrai, l'Archiprêtre ? »

Ensuite, il avait servi sous Monsieur d'Espagne, et, malin, ne manquait jamais de le rappeler devant le roi. C'était même sous les ordres de Charles d'Espagne, dans la campagne de 53, qu'il avait chassé les Anglais de son propre château de Vélines et des terres avoisinantes, Montcarret, Montaigne, Montravel... Les Anglais tenaient Libourne et y avaient grosse garnison d'archers. Mais lui, Arnaud de Cervole, tenait Sainte-Foy et n'était pas disposé à se la laisser enlever... « Je suis contre le Pape parce qu'il m'a ôté mon archi-prêtrise ; je suis contre l'Anglais parce qu'il a ravagé mon château ; je suis contre le Navarrais parce qu'il a occis mon connétable. Ah ! que n'ai-je été à Laigle, auprès de lui, pour le défendre ! »... C'était baume pour les oreilles du roi.

Et puis, enfin, l'Archiprêtre excelle aux nouveaux engins à feu. Il les aime, il les apprivoise, il s'en amuse. Rien ne lui plaît tant, il me l'a dit, que d'allumer une mèche, après de souterraines préparations, et de voir une tour de château s'ouvrir comme une fleur, comme un bouquet, projetant en l'air hommes et pierres, piques et tuiles. A cause de cela, il est entouré, sinon d'estime, du moins d'un certain respect ; car beau-coup, parmi les plus hardis chevaliers, répugnent à s'approcher de ces armes du diable que lui manie comme en se jouant. Il y a des gens ainsi, chaque fois qu'apparaissent de nouveaux procédés de guerre, qui en ont le sens immédiat et se font une réputation de leur emploi. Alors que les valets d'armes, les mains sur les oreilles, courent se mettre à l'abri, et que même les barons et les maréchaux reculent prudemment, Cervole, une lumière amusée dans l'œil, regarde rou-ler les barils de poudre, donne des ordres nets, enjambe les fougasses, se coule dans les sapes en ram-

pant sur ses cubitières, ressort, bat tranquillement le
briquet, prend son temps pour gagner un angle mort
ou s'accroupir derrière un muret, tandis que part le
tonnerre, que la terre tremble et que les murs s'en-
trouvrent.

Pareilles tâches exigent des équipes solides. Cervole
a formé la sienne ; des brutes habiles, des amateurs de
massacre, ravis de répandre la terreur, de briser, de
détruire. Il les paie bien ; car le risque vaut salaire.
Et il va flanqué de ses deux lieutenants qu'on croirait
choisis pour leurs noms : Gaston de la Parade et
Bernard d'Orgueil. Entre nous, le roi Jean aurait
mieux employé ces trois artificiers-là, Breteuil serait
tombé en une semaine. Mais non ; il voulait son beffroi
roulant.

Cependant que la grande tour s'élevait, don Sanche
Lopez, ses Navarrais et ses Anglais, enfermés dans le
château, n'avaient par l'air autrement émus. Les gardes se relayaient, à heures fixes, sur les chemins de
ronde. Les assiégés, bien pourvus de vivres, avaient
la mine grasse. De temps en temps, ils envoyaient une
volée de flèches sur les terrassiers, mais avec parci-
monie, pour ne pas user inutilement leurs munitions.
Ces tirs, qui se produisaient parfois au passage du roi,
lui procuraient des illusions d'exploit... « Avez-vous
vu ? Tout un vol de flèches est arrivé sur lui, et point
n'a bronché notre Sire ; ah ! le bon roi... » et permet-
taient à l'Archiprêtre, à l'Orgueil, à la Parade de lui
crier : « Gardez-vous, Sire, on vous ajuste ! »... en lui
faisant rempart de leur corps contre des traits qui
venaient finir dans l'herbe, à leurs pieds.

Il ne sentait pas bon, l'Archiprêtre. Mais il faut
convenir que tout le monde puait, que tout le camp
puait, et que c'était surtout par l'odeur que Breteuil
était assiégée ! La brise charriait des senteurs d'excré-
ments, car tous ces hommes qui pelletaient, char-

royaient, sciaient, clouaient, se soulageaient au plus
près de leur labeur. On ne se lavait guère, et le roi lui-
même, constamment en cuirasse...

Usant d'autant de parfums et d'essences que je pouvais, j'eus le temps de bien observer les faiblesses du
roi Jean. Ah ! c'est merveille que tant d'inconscience !

Il avait là deux cardinaux mandés par le Saint-Père
pour tenter une grande paix générale ; il recevait des
courriers de tous les princes d'Europe qui blâmaient
sa conduite envers le roi de Navarre et lui donnaient
conseil de le libérer ; il apprenait que les aides, partout, rentraient mal, et que non seulement en Normandie, non seulement à Paris, mais dans le royaume
entier, l'humeur des gens était mauvaise et toute prête
à la révolte ; il savait, surtout, que deux armées
anglaises s'apprêtaient contre lui, celle de Lancastre
en Cotentin, qui recevait renforts, et celle d'Aquitaine...
Mais rien n'avait d'importance, à ses yeux, que le
siège d'une petite place normande, et rien ne l'en
pouvait distraire. S'obstiner sur le détail sans plus
apercevoir l'ensemble est un grand vice de nature,
chez un prince.

Durant tout un mois, Jean II n'alla qu'une fois à
Paris, quatre jours, et pour y commettre la sottise
que je vous dirai. Et le seul édit dont il n'ait pas alors
laissé le soin à ses conseillers fut pour faire crier dans
les bourgs et bailliages, à six lieues autour de Breteuil,
que toutes manières de maçons, charpentiers, foueurs,
mineurs, houeurs, coupeurs de bois et autres manœu-
vriers vinssent devers lui, de jour comme de nuit, portant les instruments et outils nécessaires à leurs
métiers, afin de travailler aux pièces de siège.

La vue de son grand beffroi mobile, son atournement d'assaut comme il l'appelait, l'emplissait de
satisfaction. Trois étages ; chaque plate-forme assez
large pour que deux cents hommes y puissent tenir

et combattre. Cela ferait donc six cents soldats au total qui occuperaient cette machine extraordinaire, quand on aurait apporté assez de fagots et fascines, charrié assez de pierres et tassé de terre pour lui former le chemin où elle roulerait sur ses quatre roues énormes.

Le roi Jean était si fier de son beffroi qu'il avait invité à le voir monter et mettre en œuvre. Ainsi s'en étaient venus le bâtard de Castille, Henri de Trastamare, ainsi que le comte de Douglas.

« Messire Edouard a son Navarrais, mais moi j'ai mon Ecossais », disait joliment le roi. A la différence près que Philippe de Navarre apportait aux Anglais la moitié de la Normandie, tandis que messire de Douglas n'apportait rien d'autre au roi de France que sa vaillante épée.

J'entends encore le roi nous expliquer : « Voyez, messeigneurs : cet atournement peut être poussé au point que l'on veut des remparts, les surplomber, permettre aux assaillants de jeter dans la place toutes sortes de carreaux et projectiles, d'attaquer à hauteur même des chemins de ronde. Les cuirs qu'on cloue dessus ont pour objet d'amortir les flèches. » Et moi qui m'obstinais à lui parler des conditions de la paix !

L'Espagnol et l'Ecossais n'étaient pas seuls à contempler l'énorme tour de bois. Les gens de messire Sanche Lopez la regardaient aussi, avec prudence, car l'Archiprêtre avait monté d'autres machines qui arrosaient copieusement la garnison de balles de pierre et de traits à poudre. Le château était pour ainsi dire décoiffé. Mais les gens de Lopez n'avaient pas l'air tellement effrayés. Ils ménageaient des trous dans leurs propres murailles, à mi-hauteur. « Pour mieux pouvoir fuir », disait le roi.

Enfin le grand jour arriva. J'y fus, un peu en retrait

sur une petite butte, car la chose m'intéressait. Le
Saint-Siège a des troupes, et des villes qu'il nous faut
pouvoir défendre... Le roi Jean II paraît, coiffé de
son heaume couronné de fleurs d'or. De son épée flamboyante, il donne le signe de l'attaque, tandis que les
trompes sonnent. Au sommet de la tour tendue de
cuir flotte la bannière aux fleurs de lis, et, au-dessous,
les bannières des troupes qui occupent les trois étages.
C'est un bouquet d'étendards que ce beffroi ! Et voilà
qu'il se meut. Hommes et chevaux lui sont attelés, par
grappes, et l'Archiprêtre scande l'effort à grands coups
de gueule... On m'a dit avoir employé pour mille livres
de cordes de chanvre. L'engin progresse, très lentement avec des gémissements de bois et quelques oscil-
lations, mais il progresse. De le voir ainsi avancer, se
balançant un peu et tout hérissé de drapeaux, on dirait
un navire qui va à l'abordage. Et il aborde, en effet,
dans un grand tumulte. Déjà, on se bat sur les cré-
neaux, à hauteur de la troisième plate-forme. Les épées
se croisent, les flèches partent en vols serrés. L'armée
qui enserre le château, tout entière tête levée, a le
souffle suspendu. Là-haut se font de beaux exploits.
Le roi, la ventaille ouverte, assiste, superbe, à ce combat dans les airs.

Et puis soudain, un énorme fracas fait sursauter les
troupes, et un jet de fumée enveloppe les bannières,
au sommet du beffroi.

Messire de Lancastre avait laissé des bouches de
canon à don Sanche Lopez, que celui-ci s'était bien
gardé d'utiliser jusqu'à présent. Et voilà que ces bouches, par les trous ménagés dans la muraille, tirent
à bout portant dans la tour roulante, crevant les peaux
de bœufs qui la recouvrent, fauchant des rangées
d'hommes sur les plates-formes, brisant les pièces de
charpente.

Les balistes et les catapultes de l'Archiprêtre ont

beau se mettre de la partie, elles ne peuvent empêcher qu'une deuxième salve ne soit tirée, puis une troisième. Ce ne sont plus seulement des boulets de fonte, mais aussi des pots enflammés, des sortes de feux grégeois qui viennent frapper le beffroi. Les hommes tombent, en hurlant, ou se ruent à dévaler les échelles, ou même se lancent dans le vide, affreusement brûlés. Les flammes commencent à jaillir du toit de la belle machine. Et puis, dans un craquement d'enfer, le plus haut étage s'effondre, écrasant ses occupants sous un brasier... De ma vie, Archambaud, je n'ai entendu plus effroyable clameur de souffrance ; et encore je n'étais pas au plus près. Les archers étaient pris dans un enchevêtrement de poutres incandescentes. Poitrines défoncées, leurs jambes, leurs bras cramaient. Les peaux de bœufs, en brûlant, répandaient une odeur atroce. La tour se mit à pencher, à pencher, et alors qu'on croyait qu'elle allait s'écrouler, elle s'immobilisa, inclinée, flambant toujours. On y jeta de l'eau comme on put, on s'affaira à en retirer les corps écrasés ou brûlés, tandis que les défenseurs du château dansaient de joie sur les murailles en criant : « Saint Georges loyauté ! Navarre loyauté ! »

Le roi Jean, devant ce désastre, semblait chercher autour de lui un coupable, alors qu'il n'y en avait d'autre que lui-même. Mais l'Archiprêtre était là, sous son chapeau de fer, et la grande colère qui allait éclater resta dans le heaume royal. Car Cervole était sans doute le seul homme de toute l'armée qui n'eût pas hésité à dire au roi : « Voyez votre ânerie, Sire. Je vous avais conseillé de creuser des mines, plutôt que de bâtir ces grands échafauds qui ne sont plus d'usage depuis bientôt cinquante ans. On n'est plus au temps des Templiers, et Breteuil n'est pas Jérusalem. »

Le roi demanda simplement : « Cet atournement peut-il être réparé ? — Non, Sire. — Alors cassez ce qu'il en reste. Cela servira à combler les fossés. »

Ce soir-là, je pensai opportun de l'entreprendre sérieusement sur les approches d'un traité de paix. Les revers ordinairement ouvrent l'oreille des rois à l'entendement de la sagesse. L'horreur dont nous venions d'être témoins me permettait d'en appeler à ses sentiments chrétiens. Et si son ardeur chevaleresque était avide de prouesses, le pape lui en offrait, à lui et aux princes d'Europe, de bien plus méritoires et plus glorieuses du côté de Constantinople. Je me fis rebuffer, ce qui remplit d'aise Capocci.

« J'ai deux chevauchées anglaises qui me menacent en mon royaume et ne puis différer de m'apprêter à leur courir sus. C'est là tout mon souci pour le présent. Nous reparlerons à Chartres, s'il vous plaît. »

Les dangers qu'il ignorait la veille lui paraissaient soudain d'urgence première.

Et Breteuil ? Qu'allait-il décider pour Breteuil ? Préparer un nouvel assaut demanderait un autre mois aux assiégeants. Les assiégés, pour leur part, s'ils n'avaient épuisé ni leurs vivres ni leurs munitions, avaient été pas mal éprouvés. Ils avaient des blessés, leurs tours étaient décoiffées. Quelqu'un parla de négocier, d'offrir à la garnison une reddition honorable. Le roi se tourna vers moi. « Eh bien, Monseigneur cardinal... »

Ce fut mon tour de lui marquer hauteur. J'étais venu d'Avignon pour œuvrer à une paix générale, non pour m'entremettre dans une quelconque livraison de forteresse. Il comprit son erreur, et se donna contenance par ce qu'il crut être une repartie plaisante. « Si cardinal est empêché, archiprêtre peut faire office. »

Et le lendemain, tandis que la tour de bois fumait encore et que les terrassiers s'étaient remis à l'œuvre, mais cette fois pour enterrer les morts, notre sire de

Vélines, monté sur ses guêtres d'acier, et précédé de trompes sonnantes, s'en alla conférer avec don Sanche Lopez. Ils marchèrent un long moment devant le pont-levis du château, regardés par les soldats des deux camps.

Ils étaient l'un comme l'autre hommes de métier et ne pouvaient s'en faire accroire... « Si je vous avais attaqué avec des mines à poudre, sous vos murs, messire ? — Ah ! messire, je pense que vous seriez venu à bout de nous. — Combien de temps pouvez-vous tenir encore ? — Moins longtemps que nous le souhaiterions, mais plus que vous ne l'espérez. Nous avons suffisance d'eau, de victuailles, de flèches et de boulets. »

Au bout d'une heure l'Archiprêtre s'en revint vers le roi. « Don Sanche Lopez consent à vous remettre le château, si vous lui laissez libre départ et si vous lui donnez de l'argent. — Soit, qu'on lui en donne et qu'on en finisse ! »

Deux jours plus tard, les gens de la garnison, têtes hautes et bourses pleines, sortaient pour s'en aller rejoindre Monseigneur de Lancastre. Le roi Jean devrait réparer Breteuil à ses frais. Ainsi se terminait ce siège qu'il avait voulu mémorable. Encore eut-il le front de nous soutenir que sans son beffroi d'assaut la place serait venue moins vite à composition.

III

L'HOMMAGE DE PHŒBUS

Vous regardez s'éloigner Troyes ? Belle cité, n'est-ce pas, mon neveu, surtout par ce matin tout éclairé de soleil. Ah ! c'est une grande chance pour une ville que d'avoir donné naissance à un pape. Car les beaux hôtels et palais que vous avez vus autour de la Maison de Ville, et l'église Saint-Urbain qui dans l'art nouveau est un joyau, avec sa foison de vitraux, et bien d'autres bâtiments encore dont vous avez admiré l'ordonnance, tout cela est dû au fait que Urbain IV, qui occupa le trône de saint Pierre voici tout près d'un siècle, et pour trois ans seulement, avait vu le jour à Troyes, dans une boutique, là même où s'élève à présent son église. C'est ce qui a donné de la gloire à la ville, et comme un élan de prospérité. Ah ! si pareille fortune avait pu échoir à notre cher Périgueux... Enfin, je ne veux plus parler de cela, car vous croiriez que je n'ai rien d'autre en tête...

A présent, je connais le chemin du Dauphin. Il nous suit. Il sera demain à Troyes. Mais il gagnera Metz par

Saint-Dizier et Saint-Mihiel, tandis que nous passerons par Châlons et Verdun. D'abord, parce que j'ai affaire à Verdun... je suis chanoine de la cathédrale... et puis parce que je ne veux point paraître me joindre avec le Dauphin. Mais rapprochés comme nous sommes, nous pourrons à tout moment échanger messagers, dans la journée ou presque ; et puis nos liaisons deviennent plus aisées et rapides, avec Avignon...

Quoi donc ? Qu'avais-je promis de vous conter et que j'ai oublié ? Ah... ce que fit le roi Jean à Paris, pendant les quatre jours qu'il s'absenta du siège de Breteuil ?...

Il fallait recevoir l'hommage de Gaston Phœbus. Un succès, un triomphe pour le roi Jean, ou plutôt pour le chancelier Pierre de La Forêt qui avait, patiemment, habilement, préparé la chose. Car Phœbus est beau-frère du roi de Navarre et leurs domaines tout voisins, au seuil des Pyrénées. Or, cet hommage traînait depuis le début du règne. L'obtenir au moment où Charles de Navarre était en prison, voilà qui pouvait changer les choses, et modifier le jugement de plusieurs cours d'Europe.

Bien sûr, la réputation de Phœbus est venue jusqu'à vous... Oh ! pas seulement un grand veneur, mais aussi un grand jouteur, un grand liseur, un grand bâtisseur et de surcroît, un grand séducteur. Je dirais : un grand prince dont la peine est de n'avoir qu'un petit Etat. On assure qu'il est le plus bel homme de ce temps, et j'y souscris volontiers. Très haut, et d'une force à se battre avec les ours... au propre, mon neveu, avec un ours, il l'a fait !... il a la jambe bien fendue, la hanche mince, l'épaule large, le visage lumineux, la dent très blanche sous le sourire. Et puis surtout il a cette masse de cheveux d'un or cuivré, cette toison radieuse, ondulée, arrondie jusqu'au bas du col, cette couronne naturelle, flamboyante, qui lui a fait prendre

le soleil pour emblème, ainsi que son surnom de Phœbus, qu'il écrit d'ailleurs avec une F et un é... Fébus...
parce qu'il a dû le choisir avant d'avoir un peu de
grec. Il ne porte jamais de chaperon et va toujours
nu-tête comme les anciens Romains, ce qui est unique
dans nos usages.

Je fus chez lui, naguère. Car il a fait si bien que tout
ce qui compte dans le monde chrétien passe par sa
petite cour d'Orthez dont il est arrivé à ce qu'elle soit
une grande cour. Quand je m'y trouvais, j'y rencon-
trai un comte palatin, un prélat du roi Edouard, un
premier chambellan du roi de Castille, sans compter
des physiciens réputés, un célèbre imagier, et de
grands docteurs ès lois. Tout ce monde splendidement
traité.

Je ne sais que le roi Lusignan de Chypre qui ait si
rayonnante et si influente cour, sur un si étroit territoire ; mais il dispose de beaucoup plus de moyens,
de par les profits du commerce.

Phœbus a une rapide et plaisante façon de vous
montrer ce qui lui appartient : « Voici mes chiens de
meute... mes chevaux... voici ma maîtresse... voici mes
bâtards... Madame de Foix se porte bien, Dieu soit
loué. Vous la verrez ce soir. »

Le soir, dans la longue galerie qu'il a fait ouvrir au
flanc de son château, et d'où l'on domine un horizon
montueux, toute la cour se réunit et déambule, pendant un grand moment, en atours superbes, tandis
qu'une ombre bleue tombe sur le Béarn. De place en
place sont d'immenses cheminées qui flambent et,
entre les cheminées, le mur est peint à fresque de
scènes de chasse qui sont travail d'artistes venus
d'Italie. L'invité qui n'a pas apporté tous ses joyaux et
ses meilleures robes, croyant à un séjour dans un
petit château de montagne, fait fort mauvaise figure.
Je vous en avertis, s'il vous advient un jour d'y aller...

Madame Agnès de Foix, qui est Navarre, la sœur de la reine Blanche et presque aussi belle qu'elle, est toute cousue d'or et de perles. Elle parle peu, ou plutôt, on le devine, elle craint de parler. Elle écoute les ménestrels qui chantent *Aqueres mountanes* que son époux a composé, et que les Béarnais aiment à reprendre en chœur.

Phœbus, lui, va de groupe en groupe, salue l'un, salue l'autre, accueille un seigneur, complimente un poète, s'entretient avec un ambassadeur, s'informe en marchant des affaires du monde, laisse tomber un avis, donne un ordre à mi-voix et gouverne en causant. Jusqu'à ce que douze grands flambeaux portés par des valets à sa livrée le viennent quérir pour passer à souper, avec tous ses hôtes. Parfois il ne se met à table qu'à la minuit.

Un soir je l'ai surpris, appuyé contre une arche de la galerie ouverte, à soupirer devant son gave argenté et son horizon de montagnes bleues : « Trop petit, trop petit... On dirait, Monseigneur, que la Providence prend un plaisir malin, en faisant rouler les dés, à les apparier à l'envers... »

Nous venions de parler de la France, du roi de France, et je compris ce qu'il voulait me donner à entendre. Grand homme souvent ne reçoit à gouverner que petite terre, alors qu'à l'homme faible échoit le grand royaume. Et il ajouta : « Mais si petit que soit mon Béarn, j'entends qu'il n'appartienne à personne qu'à lui-même. »

Ses lettres sont merveille. Il ne manque à y inscrire aucun de ses titres : « Nous, Gaston III, comte de Foix, vicomte de Béarn, vicomte de Lautrec, de Marsan et de Castillon... » et quoi donc encore... ah, oui : « seigneur de Montesquieu et de Montpezat... » et puis, et puis, entendez comme cela sonne : « viguier d'Andorre et de Capsire... » et il signe seulement « Fébus »...

avec son F et son é, bien sûr, peut-être pour se distinguer même d'Apollon... tout comme sur les châteaux et monuments qu'il construit ou embellit, on voit gravé en hautes lettres : « Fébus l'a fait. »

Il y a de l'outrance, certes, en son personnage ; mais il faut se rappeler qu'il n'a que vingt-cinq ans. Pour son âge, il a déjà montré beaucoup d'habileté. De même qu'il a montré son courage ; il fut des plus vaillants à Crécy. Il avait quinze ans. Ah ! j'omets de vous dire, si vous ne le savez : il est petit-neveu de Robert d'Artois. Son grand-père épousa Jeanne d'Artois, la propre sœur de Robert, laquelle, aussitôt après son veuvage, a marqué tant d'appétit pour les hommes, mené vie si scandaleuse, causé tant d'embrouilles... et pourrait tant en causer encore... mais si, elle vit toujours ; un peu plus de soixante ans, et une belle santé... que son petit-fils, notre Phœbus, a dû la cloîtrer dans une tour du château de Foix où il la fait garder bien étroitement. Ah ! c'est un sang lourd que celui des d'Artois !

Et voilà l'homme dont La Forêt, l'archevêque chancelier, alors que tout devient contraire au roi Jean, obtient qu'il vienne rendre l'hommage. Oh ! ne vous méprenez point. Phœbus a bien réfléchi sa décision, et il n'agit, précisément, que pour protéger l'indépendance de son petit Béarn. L'Aquitaine touchant à la Navarre, et lui-même touchant aux deux, leur alliance, à présent patente, ne lui sourit guère ; cela menace d'une grosse pesée ses courtes frontières. Il aimerait bien se garantir du côté du Languedoc où il a eu maille à partir avec le comte d'Armagnac, gouverneur du roi. Alors, rapprochons-nous de la France, finissons-en de cette mésentente, et dans ce dessein, rendons l'hommage dû pour notre comté de Foix. Bien sûr, Phœbus plaidera la libération de son beau-frère Navarre, on en est convenu, mais pour la forme, pour la forme

seulement, comme si c'était le prétexte au rapprochement. Le jeu est fin. Phœbus pourra toujours dire aux
Navarre : « Je n'ai rendu l'hommage que dans l'intention de vous servir. »

En une semaine, Gaston Phœbus séduisit Paris. Il
était arrivé avec une nombreuse escorte de gentilshommes, des serviteurs à foison, vingt chars pour
transporter sa garde-robe et son mobilier, une meute
splendide et une partie de sa ménagerie de bêtes fau-
ves. Tout ce cortège s'étirait sur un quart de lieue. Le
moindre varlet était splendidement vêtu, arborant la
livrée de Béarn ; les chevaux étaient caparaçonnés de
velours de soie, comme les miens. Lourde dépense à
coup sûr, mais faite pour frapper les foules. Phœbus
y avait réussi.

Les grands seigneurs se disputaient l'honneur de
le recevoir. Tout ce qui était notoire dans la ville, gens
de Parlement, d'université, de finance, et même gens
d'Eglise, prenaient quelque raison de le venir saluer
dans l'hôtel que sa sœur Blanche, la reine-veuve, lui
avait ouvert pour le temps de son séjour. Les femmes
voulaient le contempler, entendre sa voix, lui toucher
la main. Lorsqu'il se déplaçait dans la ville, les badauds
le reconnaissaient à sa chevelure d'or et s'aggluti-
naient aux portes des boutiques d'argentiers ou de
drapiers dans lesquelles il entrait. On reconnaissait
aussi l'écuyer qui l'accompagnait toujours, un géant
du nom d'Ernauton d'Espagne, peut-être son demi-
frère adultérin ; de même qu'on reconnaissait les
deux énormes chiens pyrénéens dont il se faisait
suivre, tenus en laisse par un varlet. Sur le dos
d'un des chiens, un petit singe se tenait assis... Un
grand seigneur inhabituel, plus fastueux que les
plus fastueux, était dans la capitale, et chacun en
parlait.

Je vous conte cela par le menu ; mais en ce mauvais

juillet, nous étions sur l'escalier des drames ; et chaque marche importe.

Vous aurez à gouverner un gros comté, Archambaud, et dans des temps, je gage bien, qui ne seront
pas plus aisés que celui-ci ; on ne se relève point en
quelques années de la chute où nous voilà.

Gardez bien ceci en mémoire : dès lors qu'un prince
est médiocre de nature, ou bien affaibli par l'âge ou
par la maladie, il ne peut plus maintenir l'unité de ses
conseillers. Son entourage se partage, se divise, car
chacun en vient à s'approprier les morceaux d'une
autorité qui ne s'exerce plus, ou s'exerce mal ; chacun
parle au nom d'un maître qui ne commande plus ;
chacun échafaude pour soi, l'œil sur l'avenir. Alors
les coteries se forment, selon les affinités d'ambition
ou de tempérament. Les rivalités s'exaspèrent. Les
loyaux se groupent d'un côté, et de l'autre les traîtres,
qui se croient loyaux à leur manière.

Moi, j'appelle traîtres ceux qui trahissent l'intérêt
supérieur du royaume. Souvent, c'est qu'ils sont incapables de l'apercevoir ; ils ne voient que l'intérêt des
personnes ; or, ce sont eux, hélas, qui généralement
l'emportent.

Autour du roi Jean, deux partis existaient comme
ils existent aujourd'hui autour du Dauphin, puisque
les mêmes hommes sont en place.

D'un côté, le parti du chancelier Pierre de La Forêt,
l'archevêque de Rouen, que seconde Enguerrand du
Petit-Cellier ; ce sont hommes que je tiens pour les
plus avertis et les plus soucieux du bien du royaume.
Et puis de l'autre Nicolas Braque, Lorris, et surtout,
surtout, Simon de Bucy.

Peut-être l'allez-vous voir à Metz. Ah ! défiez-vous
toujours de lui et des gens qui lui ressemblent... Un
homme à tête trop grande sur un corps trop court,
déjà c'est mauvais signe, redressé comme un coq, assez

malappris et violent dès qu'il cesse d'être taciturne, et plein d'un immense orgueil, mais dissimulé. Il savoure le pouvoir exercé dans l'ombre, et n'aime rien tant qu'humilier, sinon perdre, tous ceux qu'il voit prendre trop d'importance à la cour ou trop d'influence sur le prince. Il imagine que gouverner, c'est seulement ruser, mentir, échafauder des machines. Il n'a point de grande idée, seulement de médiocres desseins, toujours noirs, et qu'il poursuit avec beaucoup d'obstination. Petit clerc du roi Philippe, il a grimpé jusqu'où il est... premier président au Parlement et membre du Grand Conseil... en s'acquérant réputation de fidélité, parce qu'il est autoritaire et brutal. On a vu cet homme, rendant la justice, obliger des plaideurs mécontents à s'agenouiller en plein prétoire pour lui demander pardon, ou bien faire exécuter d'un coup vingt-trois bourgeois de Rouen ; mais il prononce aussi bien des acquittements arbitraires ou renvoie indéfiniment de graves affaires, pour pouvoir tenir les gens à sa discrétion. Il sait ne pas négliger sa fortune ; il a obtenu de l'abbé de Saint-Germain-des-Prés l'octroi de la porte Saint-Germain, aussitôt nommée porte de Bucy, et par là il touche péage sur une bonne part de tout ce qui roule dans Paris.

Dès lors que La Forêt avait négocié l'hommage de Phœbus, Bucy y était opposé et bien résolu à faire échouer l'accord. C'est lui qui alla au-devant du roi, venant de Breteuil, et lui glissa : « Phœbus vous nargue dans Paris par un grand étalage de richesse... Phœbus a reçu à deux reprises le prévôt Marcel... J'ai soupçon que Phœbus complote, avec sa femme et la reine Blanche, l'évasion de Charles le Mauvais... Il faut exiger de Phœbus l'hommage pour le Béarn... Phœbus ne tient pas de bons propos sur vous... Prenez garde, en accueillant trop gracieusement Phœbus, de blesser le comte d'Armagnac, dont vous avez grand besoin en

Languedoc. Certes, le chancelier La Forêt est trop coulant avec les amis de vos ennemis... Et puis a-t-on idée
de s'appeler Phœbus ? » Et afin de mettre le roi vraiment en méchante humeur, il lui bailla une mauvaise
nouvelle. Friquet de Fricamps s'était évadé du Châ-
telet grâce à l'ingéniosité de deux de ses domestiques.
Les Navarrais narguaient le pouvoir royal et retrou-
vaient un homme bien habile et bien dangereux...

Cela fit qu'au souper qu'il offrit la veille de l'hommage, le roi Jean se montra rogue et agressif, appelant Phœbus : « Messire mon vassal » et lui demandant : « Reste-t-il quelques hommes dans vos fiefs,
après tous ceux qui vous escortent dans ma ville ? »

Et encore il lui dit : « J'aimerais que vos troupes
n'entrassent plus dans les terres où commande Monseigneur d'Armagnac. »

Fort surpris, car il était convenu avec Pierre de La
Forêt qu'on regarderait ces incidents comme effacés,
Phœbus répliqua : « Mes bannières, Sire mon cousin,
n'auraient pas eu à pénétrer en Armagnac si ce n'avait
été pour y repousser celles qui venaient attaquer chez
moi. Mais dès lors que vous avez donné ordre que ces-
sent les incursions des hommes qui sont à Monseigneur d'Armagnac, mes chevaliers se tiendront heureux sur leurs frontières. » Sur quoi le roi enchaîna :
« Je souhaiterais qu'ils se tinssent un peu plus près
de moi. J'ai convoqué l'ost à Chartres, pour marcher
à l'Anglais. Je compte que vous serez bien exact à le
rejoindre avec les bannières de Foix et de Béarn.

— Les bannières de Foix, répondit Phœbus, seront
levées ainsi que vassal le doit, aussitôt que je vous
aurai rendu l'hommage, Sire mon cousin. Et celles
de Béarn suivront, s'il me plaît. »

Pour un souper d'accordement, c'était réussi ! L'archevêque-chancelier, surpris et mécontent, s'employait
vainement à mettre un peu de baume. Bucy montrait

visage de bois. Mais dans le fond de soi, il triomphait.
Il se sentait le vrai maître.

Du roi de Navarre, le nom ne fut même pas prononcé, bien que la reine Jeanne et la reine Blanche
fussent présentes.

En sortant du palais, Ernauton d'Espagne, l'écuyer
géant, dit au comte de Foix... je n'étais pas dans leurs
bottes, mais c'est le sens de ce qui me fut rapporté :
« J'ai bien admiré votre patience. Si j'étais Phœbus,
je n'attendrais point un nouvel outrage, et je m'en
repartirais sur-le-champ pour mon Béarn. » A cela
Phœbus répondit : « Et si j'étais Ernauton, c'est tout
exactement le conseil que je donnerais à Phœbus.
Mais je suis Phœbus, et dois regarder avant tout l'avenir de mes sujets. Je ne veux pas être celui qui rompt
et paraître en mon tort. J'épuiserai toutes chances
d'accord, juqu'aux limites de l'honneur. Mais La Forêt,
je le crains bien, m'a mené dans une embûche. A
moins qu'un fait que j'ignore, et qu'il ignore, ait
retourné le roi. Nous verrons demain. »

Et le lendemain, après messe, Phœbus pénétra dans
la grand-salle du palais. Six écuyers soutenaient la
traîne de son manteau, et pour une rare fois, il n'allait
pas tête nue. C'est qu'il portait couronne, or sur or.
La chambre était tout emplie de chambellans, conseillers, prélats, chapelains, maîtres du Parlement et
grands officiers. Mais le premier que remarqua Phœbus, ce fut le comte d'Armagnac, Jean de Forez, debout
au plus près du roi et comme appuyé au trône, faisant
figure bien arrogante. De l'autre côté, Bucy feignait de
mettre ordre dans ses rôles de parchemin. Il en prit
un et lut, comme si c'eût été un tout ordinaire arrêt :
« Messire, le roi de France, mon seigneur, vous reçoit
pour la comté de Foix et la vicomté de Béarn que vous
tenez de lui, et vous devenez son homme comme comte
de Foix et vicomte de Béarn selon les formes faites

entre ses devanciers, rois de France, et les vôtres. Agenouillez-vous. »

Il y eut un temps de silence. Puis Phœbus répondit d'une voix fort nette : « Je ne puis. »

L'assistance marqua de la surprise, sincère chez la plupart, feinte chez d'autres, avec un rien de plaisir. Ce n'est pas si souvent qu'un incident survient dans une cérémonie d'hommage.

Phœbus répéta : « Je ne puis. » Et il ajouta bien clairement : « J'ai un genou qui ploie : celui de Foix. Mais celui de Béarn ne peut ployer. »

Alors le roi Jean parla, et sa voix avait un ton de colère. « Je vous reçois et pour Foix et pour Béarn. » L'audience frémit de curiosité. Et le débat donna ceci, pour le plus gros... Phœbus : « Sire, Béarn est terre de franc-alleu, et vous ne pouvez point me recevoir pour ce qui n'est pas de votre suzeraineté ». Le roi : « C'est fausseté que vous alléguez là, et qui a été pour trop d'années sujet de disputes entre vos parents et les miens. » Phœbus : « C'est vérité, Sire, et qui ne restera sujet à discorde que si vous le voulez. Je suis votre sujet fidèle et loyal pour Foix, selon ce que mes pères ont toujours protesté, mais je ne puis me déclarer votre homme pour ce que je ne tiens que de Dieu. » Le roi : « Mauvais vassal ! Vous vous ménagez de fourbes chemins pour vous soustraire au service que vous me devez. L'an dernier vous n'avez point amené vos bannières au comte d'Armagnac, mon lieutenant en Languedoc que voici, et qui, à cause de votre défection, n'a pu repousser la chevauchée anglaise ! » Phœbus dit alors, superbement : « Si de mon seul concours dépend le sort du Languedoc, et que Messire d'Armagnac est impuissant à vous garder cette province, alors ce n'est pas à lui qu'il faut en remettre la lieutenance, Sire, mais à moi. »

Le roi était monté en fureur, et son menton tremblait. « Vous me narguez, beau sire, mais ne le ferez pas longtemps. Agenouillez-vous ! — Otez Béarn de l'hommage, et je ploie le genou aussitôt. — Vous le ploierez en prison, mauvais traître ! cria le roi. Qu'on s'en saisisse ! »

La pièce était montée, prévue, organisée, au moins par Bucy qui n'eut qu'un geste à faire pour que Perrinet le Buffle et six autres sergents de la garde surgissent autour de Phœbus. Ils savaient déjà qu'ils devaient le conduire au Louvre.

Le même jour, le prévôt Marcel s'en allait disant dans la ville . « Il ne restait plus au roi Jean qu'un seul ennemi à se faire ; c'est chose accomplie. Si tous les larrons qui entourent le roi demeurent en place, il n'y aura bientôt plus un seul honnête qui pourra respirer hors de geôle. »

IV

LE CAMP DE CHARTRES

La plus belle, mon neveu, la plus belle ! Savez ce que
m'écrit le pape dans une lettre du 28 novembre, mais
dont l'expédition a dû être quelque peu différée, ou
bien dont le chevaucheur qui me la portait est allé
me chercher où je n'étais pas, puisqu'elle ne m'est
parvenue qu'hier soir, à Arcis ? Devinez... Eh bien, le
Saint-Père, déplorant le désaccord que j'ai avec Niccola Capocci, me fait reproche « du manque de charité
qui est entre nous ». Je voudrais bien savoir comment
je pourrais lui témoigner charité, à Capocci ? Je ne
l'ai point revu depuis Breteuil, où il m'a brusquement
faussé compagnie pour aller s'installer à Paris. Et qui
donc est fautif du désaccord, sinon celui qui, à toute
force, a voulu m'adjoindre ce prélat égoïste, borné,
uniquement soucieux de ses aises, et dont les démar-
ches n'ont d'autre dessein que de contrecarrer les
miennes ? La paix générale, il n'en a cure. Tout ce qui
lui importe, c'est que ce ne soit pas moi qui y par-
vienne. Manque de charité, la belle chose ! Manque de
charité... J'ai bonnes raisons de penser que Capocci
tripote avec Simon de Bucy, et qu'il fut pour quelque

chose dans l'emprisonnement de Phœbus, lequel, je
vous rassure, oui, vous le saviez... fut relâché en août ;
et grâce à qui ? A moi ; ça, vous ne le saviez pas... sous
la promesse qu'il rejoindrait l'ost du roi.

Enfin, le Saint-Père veut bien m'assurer qu'on me
loue pour mes efforts et que mes activités sont approu-
vées non seulement par lui-même, mais par tout le
collège des cardinaux. Je pense qu'il n'en écrit pas
autant à l'autre... Mais il revient, comme il l'a déjà fait
en octobre, sur son conseil d'inclure Charles de
Navarre dans la paix générale. Je devine aisément qui
lui souffle cela...

C'est après l'évasion de Friquet de Fricamps que le
roi Jean décida de transférer son gendre à Arleux,
une forteresse de Picardie où tout autour sont des
gens fort dévoués aux d'Artois. Il craignait que Charles de Navarre, à Paris, ne bénéficiât de trop de compli-
cités. Il ne voulait pas laisser Phœbus et lui dans la
même prison, voire la même ville...

Et puis, ayant bradé l'affaire de Breteuil comme je
vous le contais hier, il revint à Chartres. Il m'avait dit :
« Nous parlerons à Chartres. » J'y fus, moi, tandis que
Capocci faisait le vaniteux à Paris...

Où sommes-nous ici ? Brunet !... le nom de ce
bourg ?... Et Poivres, avons-nous passé Poivres ? Ah !
bon, c'est en avant. On m'a dit que l'église en était
digne d'être regardée. D'ailleurs, toutes ces églises de
Champagne sont fort belles. C'est un pays de foi...

Oh ! je ne regrette pas d'avoir vu le camp de Chartres, et j'eusse voulu que vous le vissiez aussi... Je sais ;
vous avez été dispensé de l'ost afin de suppléer votre
père, malade, pour contenir les Anglais, vaille que
vaille, hors de Périgord... Cela vous a peut-être sauvé
d'être aujourd'hui couché sous une dalle, dans un couvent de Poitiers. Peut-on savoir ? La Providence décide.

Alors, imaginez Chartres : soixante mille hommes,

au bas mot, campant dans la vaste plaine que domi-
nent les flèches de la cathédrale. L'une des plus grandes armées, sinon la plus grande, jamais réunies au
royaume. Mais séparée en deux parts bien distinctes.

D'un côté, alignées en belles files par centaines et
centaines, les tentes de soie ou de toile teinte des bannerets et des chevaliers. Le mouvement des hommes,
des chevaux, des chariots produisait là un grand four-
millement de couleurs et d'acier, sous le soleil, à
perte de vue ; et c'était de ce côté que venaient installer leurs éventaires roulants les marchands d'armes,
de harnais, de vin, de mangeaille, ainsi que les bor-
deliers amenant de pleins chariots de filles, sous la
surveillance du roi des ribauds... dont je n'ai toujours
pas retrouvé le nom.

Et puis, à bonne distance, bien séparés, comme dans
les images du Jugement dernier... d'un côté le paradis,
de l'autre l'enfer... les piétons, sans autre abri, sur les
blés coupés, qu'une toile soutenue par un piquet,
quand encore ils avaient pris le soin de s'en munir ;
une immense plèbe au hasard répandue, lasse, sale,
désœuvrée, qui se groupait par terroir et obéissait mal
à des chefs improvisés. D'ailleurs à quoi eût-elle obéi ?
On ne lui donnait guère de tâches, on ne lui commandait aucune manœuvre. Toute l'occupation de ces gens,
c'était la recherche de la nourriture. Les plus malins
s'en allaient chaparder du côté des chevaliers, ou
bien piller les basses-cours des hameaux voisins,
ou bien braconner. Derrière chaque talus on voyait
trois gueux assis sur leurs talons, autour d'un lapin
en train de rôtir. Il y avait de soudaines ruées vers
les chariots qui distribuaient du pain d'orge, à
des heures irrégulières. Ce qui était régulier, c'était
le passage du roi, chaque jour, dans les rangs
des piétons. Il inspectait les derniers arrivés, un
jour ceux de Beauvais, le lendemain ceux de Sois-

sons, le surlendemain ceux d'Orléans et de Jargeau.

Il se faisait accompagner, entendez bien, de ses quatre fils, de son frère, du connétable, des deux maréchaux, de Jean d'Artois, de Tancarville, qui sais-je encore... d'une nuée d'écuyers.

Une fois, qui se trouva être la dernière, vous allez voir pourquoi... il me convia comme s'il me rendait grand honneur. « Monseigneur de Périgord, demain, s'il plaît de me suivre, je vous emmène à la montrée. » Moi, j'attendais toujours de m'accorder avec lui sur quelques propositions, si vagues fussent-elles, à transmettre aux Anglais, pour pouvoir accrocher un commencement de négociation. J'avais proposé que les deux rois commissent des députés pour dresser la liste de tous les litiges entre les deux royaumes. Rien qu'avec cela, on pouvait discuter pendant quatre ans.

Ou bien, je cherchais un autre abord, tout différent. On feignait d'ignorer les litiges et l'on engageait les préliminaires sur les préparatifs d'une expédition commune vers Constantinople. L'important, c'était de commencer à parler...

J'allai donc traîner ma robe rouge dans cette vaste pouillerie qui campait sur la Beauce. Je dis fort bien : pouillerie, car au retour Brunet dut me chercher les poux. Je ne pouvais tout de même pas repousser ces pauvres hères qui venaient baiser le bas de ma robe ! L'odeur était encore plus incommodante qu'à Breteuil. La nuit précédente un gros orage avait crevé, et les piétons avaient dormi à même le sol détrempé. Leurs guenilles fumaient sous le soleil du matin, et ils puaient ferme. L'Archiprêtre, qui marchait devant le roi, s'arrêta. Décidément, il tenait grande place, l'Archiprêtre ! Et le roi s'arrêta, et toute sa compagnie.

« Sire, voici ceux de la prévôté de Bracieux dans le bailliage de Blois, qui sont arrivés d'hier. Ils sont piteux... » De sa masse d'armes, l'Archiprêtre désignait une quarantaine de gueux dépenaillés, boueux, hirsutes. Ils n'étaient point rasés depuis dix jours ; lavés, n'en parlons pas. La disparité de leurs vêtements se fondait dans une couleur grisâtre de crasse et de terre. Quelques-uns portaient des souliers crevés ; d'autres avaient les jambes entourées seulement de mauvaises toiles, d'autres allaient pieds nus. Ils se redressaient pour faire bonne figure ; mais leurs regards étaient inquiets. Dame, ils n'attendaient pas de voir surgir devant eux le roi en personne, entouré de sa rutilante escorte. Et les gueux de Bracieux se tassaient les uns contre les autres. Les lames courbes et les piques à crocs de quelques vouges ou gaudendarts pointaient au-dessus d'eux comme des épines hors d'un fagot fangeux.

« Sire, reprit l'Archiprêtre, ils sont trente-neuf, alors qu'ils devraient se trouver cinquante. Huit ont des gaudendarts, neuf sont pourvus d'une épée, dont une très mauvaise. Un seul possède ensemble une épée et un gaudendart. L'un d'eux a une hache, trois ont des bâtons ferrés et un autre n'est armé que d'un couteau à pointe ; les autres n'ont rien du tout. »

J'aurais eu envie de rire, si je ne m'étais demandé ce qui poussait le roi à perdre ainsi son temps et celui de ses maréchaux à compter des épées rouillées. Qu'il se fît voir une fois, soit, c'était bonne chose. Mais chaque jour, chaque matin ? Et pourquoi m'avoir convié à cette piètre montrée ?

J'eus surprise alors d'entendre son plus jeune fils, Philippe, s'écrier du ton faux qu'ont les jouvenceaux quand ils veulent se poser en hommes mûris : « Ce n'est certes point avec de telles levées que nous emporterons de grandes batailles. » Il n'a que quatorze ans ; sa voix muait et il n'emplissait pas tout à fait sa chemise de mailles. Son père lui caressa le front, comme s'il se félicitait d'avoir donné naissance à un guerrier si avisé. Puis, s'adressant aux hommes de Bracieux, il demanda : « Pourquoi n'êtes-vous pas mieux pourvus d'armes ? Allons, pourquoi ? Est-ce ainsi qu'on se présente à mon ost ? N'avez-vous pas reçu d'ordres de votre prévôt ? »

Alors, un gaillard un peu moins tremblant que les autres, peut-être bien celui qui portait la seule hache, s'avança pour répondre : « Sire notre maître, le prévôt nous a commandé de nous armer chacun selon notre état. On s'est pourvu comme on a pu. Ceux qui n'ont rien, c'est que leur état ne leur permet pas mieux. »

Le roi Jean se retourna vers le connétable et les maréchaux, arborant cet air des gens qui sont satisfaits quand, même à leur détriment, les choses leur donnent raison. « Encore un prévôt qui n'a pas fait son devoir... Renvoyez-les, comme ceux de Saint-Fargeau, comme ceux de Soissons. Ils paieront l'amende. Lorris, vous notez... »

Car, ainsi qu'il me l'expliqua un moment après, ceux qui ne se présentaient pas à la montrée, ou y venaient sans armes et ne pouvaient combattre, étaient tenus de payer rachat. « Ce sont les amendes dues par tous ces piétons qui me fourniront le nécessaire pour solder mes chevaliers. »

Une belle idée qui avait dû lui être glissée par Simon de Bucy, et qu'il avait faite sienne. Voilà pourquoi il avait convoqué l'arrière-ban, et voilà pourquoi il comptait avec une sorte de rapacité les détachements qu'il renvoyait dans leurs foyers. « Quel emploi aurions-nous de cette piétaille ? me dit-il encore. C'est à cause de ses troupes de pied que mon père a été battu à Crécy. La piétaille ralentit tout et empêche de chevaucher comme il convient. »

Et chacun l'approuvait, sauf, je dois dire, le Dauphin qui semblait avoir une réflexion sur le bout des lèvres mais la garda pour lui.

Etait-ce à dire que de l'autre côté du camp, du côté
des bannières, des chevaux et des armures, tout allait
à merveille ? En dépit des convocations répétées, et
malgré les beaux règlements qui prescrivaient aux bannerets et capitaines d'inspecter deux fois le mois, à
l'improviste, leurs hommes, armes et montures afin
d'être toujours prêts à faire mouvement, et qui inter-
disaient de changer de chef ou de se retirer sans per-
mission, « à peine de perdre ses gages et d'être punis
sans épargne », malgré tout cela, un bon tiers des chevaliers n'avaient pas rejoint. D'autres, astreints à
équiper une route ou compagnie d'au moins vingt-cinq
lances, n'en présentaient que dix. Chemises de mailles
rompues, chapeaux de fer bosselés, harnachements
trop secs qui craquaient à tout moment... « Eh ! messire, comment pourrai-je y pourvoir ? Je n'ai point
encore reçu mes soldes, et j'ai assez d'entretenir ma
propre armure »... On se battait pour referger les chevaux. Des chefs erraient dans le camp à la recherche
de leur troupe égarée, et des traînards à la recherche,
plus ou moins, de leurs chefs. D'une troupe à l'autre
on se chapardait la pièce de bois, le bout de cuir,
l'alêne ou le marteau dont on avait besoin. Les maréchaux étaient assiégés de réclamations, et leurs
têtes résonnaient des rudes paroles qu'échangeaient
les bannerets coléreux. Le roi Jean n'en voulait
rien savoir. Il comptait les piétons qui paieraient
rachat...

Il se dirigeait vers la montrée de ceux de Saint-
Aignan quand arrivèrent, au grand trot à travers le
camp, six hommes d'armes, leurs chevaux blancs
d'écume, eux-mêmes la face ruisselante et l'armure
poudreuse. L'un d'eux mit pied à terre, lourdement,
demanda à parler au connétable, et s'en étant appro-
ché lui dit : « Je suis à messire de Boucicaut dont je
vous apporte nouvelles. »

Le duc d'Athènes, d'un signe, invita le messager à faire son rapport au roi. Le messager esquissa le geste de mettre genou en terre, mais ses pièces d'armure le gênaient ; le roi le dispensa de toute cérémonie et le pressa de parler.

« Sire, messire de Boucicaut est enfermé dans Romorantin. »

Romorantin ! L'escorte royale resta un moment toute muette de surprise, et comme étonnée de la foudre. Romorantin, à trente lieues seulement de Chartres, de l'autre côté de Blois ! On n'imaginait pas que les Anglais pussent être si près.

Car, durant que s'achevait le siège de Breteuil, que l'on envoyait Gaston Phœbus en geôle, que le ban et l'arrière-ban, lentement, se rassemblaient à Chartres, le prince de Galles... comme vous le savez mieux que personne, Archambaud, puisque vous étiez à protéger Périgueux... avait entrepris sa chevauchée à partir de Saint-Foy et Bergerac, où il entrait en territoire royal, et continué vers le nord par le chemin que nous avons suivi, Château-l'Evêque, Brantôme, Rochechouart, La Péruse, y produisant toutes ces dévastations que nous avons vues. On était informé de son progrès, et je dois dire que je n'étais pas sans surprise de voir le roi se complaire à Chartres, tandis que le prince Edouard ravageait le pays. On croyait celui-ci, aux dernières nouvelles reçues, quelque part encore entre La Châtre et Bourges. On pensait qu'il allait continuer sur Orléans et c'était là que le roi se disait certain de lui livrer bataille, lui coupant la route de Paris. En vue de quoi le connétable, tout de même inspiré par la prudence, avait envoyé un parti de trois cents lances, aux ordres de messires de Boucicaut, de Craon et de Caumont, en longue reconnaissance de l'autre côté de la Loire, pour lui chercher les renseignements. Il n'en avait d'ailleurs reçu que bien peu. Et puis, soudain,

Romorantin ! Le prince de Galles avait donc obliqué vers l'ouest...

Le roi engagea le messager à poursuivre.

« D'abord, Sire, messire de Chambly, que messire de Boucicaut avait détaché à l'éclairer, s'est fait prendre du côté d'Aubigny-sur-Nère... — Ah ! Gris-Mouton est pris... », dit le roi, car c'est ainsi qu'on surnomme messire de Chambly.

Le messager de Boucicaut reprit : « Mais messire de Boucicaut ne l'a point su assez tôt, et c'est ainsi que nous avons donné soudain dans l'avant-garde des Anglais. Nous les avons attaqués si roidement qu'ils se sont jetés en retraite... — Comme à leur ordinaire, dit le roi Jean. — ... mais ils se sont rabattus sur leurs renforts qui étaient grandement plus nombreux que nous, et ils nous ont assaillis de toutes parts, au point que messires de Boucicaut, de Craon et de Caumont nous ont menés rapidement sur Romorantin, où ils se sont enfermés, poursuivis par toute l'armée du prince Edouard qui, à l'heure où messire de Boucicaut m'a dépêché, commençait leur siège. Voilà, Sire, ce que je dois vous dire. »

Il se fit silence de nouveau. Puis le maréchal de Clermont eut un mouvement de colère. « Pourquoi diable avoir attaqué ? Ce n'était point ce qu'on leur avait commandé. — Leur faites-vous reproche de leur vaillance ? lui répondit le maréchal d'Audrehem. Ils avaient débusqué l'ennemi, ils l'ont chargé. — Belle vaillance, dit Clermont. Ils étaient trois cents lances, ils en aperçoivent vingt, et courent dessus sans plus attendre, en croyant que c'est grande prouesse. Et puis, il en surgit mille, et les voilà fuyant à leur tour, et courant se mucher au premier château. Maintenant, ils ne nous servent plus de rien. Ce n'est point de la vaillance, c'est de la sottise. »

Les deux maréchaux se prenaient de bec, comme à

l'accoutumée, et le connétable les laissait dire. Il n'aimait pas prendre parti, le connétable. C'était un homme plus courageux de corps que d'âme. Il préférait se faire appeler Athènes que Brienne, à cause de l'ancien connétable, son cousin décapité. Or, Brienne, c'était son fief, alors qu'Athènes ce n'était qu'un vieux souvenir de famille, sans plus de réalité aucune, à moins d'une croisade... Ou peut-être, simplement, il était devenu indifférent, avec l'âge. Il avait longtemps commandé, et fort bien, les armées du roi de Naples. Il regrettait l'Italie, parce qu'il regrettait sa jeunesse. L'Archiprêtre, un peu en retrait, observait d'un air goguenard l'empoignade des maréchaux. Ce fut le roi qui mit fin à leur débat.

« Et moi, je pense, dit-il, que leur revers nous sert. Car voici l'Anglais fixé par un siège. Et nous savons à présent où courir à lui, tandis qu'il y est retenu. » Il s'adressa alors au connétable. « Gautier, mettez l'ost en route demain, à l'aurore. Séparez-le en plusieurs batailles qui passeront la Loire en divers points, là où sont les ponts, pour ne point nous ralentir, mais en gardant liaison étroite entre les batailles afin de les réunir à lieu nommé, par-delà le fleuve. Pour moi, je passerai à Blois. Et nous irons attaquer l'armée anglaise par revers à Romorantin, ou bien si elle s'avise d'en partir, nous lui couperons toutes routes devant elle. Faites garder la Loire très loin après Tours, jusques à Angers, pour que jamais le duc de Lancastre, qui vient du pays normand, ne puisse se joindre au prince de Galles. »

Il surprenait son monde, Jean II ! Soudain calme et maître de soi, le voici qui donnait des ordres clairs et fixait des chemins à son armée, comme s'il voyait toute la France devant lui. Interdire la Loire du côté de l'Anjou, la franchir en Touraine, être prêt soit à descendre vers le Berry, soit à couper la route du Poitou

et de l'Angoumois... et au bout de tout cela, aller
reprendre Bordeaux et l'Aquitaine. « Et que la promp-
titude soit notre affaire, que la surprise joue à notre
avantage. » Chacun se redressait, prêt à l'action. Une
belle chevauchée qui s'annonçait.

« Et qu'on renvoie toute la piétaille, ordonna encore
Jean II. N'allons pas à un autre Crécy. Rien qu'en
hommes d'armes, nous serons encore cinq fois plus
nombreux que ces méchants Anglais. »

Ainsi, parce que voilà dix ans les archers et arbalé-
triers, engagés mal à propos, ont gêné les mouvements
de la chevalerie et fait perdre une bataille, le roi Jean
renonçait à avoir cette fois aucune infanterie. Et ses
chefs de bannière l'approuvaient car tous avaient été
à Crécy et ils en restaient tout meurtris. Ne pas commettre la même erreur, c'était leur grand souci.

Seul, le Dauphin, s'enhardit à dire : « Ainsi, mon
père, nous n'aurons point d'archers du tout... »

Le roi ne daigna même pas lui répondre. Et le Dauphin, qui se trouvait rapproché de moi, me dit, comme
s'il cherchait appui, ou bien voulait que je ne le prisse
pas pour un niais : « Les Anglais, eux, mettent leurs
archers à cheval. Mais nul ne consentirait, chez nous,
à ce qu'on donnât chevaux à des gens du commun
peuple. »

Tiens, cela me rappelle... Brunet !... Si le temps
demain se maintient dans la douceur qu'il a, je ferai
l'étape, qui sera fort courte, sur mon palefroi. Il faut
me remettre un peu dans ma selle, avant Metz. Et
puis je veux montrer aux gens de Châlons, en entrant
dans leur ville, que je puis tout aussi bien chevaucher
que leur fol évêque Chauveau... qui n'a toujours pas
été remplacé.

V

LE PRINCE D'AQUITAINE

AH ! vous me retrouvez bien courroucé, Archambaud, pour ce bout de route qui va nous mener jusqu'à Sainte-Menehould. Il est dit que je ne m'arrêterai point dans une grande ville sans y trouver quelque nouvelle qui me fasse bouillir le sang. A Troyes, c'était la lettre du pape. A Châlons, ce fut le courrier de Paris. Qu'ai-je appris ? Que le Dauphin, près d'une quinzaine avant de se mettre en route, a signé un mandement pour altérer une fois encore le cours des monnaies, dans le sens de l'affaiblissement, bien sûr. Mais par crainte que la chose ne soit mal accueillie... ça, il n'y avait pas besoin d'être grand devin pour le prévoir.., il en a repoussé la promulgation jusqu'après son départ, quand il serait assez loin, à cinq jours de chemin, et c'est seulement le 10 de ce mois que l'ordonnance a été publiée. En somme, il a craint d'affronter ses bourgeois, et s'est forlongé comme un cerf. Vraiment, la fuite est trop souvent sa ressource ! Je ne sais qui lui a inspiré cette peu honorable ruse, si c'est

Braque ou Bucy ; mais les fruits en ont vite mûri. Le prévôt Marcel et les plus gros marchands s'en sont allés tout en colère chanter matines au duc d'Anjou, que le Dauphin a installé au Louvre en sa place ; et le second fils du roi, qui n'a que dix-huit ans et pas beaucoup de jugeote, s'est laissé arracher, pour éviter l'émeute dont on le menaçait, de suspendre l'ordonnance jusqu'au retour du Dauphin. Ou il ne fallait pas prendre la mesure, ce pour quoi j'aurais penché, car elle n'est une fois de plus qu'un mauvais expédient, ou il fallait la prendre et l'imposer tout immédiatement. Il arrive bien renforcé devant son oncle l'Empereur, notre Dauphin Charles, avec une capitale où le conseil de ville refuse d'obéir aux ordonnances royales !

Qui donc, aujourd'hui, commande au royaume de France ? On est en droit de se le demander. La chose, ne nous y trompons pas, aura des suites graves. Car voilà le Marcel devenu sûr de lui, sachant qu'il a fait ployer la volonté de la couronne, et soutenu forcément par la populace des bourgeois, puisqu'il défend leur bourse. Le Dauphin avait bien joué ses Etats généraux, les laissant désemparés par son départ ; avec ce coup-là, il perd tout son avantage. Avouez que c'est décevant, vraiment, de se donner tant de soins et de courir les routes, comme je le fais depuis une demi-année, pour tenter d'améliorer le sort de princes si obstinés à se nuire à eux-mêmes !

Adieu, Châlons... Oh non, oh non ! je ne veux point me mêler de la désignation d'un nouvel évêque. Le comte-évêque de Châlons est l'un des six pairs ecclésiastiques. C'est l'affaire du roi Jean, ou du Dauphin. Qu'ils la règlent directement avec le Saint-Père... ou bien qu'ils en donnent la fatigue à Niccola Capocci ; il s'emploiera à quelque chose, pour une fois...

Il ne faut tout de même pas trop accabler le Dau-

phin ; il n'a point tâche facile. Le grand fautif, c'est
le roi Jean ; et jamais le fils ne pourra commettre
autant d'erreurs que le père en a additionné.

Pour me désencolérer, ou peut-être m'encolérer
davantage... Dieu me pardonne de pécher... je vais
vous conter son équipée, au roi Jean. Et vous allez voir
comment un roi perd la France !

A Chartres, ainsi que je vous le disais, il s'était
repris. Il avait cessé de parler chevalerie quand il eût
fallu parler finances, de s'occuper de finances quand
il eût dû s'occuper de la guerre, et de se soucier de
vétilles quand se jouait le sort du royaume. Pour une
fois, il semblait sorti de sa confusion intérieure et
de sa funeste inclination au contretemps ; pour une
fois, il paraissait coïncider avec l'heure. Il avait adopté
de vraies dispositions de campagne. Et comme l'humeur du chef est chose contagieuse, ces dispositions
furent mises en œuvre avec exactitude et rapidité.

D'abord, interdire aux Anglais le franchissement de
la Loire. De forts détachements, commandés par des
capitaines auxquels ces pays étaient familiers, furent
envoyés pour tenir tous les ponts et passages entre
Orléans et Angers. Ordre aux chefs d'avoir toujours
lien avec leurs voisins, et d'envoyer fréquemment
messagers à l'armée du roi. Empêcher à tout prix la
chevauchée du prince de Galles, qui vient de Sologne,
et celle du duc de Lancastre, qui arrive de Bretagne,
de se joindre. On les battra séparément. Et d'abord,
le prince de Galles. L'armée, divisée en quatre colon-
nes pour en faciliter l'écoulement, franchira le fleuve
par les ponts de Meung, de Blois, d'Amboise et de
Tours. Eviter les engagements, quelles que soient les
occasions qui s'en puissent offrir, avant que tous les
corps de bataille ne soient rassemblés outre-Loire. Pas
de prouesses individuelles, si tentantes qu'elles puissent paraître. La prouesse, ce sera d'écraser l'Anglais

tous ensemble, et de purger le royaume de France de la misère et de la honte qu'il subit depuis de trop longues années. Telles étaient les instructions que le connétable duc d'Athènes donna aux chefs de bannières réunis avant le départ. « Allez, messires, et que chacun soit à son devoir. Le roi a les yeux sur vous. »

Le ciel était encombré de gros nuages noirs qui crevèrent soudain, traversés d'éclairs. Toutes ces journées, le Vendômois et la Touraine furent battus de pluies d'orage, brèves mais drues, qui trempaient les cottes d'armes et les harnachements, traversaient les chemises de mailles, alourdissaient les cuirs. On eût dit que la foudre était attirée par tout cet acier qui défilait ; trois hommes d'armes, qui s'étaient abrités sous un grand arbre, en furent frappés. Mais l'armée, dans l'ensemble, supportait bien les intempéries, souvent encouragée par un peuple en clameur. Car bourgeois des petites villes et manants des campagnes s'inquiétaient fort de l'avance du prince d'Aquitaine dont on disait choses effrayantes. Ce long défilé d'armures qui se hâtaient, quatre de front, les rassurait dès qu'ils comprenaient que les combats ne se livreraient pas dans leurs parages. « Vive notre bon roi ! Rossez bien ses ennemis ! Dieu vous protège, vaillants seigneurs ! » Ce qui voulait dire : « Dieu nous garde, grâce à vous... dont beaucoup vont tomber raides quelque part... de voir nos maisons et nos pauvres hardes brûlées, nos troupeaux dispersés, nos récoltes perdues, nos filles malmenées. Dieu nous garde de la guerre que vous allez faire ailleurs. » Et ils n'étaient pas chiches de leur vin qui est frais et doré. Ils le tendaient aux chevaliers qui le buvaient, cruche levée, sans arrêter leur monture.

J'ai vu tout cela, car j'avais pris résolution de suivre le roi et d'aller comme lui à Blois. Il se hâtait à la

guerre mais, moi, j'avais mission de faire la paix. Je
m'obstinais. J'avais mon plan, moi aussi. Et ma litière
avançait, derrière le gros de l'armée, mais suivie de
détachements qui avaient manqué de rejoindre à
temps le camp de Chartres. Il en arriverait pendant
plusieurs jours encore, tels les comtes de Joigny,
d'Auxerre et de Châtillon, trois fiers compères qui s'en
allaient sans se presser, suivis de toutes les lances de
leurs comtés, et prenaient la guerre par son côté
joyeux. « Bonnes gens, avez-vous vu passer l'armée
du roi ? — L'armée ? On l'a vue passer le jour d'avant-
hier, qu'il y en avait, qu'il y en avait ! Cela a duré plus
d'une couple d'heures. Et d'autres encore ont passé
ce matin. Si vous trouvez l'Anglais, ne lui faites point
quartier. — Pour sûr, bonnes gens, pour sûr... et si
nous prenons le prince Edouard, nous nous rappelle-
rons de vous en envoyer un morceau. »

Et le prince Edouard, pendant ce temps, allez-vous
me demander... Le prince avait été retardé devant
Romorantin. Moins longtemps que ne l'escomptait le
roi Jean, mais assez toutefois pour lui laisser développer sa manœuvre. Cinq journées, car les sires de Boucicaut, de Craon et de Caumont s'étaient furieusement
défendus. Dans la seule journée du 31 août, l'assaut
leur fut donné trois fois, qu'ils repoussèrent. Et ce fut
seulement le 3 septembre que la place tomba. Le
prince la fit incendier, comme à l'accoutumée ; mais
le lendemain, qui était un dimanche, il lui fallut laisser
reposer sa troupe. Les archers, qui avaient perdu nombre des leurs, étaient fatigués. C'était la première rencontre un peu sérieuse depuis le début de la campagne. Et le prince, moins souriant qu'à son ordinaire,
ayant appris par ses espies... car il avait toujours des
intelligences très en avant... que le roi de France avec
tout son ost se dispose à descendre sur lui, le prince
se demande s'il n'a pas eu tort de s'obstiner contre

la forteresse, et s'il n'aurait pas mieux fait de laisser les trois cents lances de Boucicaut enfermées dans Romorantin.

Il ne connaît pas exactement le nombre de l'armée du roi Jean ; mais il la sait plus forte que la sienne, et de beaucoup, cette armée qui va chercher passage sur quatre ponts à la fois... S'il ne veut pas souffrir d'une disparité trop écrasante, il lui faut à tout prix opérer sa jonction avec le duc de Lancastre. Finie la chevau- chée plaisante, fini de s'amuser des vilains fuyant dans les bois et des toits de monastères qui flambent. Mes- sires de Chandos et de Grailly, ses meilleurs capitai- nes, ne sont pas moins inquiets, et même ce sont eux, vieux routiers rompus à la fortune des guerres, qui l'invitent à la hâte. Il descend la vallée du Cher, tra- versant Saint-Aignan, Thésée, Montrichard sans s'ar- rêter à trop les piller, sans même regarder la belle rivière aux eaux tranquilles, ni ses îles plantées de peupliers que le soleil traverse, ni les côteaux crayeux où mûrissent, sous la chaleur, les prochaines ven- danges. Il tend vers l'ouest, vers le secours et le renfort.

Le 7 septembre, il atteint Montlouis pour apprendre qu'un gros corps de bataille, que commandent le comte de Poitiers, troisième fils du roi, et le maréchal de Clermont, est à Tours.

Alors, il balance. Quatre jours il attend, sur les hau- teurs de Montlouis, que Lancastre arrive, ayant passé le fleuve ; le miracle, en somme. Et si le miracle ne se produit pas, en tout cas sa position est bonne. Quatre jours il attend que les Français, qui savent le lieu où il est, lui livrent bataille. Contre le corps Poitiers- Clermont, le prince de Galles pense qu'il peut tenir et même l'emporter. Il a choisi son emplacement de combat, sur un terrain coupé par d'épais buissons d'épines. Il occupe ses archers à terrasser leurs retranchements. Lui-même, ses maréchaux et ses écuyers campent dans des maisonnettes avoisinantes.

Quatre jours, dès l'aurore, il scrute l'horizon, du côté de Tours. Le matin dépose dans l'immense vallée des brumes dorées ; le fleuve, grossi par les récentes pluies, roule de l'ocre entre ses berges vertes. Les archers continuent à façonner des talus.

Quatre nuits, regardant le ciel, le prince s'interroge sur ce que l'aube suivante lui réserve. Les nuits furent très belles dans ce moment-là, et Jupiter y brillait bien, plus gros que tous les autres astres.

« Que vont faire les Français ? se demandait le prince. Que vont-ils faire ? »

Or, les Français, respectant pour une fois l'ordre qui leur avait été donné, n'attaquent point. Le 10 de septembre, le roi Jean est à Blois avec son corps de bataille bien rassemblé. Le 11, il se meut vers la jolie cité d'Amboise, autant dire à toucher Montlouis. Adieu renforts, adieu Lancastre ; il faut au prince de Galles retraiter sur l'Aquitaine, au plus rapide, s'il veut éviter que, entre Tours et Amboise, la nasse ne se referme ; à deux corps de bataille, il ne peut opposer front. Le même jour, il déloge de Montlouis pour aller dormir à Montbazon.

Et là, au matin du 12, que voit-il arriver ? Deux cents lances précédées d'une bannière jaune et blanche, et au milieu des lances une grande litière rouge d'où sort un cardinal... J'ai accoutumé mes sergents et valets, vous l'avez vu, à mettre genou en terre quand je descends. Cela fait toujours impression sur ceux chez qui je parviens. Beaucoup aussitôt s'agenouillent de même, et se signent. Mon apparition mit de l'émotion, je vous le donne à croire, dans le camp anglais.

J'avais la veille quitté le roi Jean à Amboise. Je savais qu'il n'attaquerait pas encore, mais que le

moment ne pouvait plus être éloigné. Alors, à moi
d'engager mon affaire. J'étais passé par Bléré, où
j'avais pris peu de sommeil. Flanqué des armures de
mon neveu de Durazzo et de messire de Hérédia, et
suivi des robes de mes prélats et clercs, j'allai au
Prince et lui demandai de s'entretenir avec moi, seul
à seul.

Il me parut pressé, me disant qu'il levait le camp
dans l'heure. Je lui assurai qu'il avait un moment, et
que mon propos, qui était celui de notre saint-père le
pape, méritait qu'il l'entendît. De savoir, comme je
m'en portais certain, qu'il ne serait pas attaqué ce
jour lui donna certainement du répit ; mais tout le
temps que nous parlâmes, bien qu'il voulût se montrer sûr de soi, il continua de marquer de la hâte, ce
que je trouvai bon.

Il a de la hauteur dans le naturel, ce prince, et
comme j'en ai aussi, cela ne pouvait pas nous faire le
début facile. Mais moi, j'ai l'âge, qui me sert...

Bel homme, belle taille... En effet, en effet, il est
vrai, mon neveu, que je ne vous ai point encore décrit
le prince de Galles !... Vingt-six ans. C'est l'âge d'ailleurs de toute la nouvelle génération qui devient maîtresse des affaires. Le roi de Navarre a vingt-cinq ans,
et Phœbus de même ; seul le Dauphin est plus jeune...
Galles a un sourire avenant qu'aucune dent gâtée ne
dépare encore. Pour le bas du visage et pour la carna-
tion, il tient du côté de sa mère, la reine Philippa. Il en
a les manières enjouées, et il grossira comme elle.
Pour le haut du visage, il tirerait plutôt vers son
arrière-grand-père, Philippe le Bel. Un front lisse, des
yeux bleus, écartés et grands, d'une froideur de fer. Il
vous regarde fixement, d'une façon qui dément l'amé-
nité du sourire. Les deux parties de cette figure,
d'expression si différentes, sont séparées par de belles
moustaches blondes, à la saxonne, qui lui encadrent

la lèvre et le menton... Le fond de sa nature est d'un dominateur. Il ne voit le monde que du haut d'un cheval.

Vous connaissez ses titres ? Edouard de Woodstock, prince de Galles, prince d'Aquitaine, duc de Cornouailles, comte de Chester, seigneur de Biscaye... Le pape et les rois couronnés sont les seuls hommes qu'il ait à regarder pour supérieurs. Toutes les autres créatures, à ses yeux, n'ont que des degrés dans l'infériorité. Il a le don de commander, c'est certain, et le mépris du risque. Il est endurant ; il garde tête claire dans le danger. Il est fastueux dans le succès et couvre de dons ses amis.

Il a déjà un surnom, le Prince Noir, qu'il doit à l'armure d'acier bruni qu'il affectionne et qui le rend très remarquable, surtout avec les trois plumes blanches de son heaume, parmi les chemises de mailles toutes brillantes et les cottes d'armes multicolores des chevaliers qui l'entourent. Il a commencé de bonne heure dans la gloire. A Crécy, il avait donc seize ans, son père lui confia toute une bataille à commander, celle des archers gallois, en l'entourant, bien sûr, de capitaines éprouvés qui avaient à le conseiller et même à le diriger. Or, cette bataille fut si durement attaquée par les chevaliers français qu'un moment, jugeant le prince en péril, ceux-là qui avaient charge de le seconder dépêchèrent vers le roi pour lui demander de se porter au secours de son fils. Le roi Edouard III, qui observait le combat depuis la butte d'un moulin, répondit au messager : « Mon fils est-il mort, atterré ou si blessé qu'il ne se puisse aider lui-même ? Non ?... Alors, retournez vers lui, ou vers ceux qui vous ont envoyé, et dites-leur qu'ils ne viennent me requérir, quelque aventure qu'il lui advienne, tant qu'il sera en vie. J'ordonne qu'ils laissent à l'enfant gagner ses éperons ; car je veux, si Dieu l'a ordonné, que la journée soit sienne et que l'honneur lui en demeure. »

Voilà le jeune homme donc devant lequel je me trouvais, pour la première fois.

Je lui dis que le roi de France... « Devant moi, il n'est pas le roi de France », fit le prince. — Devant la Sainte Eglise, il est le roi oint et couronné », lui renvoyai-je ; vous jugez du ton... que le roi de France donc venait à lui avec son ost qui comptait près de trente mille hommes. Je forçais un peu, à dessein ; et pour être cru, j'ajoutais : « D'autres vous parleraient de soixante mille. Moi, je vous dis le vrai. C'est que je n'inclus pas la piétaille qui est demeurée en arrière. » J'évitai de lui dire qu'elle avait été renvoyée ; j'eus le sentiment qu'il le savait déjà.

Mais n'importe ; soixante ou trente, ou même vingt-cinq mille, chiffre qui s'approchait plus du vrai : le prince n'avait que six mille hommes avec lui, tous archers et coutilliers compris. Je lui représentai que, dès lors, ce n'était plus question de vaillance, mais de nombre.

Il me dit qu'il allait être rejoint d'un moment à l'autre par l'armée de Lancastre. Je lui répondis que je le lui souhaitais de tout mon cœur, pour son salut.

Il vit qu'à jouer l'assurance, il ne serait pas mon maître, et, après avoir marqué un court silence, il me dit tout à trac qu'il me savait plus favorable au roi Jean... à présent, il lui rendait son titre de roi... que je ne l'étais à son père. « Je ne suis favorable qu'à la paix entre les deux royaumes, lui répondis-je, et c'est elle que je viens vous proposer. »

Alors il commença avec beaucoup de grandeur à me représenter que l'an précédent il avait traversé tout le Languedoc et mené ses chevaliers jusqu'à la mer latine sans que le roi s'y pût opposer ; que cette saison même, il venait de faire chevauchée de la Guyenne

jusu'à la Loire ; que la Bretagne était quasiment sous
la loi anglaise ; que bonne part de la Normandie, ame-
née par Monseigneur Philippe de Navarre, était tout
près d'y passer ; que moult seigneurs d'Angoumois, du
Poitou, de Saintonge, et même du Limousin lui étaient
ralliés... il eut le bon goût de ne point mentionner le
Périgord... et en même temps, il regardait la hauteur
du soleil par la fenêtre... pour enfin me lâcher :
« Après tant de succès pour nos armes, et toutes les
emprises que nous avons, de droit et de fait, dans le
royaume de France, quelles seraient les offres que
nous ferait le roi Jean pour la paix ? »

Ah ! si le roi avait bien voulu m'entendre à Breteuil,
à Chartres... Que pouvais-je répondre, qu'avais-je dans
les mains ? Je dis au prince que je ne lui apportais
aucune offre du roi de France car ce dernier, fort
comme il l'était, ne pouvait songer à la paix avant
d'emporter la victoire qu'il escomptait ; mais que je
lui portais le commandement du pape, qui voulait
qu'on cessât d'ensanglanter les royaumes d'Occident,
et qui priait impérieusement les rois, insistai-je, de
s'accorder afin de se porter au secours de nos frères
de Constantinople. Et je lui demandai à quelles conditions l'Angleterre...

Il regardait toujours monter le soleil, et rompit
l'entretien en disant : « Il revient au roi mon père,
non à moi, de décider de la paix. Je n'ai point d'ordre
de lui qui m'autorise à traiter. » Puis il souhaita que je
voulusse bien l'excuser s'il me précédait sur la route.
Il n'avait en tête que de mettre distance avec l'armée
poursuivante. « Laissez-moi vous bénir, Monseigneur,
lui dis-je. Et je resterai proche, s'il vous advenait
d'avoir besoin de moi. »

Vous me direz, mon neveu, que j'emportais petite
pêche dans mon filet, en m'en repartant de Montbazon
derrière l'armée anglaise. Mais je n'étais point aussi

mécontent que vous le pourriez croire. La situation
étant ce que je la voyais, j'avais ferré le poisson et lui
laissais du fil. Cela dépendait des remous de la rivière.
Il me fallait seulement ne pas m'éloigner du bord.

Le prince avait piqué vers le sud, vers Châtellerault.
Les chemins de la Touraine et du Poitou, ces journées-
là, virent passer d'étonnants cortèges. D'abord, l'armée du prince de Galles, compacte, rapide, six mille
hommes, toujours en bon ordre, mais tout de même
un peu essoufflés et qui ne musent plus à brûler les
granges. C'est plutôt la terre qui semble brûler les
sabots de leurs montures. A un jour de marche, lancée à leur poursuite, l'armée formidable du roi Jean,
lequel a regroupé, comme il le voulait, toutes ses
bannières, ou presque, vingt-cinq mille hommes,
mais qu'il presse trop, qu'il fatigue et qui commencent à moins bien s'articuler et à laisser des traînards.

Et puis, entre Anglais et Français, suivant les premiers, précédant les seconds, mon petit cortège qui
met un point de pourpre et d'or dans la campagne.
Un cardinal entre deux armées, cela ne s'est pas vu
souvent ! Toutes les bannières se hâtent à la guerre, et
moi, avec ma petite escorte, je m'obstine à la paix.
Mon neveu de Durazzo trépigne ; je sens qu'il a
comme de la honte à escorter quelqu'un dont toute
la prouesse serait de faire qu'on ne combattît point.
Et mes autres chevaliers, Heredia, La Rue, tous pen-
sent de même. Durazzo me dit : « Laissez donc le roi
Jean rosser les Anglais, et qu'on en finisse. D'ailleurs
qu'espérez-vous empêcher ? »

Je suis au fond de moi assez de leur avis, mais je ne
veux point lâcher. Je vois bien que si le roi Jean rat-
trape le prince Edouard, et il va le rattraper, il ne
peut que l'écraser. Si ce n'est en Poitou, ce sera en
Angoumois.

Tout, apparemment, donne Jean pour vainqueur.

Mais ces journées-ci, ses astres sont mauvais, très
mauvais, je le sais. Et je me demande comment, dans
une situation qui l'avantage si fort, il va essuyer un si
funeste aspect. Je me dis qu'il va peut-être livrer une
bataille victorieuse, mais qu'il y sera tué. Ou bien
qu'une maladie va le saisir en chemin...

Sur les mêmes routes avancent aussi les chevauchées des retardataires, les comtes de Joigny,
d'Auxerre et de Châtillon, les bons compères, toujours
joyeux et prenant leurs aises, mais comblant petit à
petit leur écart avec le gros de l'armée de France.
« Bonnes gens, avez-vous vu le roi ? » Le roi ? Il est
parti le matin de La Haye. Et l'Anglais ? Il y a dormi
la veille...

Jean II, puisqu'il suit son cousin anglais, est ren-
seigné fort exactement sur les routes de son adversaire. Ce dernier, se sentant talonné, gagne Châtellerault, et là, pour s'alléger et dégager le pont, il fait
passer la Vienne, de nuit, à son convoi personnel,
tous les chariots qui portent ses meubles, ses harnachements de parade, ainsi que tout son butin, les
soieries, les vaisselles d'argent, les objets d'ivoire, les
trésors d'églises qu'il a raflés au cours de sa chevauchée. Et fouette vers Poitiers. Lui-même, ses hommes
d'armes et ses archers, dès le petit matin, prennent
un moment la même route ; puis, pour plus de prudence, il jette son monde dans des voies de traverse. Il
a un calcul en tête : contourner par l'est Poitiers, où
le roi sera bien forcé de laisser reposer sa lourde
armée, ne serait-ce que quelques heures, et ainsi augmenter son avance.

Ce qu'il ignore, c'est que le roi n'a pas pris le chemin de Châtellerault. Avec toute sa chevalerie qu'il
emmène à un train de chasse, il a piqué sur Chauvigny, encore plus au levant, pour tenter de déborder
son ennemi et lui couper la retraite. Il va en tête, droit

sur sa selle, le menton en avant, sans prendre garde à
rien, comme il est allé au banquet de Rouen. Une
étape de plus de douze lieues, d'un trait.

Toujours courant à sa suite, les trois seigneurs
bourguignons, Joigny, Auxerre et Châtillon. « Le
roi ?... — Sur Chauvigny. — Va donc pour Chauvigny ! » Ils sont contents ; ils ont presque rejoint l'ost ;
ils seront là pour l'hallali.

Ils parviennent donc à Chauvigny, que surmonte
son gros château dans une courbe de la Vienne. Il y a
là, dans le soir qui tombe, un énorme rassemblement
de troupes, un encombrement sans pareil de chariots
et de cuirasses. Joigny, Auxerre et Avallon aiment
leurs aises. Ils ne vont pas se jeter, après une dure
étape, dans une telle cohue. A quoi bon se presser ?
Prenons plutôt un bon dîner, tandis que nos varlets
panseront les montures. Cervellière ôtée, jambières
délacées, les voilà qui s'étirent, se frottent les reins
et les mollets, et puis s'attablent dans une auberge
non loin de la rivière. Leurs écuyers, qui les savent
gourmands, leur ont trouvé du poisson, puisqu'on
est vendredi. Ensuite, ils vont dormir... tout cela me
fut conté après, par le menu... et le matin suivant
s'éveillent tard, dans un bourg vide et silencieux.
« Bonnes gens... le roi ? » On leur désigne la direction
de Poitiers. « Le plus court ? — Par la Chaboterie. »

Voilà donc Châtillon, Joigny et Auxerre, leurs lances
à leur suite, qui s'en vont à bonne allure dans les
chemins de bruyères. Joli matin ; le soleil perce les
branches, mais sans trop darder. Trois lieues sont
franchies sans peine. On sera rendu à Poitiers dans
moins d'une demi-heure. Et soudain, au croisement de
deux layons, ils tombent nez à nez avec une soixan-
taine d'éclaireurs anglais. Ils sont plus de trois cents.
C'est l'aubaine. Fermons nos ventailles, abaissons nos
lances. Les éclaireurs anglais, qui sont d'ailleurs gens

du Hainaut que commandent messires de Ghistelles
et d'Auberchicourt, font demi-tour et prennent le
galop. « Ah ! les lâches, ah ! les couards ! A la poursuite, à la poursuite ! »

La poursuite ne dure guère car, la première futaie
franchie, Joigny, Auxerre et Châtillon s'en vont donner dans le gros de la colonne anglaise qui se referme
sur eux. Les épées et les lances s'entrechoquent un
moment. Ils se battent bien les Bourguignons ! Mais
le nombre les étouffe. « Courez au roi, courez au roi,
si vous pouvez ! » lancent Auxerre et Joigny à leurs
écuyers, avant d'être démontés et de devoir se rendre.

Le roi Jean était déjà dans les faubourgs de Poitiers
lorsque quelques hommes du comte de Joigny, qui
avaient pu échapper à une furieuse chasse, s'en vinrent, hors d'haleine, lui conter l'affaire. Il les félicita
fort. Il était tout joyeux. D'avoir perdu trois grands
barons et leurs bannières ? Non, certes ; mais le prix
n'était pas lourd pour la bonne nouvelle. Le prince
de Galles, qu'il croyait encore devant lui, était derrière. Il avait réussi ; il lui avait coupé la route. Demi-
tour vers la Chaboterie. Conduisez-moi, mes braves !
L'hallali, l'hallali... Il venait de vivre sa bonne journée,
le roi Jean.

Moi-même, mon neveu ? Ah ! J'avais suivi la route
venant de Châtellerault. J'arrivais à Poitiers, pour y
loger à l'évêché, où je fus, dans la soirée, informé de
tout.

LES DÉMARCHES DU CARDINAL

NE vous surprenez pas, à Metz, Archambaud, de voir le Dauphin rendre l'hommage à son oncle l'Empereur. Eh bien oui, pour le Dauphiné, qui est dans la mouvance impériale... Non, non, je l'y ai fort engagé ; c'est même un des prétextes au voyage ! Cela ne diminue point la France, au contraire ; cela lui établit des droits sur le royaume d'Arles, si l'on venait à le reconstituer, puisque le Viennois jadis s'y trouvait inclus. Et puis c'est de bon exemple, pour les Anglais, de leur montrer que roi ou fils de roi, sans s'abaisser, peut consentir l'hommage à un autre souverain, quand des parties de ses Etats relèvent de l'antique suzeraineté de l'autre...

C'est la première fois, depuis bien longtemps, que l'Empereur paraît résolu à pencher un peu du côté de la France. Car jusqu'ici, et bien que sa sœur Madame Bonne ait été la première épouse du roi Jean, il était plutôt favorable aux Anglais. N'avait-il pas nommé le roi Edouard, qui s'était montré bien habile avec lui, vicaire impérial ? Les grandes victoires de l'Angle-terre et l'abaissement de la France ont dû le conduire à réfléchir. Un empire anglais à côté de l'Empire ne lui sourirait guère. Il en va toujours ainsi avec les princes allemands ; ils s'emploient autant qu'ils peuvent à diminuer la France et, ensuite, ils s'aperçoivent que cela ne leur a rien rapporté, au contraire...

Je vous conseille, quand nous serons devant l'Empereur, et si l'on vient à parler de Crécy, de ne point trop insister sur cette bataille. En tout cas, n'en prononcez pas le nom le premier. Car, tout à la diffé-rence de son père Jean l'Aveugle, l'Empereur, qui n'était pas encore empereur, n'y a pas fait trop belle figure... Il a fui, tout bonnement, ne mâchons pas les mots... Mais ne parlez pas trop de Poitiers non plus, que tout le monde forcément a en tête, et ne croyez point nécessaire d'exalter le courage malheureux des chevaliers français, cela par égard pour le Dauphin... car lui non plus ne s'est pas distingué par un excès de vaillance. C'est une des raisons pour lesquelles il a quelque peine à asseoir son autorité. Ah non ! ce ne sera pas une réunion de héros... Enfin, il a des excuses, le Dauphin ; et s'il n'est pas homme de guerre, ce n'est pas lui qui aurait manqué de saisir la chance que j'offris à son père...

Je vous reprends le récit de Poitiers, que nul ne pourrait vous faire plus complètement que moi, vous allez comprendre pourquoi. Nous en étions donc au samedi soir, lorsque les deux armées se savent toutes voisines l'une de l'autre, presque à se toucher, et que le prince de Galles comprend qu'il ne peut plus bouger...

Le dimanche, tôt le matin, le roi entend messe, en plein champ. Une messe de guerre. Celui qui officie porte mitre et chasuble par-dessus sa cotte de mailles ; c'est Regnault Chauveau, le comte-évêque de

Châlons, un de ces prélats qui conviendraient mieux à l'ordre militaire qu'aux ordres religieux... Je vous vois sourire, mon neveu... oui, vous vous dites que j'appartiens à l'espèce ; mais moi, j'ai appris à me contraindre, puisque Dieu m'a désigné mon chemin.

Pour Chauveau, cette armée agenouillée dans les prés mouillés de rosée, en avant du bourg de Nouaillé, doit lui offrir la vision des légions célestes. Les cloches de l'abbaye de Maupertuis sonnent dans leur gros clocher carré. Et les Anglais, sur la hauteur, derrière les boqueteaux qui les dissimulent, entendent le formidable *Gloria* que poussent les chevaliers de France.

Le roi communie entouré de ses quatre fils et de son frère d'Orléans, tous en arroi de combat. Les maréchaux regardent avec quelque perplexité les jeunes princes auxquels il leur a fallu donner des commandements bien qu'ils n'aient aucune expérience de la guerre. Oui, les princes leur sont un souci. N'a-t-on pas amené jusqu'aux enfants, le jeune Philippe, le fils préféré du roi, et son cousin Charles d'Alençon ? Quatorze ans, treize ans ; quel embarras que ces cuirasses naines ! Le jeune Philippe restera auprès de son père, qui tient à le veiller lui-même ; et l'on a commis l'Archiprêtre à la protection du petit Alençon.

Le connétable a réparti l'armée en trois grosses batailles. La première, trente-deux bannières, est aux ordres du duc d'Orléans. La deuxième aux ordres du Dauphin, duc de Normandie, secondé de ses frères, Louis d'Anjou et Jean de Berry. Mais en vérité, le commandement est à Jean de Landas, à Thibaut de Vodenay et au sire de Saint-Venant, trois hommes de guerre qui ont charge de serrer étroitement l'héritier du trône et de le gouverner. Le roi prendrait la tête de la troisième bataille.

On le hisse en selle, sur son grand destrier blanc. Du regard, il parcourt son armée et s'émerveille de la

voir si nombreuse et si belle. Que de heaumes, que de
lances côte à côte, sur des rangs profonds ! Que de
lourds chevaux qui encensent de la tête et font clique-
ter leurs mors ! Aux selles pendent les épées, les
masses d'armes, les haches à deux tranchants. Aux
lances flottent les pennons et les banderoles. Que de
couleurs vives peintes sur les écus et les targes, bro-
dées sur les cottes des chevaliers et sur les housses de
leur monture ! Tout cela poudroie, luit, scintille, éclate
sous le soleil du matin.

Le roi s'avance alors et s'écrie : « Mes beaux sires,
quand vous étiez entre vous à Paris, à Chartres, à
Rouen ou à Orléans, vous menaciez les Anglais et
vous souhaitiez être le bassinet en tête devant eux ;
or, vous y êtes à présent ; je vous les montre. Aussi
veuillez leur montrer vos talents et venger les ennuis
et dépits qu'ils nous ont faits, car, sans faute, nous les
battrons ! » Et puis après l'énorme : « Dieu y ait part.
Nous le verrons ! » qui lui répond, il attend. Il attend,
pour donner l'ordre d'attaquer, que soit revenu Eustache de Ribemont, le bailli de Lille et de Douai, qu'il
a envoyé avec un petit détachement reconnaître exactement la position anglaise.

Et toute l'armée attend, dans un grand silence.
Moment difficile que celui où l'on va charger et où
l'ordre tarde. Car chacun alors se dit : « Ce sera peut-
être mon tour aujourd'hui... Je vois peut-être la terre
pour la dernière fois. » Et toutes les gorges sont
nouées, sous la mentonnière d'acier ; et chacun se
recommande à Dieu plus vivement encore que pendant la messe. Le jeu de la guerre devient tout à coup
solennel et terrible.

Messire Geoffroy de Charny portait l'oriflamme de
France que le roi lui avait fait l'honneur de lui confier,
et l'on m'a dit qu'il avait l'air tout transfiguré.

Le duc d'Athènes semblait des plus tranquilles. Il

savait d'expérience que, le plus gros de son travail de connétable, il l'avait assuré auparavant. Dès que le combat serait engagé, il ne verrait guère à plus de deux cents pas ni ne se ferait entendre à plus de cinquante ; on lui dépêcherait des divers points du champ de bataille des écuyers qui arriveraient ou n'arriveraient pas ; et, à ceux qui parviendraient à lui, il crierait un ordre qui serait ou ne serait pas exécuté. Qu'il soit là, qu'on puisse dépêcher à lui, qu'il fasse un geste, qu'il crie une approbation, rassurerait. Peut-être une décision à prendre dans un moment difficile... Mais dans cette grande confusion de chocs et de clameurs, ce ne serait plus lui, vraiment, qui commanderait, mais la volonté de Dieu. Et vu le nombre des Français, il semblait bien que Dieu se fût déjà prononcé.

Le roi Jean, lui, commençait à s'irriter parce que Eustache de Ribemont ne revenait pas. Aurait-il été pris, comme hier Auxerre et Joigny ? La sagesse serait d'envoyer une seconde reconnaissance. Mais le roi Jean ne supporte point l'attente. Il est saisi de cette coléreuse impatience qui monte en lui chaque fois que l'événement n'obéit pas tout de suite à sa volonté, et qui le rend impuissant à juger sainement des choses. Il est au bord de donner l'ordre d'attaque... tant pis, on verra bien... quand reviennent enfin messire de Ribemont et ses patrouilleurs.

« Alors, Eustache, quelles nouvelles ? — Fort bonnes, Sire ; vous aurez, s'il plaît à Dieu, bonne victoire sur vos ennemis. — Combien sont-ils ? — Sire, nous les avons vus et considérés. A l'estimation, les Anglais peuvent être deux mille hommes d'armes, quatre mille archers et quinze cents ribauds. »

Le roi, sur son destrier blanc, a un sourire vainqueur. Il regarde les vingt-cinq mille hommes, ou presque, rangés autour de lui. « Et comment est leur gîte ? — Ah ! Sire, ils occupent un fort lieu. On peut tenir pour sûr qu'ils n'ont pas plus d'une bataille, et petite, à opposer aux nôtres, mais ils l'ont bien ordonnée. »

Et de décrire comment les Anglais sont installés, sur la hauteur, de part et d'autre d'un chemin montant, bordé de haies touffues et de buissons derrière lesquels ils ont aligné leurs archers. Pour les attaquer, il n'est d'autre voie que ce chemin, où quatre chevaux seulement pourront aller de front. De tous autres côtés, ce sont seulement vignes et bois de pins où l'on ne saurait chevaucher. Les hommes d'armes anglais, leurs montures gardées à l'écart, sont tous à pied, derrière les archers qui leur font une manière de herse. Et ces archers ne seront pas légers à déconfire.

« Et comment, messire Eustache, conseillez-vous de nous y rendre ? »

Toute l'armée avait les yeux tournés vers le conciliabule qui réunissait, autour du roi, le connétable, les maréchaux et les principaux chefs de bannière. Et aussi le comte de Douglas, qui n'avait pas quitté le roi depuis Breteuil. Il y a des invités, parfois, qui coûtent cher. Guillaume de Douglas dit : « Nous, les Escots, c'est toujours à pied que nous avons battu les Anglais... » Et Ribemont renchérit, en parlant des milices flamandes. Et voici qu'à l'heure d'engager combat, on se met à disserter d'art militaire. Ribemont a une proposition à faire, pour la disposition d'attaque. Et Guillaume de Douglas l'approuve. Et le roi invite à les écouter, puisque Ribemont est le seul qui ait exploré le terrain, et parce que Douglas est l'invité qui a si bonne connaissance des Anglais.

Soudain un ordre est lancé, transmis, répété. « Pied à terre ! » Quoi ? Après ce grand moment de tension et d'anxiété, où chacun s'est préparé au fond de soi à affronter la mort, on ne va pas combattre ? Il se

fait comme un flottement de déception. Mais si, mais
si ; on va combattre, oui, mais à pied. Ne resteront à
cheval que trois cents armures, qui iront, emmenées
par les deux maréchaux, percer une brèche dans les
lignes des archers anglais. Et, par cette brèche, les
hommes d'armes s'engouffreront aussitôt, pour combattre, main à main, les hommes du prince de Galles.
Les chevaux seront gardés à toute proximité, pour
la poursuite.

Déjà Audrehem et Clermont parcourent le front
des bannières pour choisir les trois cents chevaliers
les plus forts, les plus hardis et les plus lourdement
armés qui formeront la charge.

Ils n'ont pas l'air content, les maréchaux, car ils
n'ont même pas été conviés à donner leur avis. Clermont a bien tenté de se faire entendre et demandé
qu'on réfléchisse un instant. Le roi l'a rabroué. « Messire Eustache a vu, et messire de Douglas sait. Que
nous apporterait de plus votre discours ? » Le plan de
l'éclaireur et de l'invité devient le plan du roi. « Il
n'y a qu'à nommer Ribemont maréchal et Douglas
connétable », grommelle Audrehem.

Pour tous ceux qui ne sont pas de la charge, pied
à terre, pied à terre... « Otez vos éperons, et taillez
vos lances à la longueur de cinq pieds ! »

Humeur et grogne dans les rangs. Ce n'était pas
pour cela qu'on était venu. Et pourquoi alors avoir
licencié la piétaille à Chartres, si l'on devait à présent
en faire le travail ? Et puis raccourcir les lances, cela
leur brisait le cœur, aux chevaliers. De belles hampes
de frêne, choisies avec soin pour être tenues horizon-
tales, coincées contre la targe, et va le galop ! Maintenant ils allaient se promener, alourdis de fer, avec
des bâtons. « N'oublions point qu'à Crécy... » disaient
ceux qui voulaient malgré tout donner raison au roi.
« Crécy, toujours Crécy », répondaient les autres.

Ces hommes qui, la demi-heure d'avant, avaient l'âme tout exaltée d'honneur, bougonnaient comme des paysans qui ont cassé un essieu de chariot. Mais le roi lui-même, pour donner l'exemple, avait renvoyé son destrier blanc et piétinait l'herbe, les talons sans éperons, faisant sauter sa masse d'armes d'une main dans l'autre.

C'est au milieu de cette armée occupée à couper ses lances à coups de hache d'arçon que, arrivant de Poitiers, je dévalai au galop, couvert par la bannière du Saint-Siège, et escorté seulement de mes chevaliers et de mes meilleurs bacheliers, Guillermis, Cunhac, Elie d'Aimery, Hélie de Raymond, ceux-là avec lesquels nous voyageons. Ils ne sont pas près d'oublier ! Ils vous ont conté... non ?

Je descends de cheval en lançant mes rênes à La Rue ; je recoiffe mon chapeau que la course m'avait rabattu dans le dos ; Brunet défroisse ma robe, j'avance vers le roi les gants joints. Je lui dis d'entrée, avec autant de fermeté que de révérence : « Sire, je vous prie et vous supplie, au nom de la foi, de surseoir un moment au combat. Je viens m'adresser à vous d'ordre et de la volonté de notre Saint-Père. Vous plaira-t-il de m'écouter ? »

Si surpris qu'il fût par l'arrivée, en un tel instant, de ce gêneur d'Eglise, que pouvait-il faire, le roi Jean, sinon me répondre, du même ton de cérémonie : « Volontiers, Monseigneur cardinal. Que vous plaît-il de me dire ? »

Je restai un moment les yeux levés vers le ciel, comme si je le priais de m'inspirer. Et je priais, en effet ; mais aussi j'attendais que le duc d'Athènes, les maréchaux, le duc de Bourbon, l'évêque Chauveau en qui je pensais trouver un allié, Jean de Landas, Saint-Venant, Tancarville, et quelques autres, dont l'Archiprêtre, se fussent rapprochés. Car ce n'étaient plus à présent paroles seul à seul ou entretiens de dîner, comme à Breteuil ou à Chartres. Je voulais être entendu, non seulement du roi, mais des plus hauts hommes de France, et qu'ils soient bien témoins de ma démarche.

« Très cher Sire, repris-je, vous avez ici la fleur de la chevalerie de votre royaume, en multitude, contre une poignée de gens que sont les Anglais en regard de vous. Ils ne peuvent tenir contre votre force ; et il serait plus honorable pour vous qu'ils se missent à votre merci sans bataille, plutôt que d'aventurer toute cette chevalerie, et de faire périr de bons chrétiens de part et d'autre. Je vous dis ceci sur l'ordonnance de notre très-saint-père le pape, qui m'a mandé comme son nonce, avec toute son autorité, afin d'aider à la paix, selon le commandement de Dieu qui la veut entre les peuples chrétiens. Aussi je vous prie de souffrir, au nom du Seigneur, que je chevauche vers le prince de Galles, pour lui remontrer en quel danger vous le tenez, et lui parler raison. »

S'il avait pu me mordre, le roi Jean, je crois qu'il l'aurait fait. Mais un cardinal sur un champ de bataille cela ne laisse pas d'impressionner. Et le duc d'Athènes hochait le front, et le maréchal de Clermont, et Monseigneur de Bourbon. J'ajoutai : « Très cher Sire, nous sommes dimanche, jour du Seigneur, et vous venez d'entendre messe. Vous plairait-il de surseoir au travail de mort le jour consacré au Seigneur ? Laissez au moins que j'aille parler au prince. »

Le roi Jean regarda ses seigneurs autour de lui, et comprit que lui, le roi très chrétien, ne pouvait point ne pas déférer à ma demande. Si jamais quelque accident funeste survenait, on l'en tiendrait pour coupable et l'on y verrait le châtiment de Dieu.

« Soit, Monsiegneur, me dit-il. Il nous plaît de nous accorder à votre souhait. Mais revenez sans tarder. »

J'eus alors une bouffée d'orgueil... le bon Dieu m'en pardonne... Je connus la suprématie de l'homme d'Eglise, du prince de Dieu, sur les rois temporels. Eussé-je été comte de Périgord, au lieu de votre père, jamais je n'aurais été investi de cette puissance-là. Et je pensai que j'accomplissais la tâche de ma vie.

Toujours escorté de mes quelques lances, toujours signalé par la bannière de la papauté, je piquai vers la hauteur, par le chemin qu'avait éclairé Ribemont, en direction du petit bois où campait le prince de Galles.

« Prince, mon beau fils... » car cette fois, quand je fus devant lui, je ne lui donnai plus du Monseigneur, pour mieux lui laisser sentir sa faiblesse... « si vous aviez justement considéré la puissance du roi de France comme je viens de le faire, vous me laisseriez tenter une convention entre vous, et de vous accorder, si je le puis. » Et je lui dénombrai l'armée de France que j'avais pu contempler devant le bourg de Nouaillé. « Voyez où vous êtes, et combien vous êtes... Croyez-vous donc que vous pourrez tenir longtemps ? »

Eh non, il ne pourrait longtemps tenir, et il le savait bien. Son seul avantage, c'était le terrain ; son retranchement était vraiment le meilleur qu'on pût trouver. Mais ses hommes déjà commençaient à souffrir de la soif, car il n'y avait pas d'eau sur cette colline ; il eût fallu pouvoir aller en puiser au ruisseau, le Miosson, qui coulait en bas ; or les Français le tenaient. Des vivres, il n'en était guère pourvu que pour une journée. Il avait perdu son beau rire blanc sous ses moustaches à la saxonne, le prince ravageur ! S'il n'avait pas été qui il était, au milieu de ses chevaliers, Chandos, Grailly, Warwick, Suffolk, qui l'observaient, il serait convenu de ce qu'eux-mêmes pensaient, que leur situation ne permettait plus d'es-

pérance. A moins d'un miracle... et le miracle, c'était
peut-être moi qui le lui apportais. Néanmoins, par
souci de grandeur, il discuta un peu : « Je vous l'ai dit
à Montbazon, Monseigneur de Périgord, je ne saurais
traiter sans l'ordre du roi mon père... — Beau prince,
au-dessus de l'ordre des rois, il y a l'ordre de Dieu. Ni
votre père le roi Edouard, sur son trône de Londres,
ni Dieu sur le trône du ciel ne vous pardonneraient
de faire perdre la vie à tant de bonnes et braves gens
remis à votre protection, si vous pouvez agir autrement. Acceptez-vous que je discute les conditions où
vous pourriez, sans perdre l'honneur, épargner un
combat bien cruel et bien douteux ? »

Armure noire et robe rouge face à face. Le heaume
aux trois plumes blanches interrogeait mon chapeau
rouge et semblait en compter les glands de soie. Enfin
le heaume fit un signe d'acquiescement.

Le chemin d'Eustache dévalé, où j'aperçus les
archers anglais en rangs tassés, derrière les palissades
de pieux qu'ils avaient plantés, et me voici revenu
devant le roi Jean. Je tombai en pleine palabre ; et je
compris, à certains regards qui m'accueillirent, que
tout le monde n'avait pas dit du bien de moi. L'Archiprêtre se balançait, efflanqué, goguenard, sous son
chapeau de Montauban.

« Sire, dis-je, j'ai bien vu les Anglais. Vous n'avez
point à vous hâter de les combattre, et vous ne perdez
rien à vous reposer un peu. Car, placés comme ils
sont, ils ne peuvent vous fuir, ni vous échapper. Je
pense en vérité que vous les pourrez avoir sans coup
férir. Aussi je vous prie que vous leur accordiez répit
jusques à demain, au soleil levant. »

Sans coup férir... J'en vis plusieurs, comme le comte
Jean d'Artois, Douglas, Tancarville lui-même, qui
bronchèrent sous le mot et secouèrent le col. Ils
avaient envie de férir. J'insistai : « Sire, n'accordez

rien si vous le voulez à votre ennemi, mais accordez son jour à Dieu. »

Le connétable et le maréchal de Clermont penchaient pour cette suspension d'armes... « Attendons de savoir, Sire, ce que l'Anglais propose et ce que nous en pouvons exiger ; nous n'y risquons rien... » En revanche, Audrehem, oh ! simplement parce que, Clermont étant d'un avis, il était de l'autre... disait, assez haut pour que je l'entendisse : « Sommes-nous donc là pour batailler ou pour écouter prêche ? » Eustache de Ribemont, parce que sa disposition de combat avait été adoptée par le roi, et qu'il était tout énervé de la voir en œuvre, poussait à l'engagement immédiat.

Et Chauveau, le comte-évêque de Châlons qui portait heaume en forme de mitre, peint en violet, le voilà soudain qui s'agite et presque s'emporte.

« Est-ce le devoir de l'Eglise, messire cardinal, que de laisser des pillards et des parjures s'en repartir sans châtiment ? » Là, je me fâche un peu. « Est-ce le devoir d'un serviteur de l'Eglise, messire évêque, que de refuser la trêve à Dieu ? Veuillez apprendre, si vous ne le savez, que j'ai pouvoir d'ôter office et bénéfices à tout ecclésiastique qui voudrait entraver mes efforts de paix... La Providence punit les présomptueux, messire. Laissez donc au roi l'honneur de montrer sa grandeur, s'il le veut... Sire, vous tenez tout en vos mains ; Dieu décide à travers vous. »

Le compliment avait porté. Le roi tergiversa quelque temps encore, tandis que je continuais de plaider, assaisonnant mon propos de compliments gros comme les Alpes. Quel prince, depuis Saint Louis, avait montré tel exemple que celui qu'il pouvait donner ? Toute la chrétienté allait admirer un geste de preux, et viendrait désormais demander arbitrage à sa sagesse ou secours à sa puissance !

« Faites dresser mon pavillon, dit le roi à ses écuyers. Soit, Monseigneur cardinal ; je me tiendrai ici jusqu'à demain, au soleil levant, pour l'amour de vous. — Pour l'amour de Dieu, Sire ; seulement pour l'amour de Dieu. »

Et je repars. Six fois au long de la journée, je devais faire la navette, allant suggérer à l'un les conditions d'un accord, venant les rapporter à l'autre ; et chaque fois, passant entre les haies des archers gallois vêtus de leur livrée mi-partie blanche et verte, je me disais que si quelques-uns, se méprenant, me lançaient une volée de flèches, je serais bien assaisonné.

Le roi Jean jouait aux dés, pour passer le temps, sous son pavillon de drap vermeil. Tout à l'alentour, l'armée s'interrogeait. Bataille ou pas bataille ? Et l'on en disputait ferme jusque devant le roi. Il y avait les sages, il y avait les bravaches, il y avait les timorés, il y avait les coléreux... Chacun s'autorisait à donner un avis. En vérité, le roi Jean restait indécis. Je ne pense pas qu'il se posa un seul moment la question du bien général. Il ne se posait que la question de sa gloire personnelle qu'il confondait avec le bien de son peuple. Après nombre de revers et de déboires, qu'est-ce donc qui grandirait le plus sa figure, une victoire par les armes ou par la négociation ? Car l'idée d'une défaite bien sûr ne le pouvait effleurer, non plus qu'aucun de ses conseillers.

Or les offres que je lui portais, voyage après voyage, n'étaient point négligeables. Au premier, le prince de Galles consentait à rendre tout le butin qu'il avait fait au cours de sa chevauchée, ainsi que tous les prisonniers, sans demander rançon. Au second, il acceptait de remettre toutes les places et châteaux conquis, et tenait pour nuls les hommages et ralliements. A la troisième navette, c'était une somme d'or, en réparation de ce qu'il avait détruit, non seulement pendant l'été, mais encore dans les terres de Languedoc l'année précédente. Autant dire que de ses deux expéditions, le prince Edouard ne conservait aucun profit.

Le roi Jean exigeait plus encore ? Soit. J'obtins du prince le retrait de toutes garnisons placées en dehors de l'Aquitaine... c'était un succès de belle taille... et l'engagement de ne jamais traiter dans l'avenir ni avec le comte de Foix... à ce propos, Phœbus était dans l'armée du roi, mais je ne le vis pas ; il se tenait fort à l'écart... ni avec aucun parent du roi, ce qui visait précisément Navarre. Le prince cédait beaucoup ; il cédait plus que je n'aurais cru. Et pourtant je devinais qu'au fond de lui il ne pensait pas qu'il serait dispensé de combattre.

Trêve n'interdit pas de travailler. Aussi tout le jour il employa ses hommes à fortifier leur position. Les archers doublaient les haies de pieux épointés aux deux bouts, pour se faire des herses de défense. Ils abattaient des arbres qu'ils tiraient en travers des passages que pourrait emprunter l'adversaire. Le comte de Suffolk, maréchal de l'ost anglais, inspectait chaque troupe l'une après l'autre. Les comtes de Warwick et de Salisbury, le sire d'Audley participaient à nos entrevues et m'escortaient à travers leur camp.

Le jour baissait quand j'apportai au roi Jean une ultime proposition que j'avais moi-même avancée. Le prince était prêt à jurer et signer que, pendant sept ans entiers, il ne s'armerait pas ni n'entreprendrait rien contre le royaume de France. Nous étions donc tout au bord de la paix générale.

« Oh ! on connaît les Anglais, dit l'évêque Chauveau. Ils jurent, et puis renient leur parole. »

Je répliquai qu'ils auraient peine à renier un engagement pris par-devant le légat papal ; je serais signataire à la convention.

— Je vous donnerai réponse au soleil levant », dit le roi.

Et je m'en allai loger à l'abbaye de Maupertuis. Jamais je n'avais tant chevauché dans une même journée, ni tant discuté. Si recru de fatigue que je fusse, je pris le temps de bien prier, de tout mon cœur. Je me fis éveiller à la pointe du jour. Le soleil commençait juste à jaillir quand je me présentai derechef devant le tref du roi Jean. Au soleil levant, avait-il dit. On ne pouvait être plus exact que moi. J'eus une mauvaise impression. Toute l'armée de France était sous les armes, en ordre de bataille, à pied, sauf les trois cents désignés pour la charge, et n'attendant que le signal d'attaquer.

« Monseigneur cardinal, me déclare brièvement le roi, je n'accepterai de renoncer au combat que si le prince Edouard et cent de ses chevaliers, à mon choix, se viennent mettre en ma prison. — Sire, c'est là demande trop grosse et contraire à l'honneur ; elle rend inutiles tous nos pourparlers d'hier. J'ai pris suffisante connaissance du prince de Galles pour savoir qu'il ne la considérera même pas. Il n'est pas homme à capituler sans combattre, et à venir se livrer en vos mains avec la fleur de la chevalerie anglaise, dût ce jour être pour lui le dernier. Le feriez-vous, ou aucun de vos chevaliers de l'Etoile, si vous en étiez en sa place ? — Certes non ! — Alors, Sire, il me paraît vain que j'aille porter une requête avancée seulement pour qu'elle soit repoussée. — Monseigneur cardinal, je vous sais gré de vos offices ; mais le soleil est levé. Veuillez vous retirer du champ. »

Derrière le roi, ils se regardaient par leur ventaille, et échangeaient sourires et clins d'œil, l'évêque Chauveau, Jean d'Artois, Douglas, Eustache de Ribemont et même Audrehem et bien sûr l'Archiprêtre, aussi contents, semblait-il, d'avoir fait échec au légat du pape qu'ils le seraient d'aplatir les Anglais.

Un instant, je balançai, tant la colère me montait au nez, à lâcher que j'avais pouvoir d'excommunication. Mais quoi ? Quel effet cela aurait-il eu ? Les Français seraient tout de même partis à l'attaque, et je n'aurais gagné que de mettre en plus grande évidence l'impuissance de l'Eglise. J'ajoutai seulement : « Dieu jugera, Sire, lequel de vous deux se sera montré le meilleur chrétien. »

Et je remontai, pour la dernière fois, vers les boqueteaux. J'enrageais. « Qu'ils crèvent tous, ces fous ! me disais-je en galopant. Le Seigneur n'aura pas besoin de les trier ; ils sont tous bons pour sa fournaise. »

Arrivé devant le prince de Galles, je lui dis : « Beau fils, faites ce que vous pourrez ; il vous faut combattre. Je n'ai pu trouver nulle grâce d'accord avec le roi de France. — Nous battre est bien notre intention, me répondit le prince. Que Dieu m'aide ! »

Là-dessus, je m'en repartis, fort amer et dépité, vers Poitiers. Or ce fut le moment que choisit mon neveu de Durazzo pour me dire : « Je vous prie de me relever de mon service, mon oncle. Je veux aller combattre. — Et avec qui ? lui criai-je. — Avec les Français, bien sûr ! — Tu ne les trouves donc pas assez nombreux ? — Mon oncle, comprenez qu'il va y avoir bataille, et il n'est pas digne d'un chevalier de n'y pas prendre part. Et messire de Heredia vous en prie aussi... »

J'aurais dû le tancer bien fort, lui dire qu'il était requis par le Saint-Siège pour m'escorter dans ma mission de paix, et que, tout au contraire d'acte de noblesse, ce pourrait être regardé comme une forfaiture d'avoir rejoint l'un des deux partis. J'aurai dû lui ordonner, simplement, de rester... Mais j'étais las, j'étais irrité. Et d'une certaine façon, je le comprenais. J'aurais eu envie de prendre une lance, moi aussi,

et de charger je ne sais trop qui, l'évêque Chauveau...
Alors je lui criai : « Allez au Diable, tous les deux !
Et grand bien vous fasse ! » C'est la dernière parole
que j'adressai à mon neveu Robert. Je me la reproche,
je me la reproche bien fort...

VII

LA MAIN DE DIEU

C'est chose bien malaisée, quand on n'y fut pas, que
de reconstituer une bataille, et même quand on y fut.
Surtout lorsqu'elle se déroule aussi confusément que
celle de Maupertuis... Elle me fut contée, quelques
heures après, de vingt façons différentes, chacun ne
la jugeant que de sa place et ne prenant pour important que ce qu'il avait fait. Particulièrement les battus
qui, à les entendre, ne l'eussent jamais été sans la
faute de leurs voisins, lesquels en disaient tout
autant.

Ce qui ne peut être mis en doute, c'est que, aussitôt
après mon départ du camp français, les deux maréchaux se prirent de bec. Le connétable, duc d'Athènes,
ayant demandé au roi s'il lui plaisait d'ouïr son
conseil, lui dit à peu près ceci : « Sire, si vous voulez
vraiment que les Anglais se rendent à votre merci,
que ne les laissez-vous s'épuiser par défaut de vivres ?
Car leur position est forte, mais ils ne la soutiendront
guère quand ils auront le corps faible. Ils sont de

toute part encerclés, et s'ils tentent sortie par la seule issue où nous pouvons nous-mêmes les forcer, nous les écraserons sans peine. Puisque nous avons attendu une journée, que ne pouvons-nous attendre encore une ou deux autres, d'autant qu'à chaque moment nous nous grossissons des retardataires qui rejoignent ? » Et le maréchal de Clermont d'appuyer : « Le connétable dit bien. Un peu d'attente nous donne tout à gagner, et rien à perdre. »

C'est alors que le maréchal d'Audrehem s'emporta. Atermoyer, toujours atermoyer ! On devrait en avoir terminé depuis la veille au soir. « Vous ferez tant que vous finirez par les laisser échapper, comme souvent il advint. Regardez-les qui bougent. Ils descendent vers nous pour se fortifier plus bas et se ménager refuite. On dirait, Clermont, que vous n'avez pas grand-hâte de vous battre, et qu'il vous peine de voir les Anglais de si près. »

La querelle des maréchaux, il fallait bien qu'elle éclatât. Mais était-ce le moment le mieux choisi ? Clermont n'était pas homme à prendre si gros outrage en plein visage. Il renvoya, comme à la paume : « Vous ne serez point si hardi aujourd'hui, Audrehem, que vous mettiez le museau de votre cheval au cul du mien. »

Là-dessus il rejoint les chevaliers qu'il doit entraîner à l'assaut, se fait hisser en selle, et donne de lui-même l'ordre d'attaquer. Audrehem l'imite aussitôt, et avant que le roi n'ait rien dit, ni le connétable rien commandé, voici la charge lancée, non point groupée comme il en avait été décidé, mais en deux escadrons séparés qui semblent moins se soucier de rompre l'ennemi que de se distancer ou de se poursuivre. Le connétable à son tour demande son destrier et s'élance, cherchant à les rameuter.

Alors le roi fait crier l'attaque pour toutes les bannières ; et tous les hommes d'armes, à pied, patauds, alourdis des cinquante ou soixante livres de fer qu'ils ont sur le dos, commencent à s'avancer dans les champs vers le chemin pentu où déjà la cavalerie s'engouffre. Cinq cents pas à franchir...

Là-haut, le prince de Galles, quand il a vu la charge française s'ébranler, s'est écrié : « Mes beaux seigneurs, nous sommes petit nombre, mais ne vous en effrayez pas. La vertu ni la victoire ne vont forcément à grand peuple, mais là où Dieu veut les envoyer. Si nous sommes déconfits, nous n'en aurons point de blâme, et si la journée est pour nous, nous serons les plus honorés du monde. »

Déjà la terre tremblait au pied de la colline ; les archers gallois se tenaient genou en terre derrière leurs pieux pointus. Et les premières flèches se mirent à siffler...

Tout d'abord le maréchal de Clermont fonça sur la bannière de Salisbury, se ruant dans la haie pour s'y faire brèche. Une pluie de flèches brisa sa charge. Ce fut une tombée atroce, au dire de ceux qui en ont réchappé. Les chevaux qui n'avaient pas été atteints allaient s'empaler sur les pieux pointus des archers gallois. De derrière la palissade, les coutilliers et bidaux surgissaient avec leurs gaudendarts, ces terribles armes à trois fins dont le croc saisit le chevalier par la chemise de mailles, et parfois par la chair, pour le jeter à bas de sa monture... dont la pointe disjoint la cuirasse à l'aîne ou à l'aisselle quand l'homme est à terre, dont le croissant enfin sert à fendre le heaume... Le maréchal de Clermont fut des premiers tués, et presque personne d'entre les siens ne put vraiment entamer la position anglaise. Tous défaits dans le passage conseillé par Eustache de Ribemont.

Au lieu de se porter au secours de Clermont, Audrehem avait voulu le distancer en suivant le cours

du Miosson pour tourner les Anglais. Il était venu
donner sur les troupes du comte de Warwick dont les
archers ne lui firent pas meilleur parti. On devait vite
apprendre que Audrehem était blessé, et prisonnier.
Du duc d'Athènes, on ne savait rien. Il avait disparu
dans la mêlée. L'armée avait, en quelques moments,
vu disparaître ses trois chefs. Mauvais début. Mais
cela ne faisait que trois cents hommes tués ou repous-
sés, sur vingt-cinq mille qui avançaient, pas à pas. Le
roi était remonté à cheval pour dominer ce champ
d'armures qui marchait, lentement.

Alors se produisit un étrange remous. Les rescapés
de la charge Clermont, déboulant d'entre les deux
haies meurtrières, leurs chevaux emportés, eux-
mêmes hors de sens et incapables de freiner leurs
montures, vinrent donner dans la première bataille,
celle du duc d'Orléans, renversant comme des pièces
d'échec leurs compagnons qui s'en venaient à pied,
péniblement. Oh ! ils n'en renversèrent pas beaucoup :
trente ou cinquante peut-être, mais qui dans leur
chute en chavirèrent le double.

Du coup, voici la panique dans la bannière d'Orléans.
Les premiers rangs, voulant se garer des chocs, reculent en désordre ; ceux de derrière ne savent pas pourquoi les premiers refluent ni sous quelle poussée ; et
la déroute s'empare en quelques moments d'une
bataille de près de six mille hommes. Combattre à
pied n'est pas leur habitude, sinon en champ clos, un
contre un. Là, pesants comme ils sont, peinant à se
déplacer, la vue rétrécie sous leurs bassinets, ils s'imaginent déjà perdus sans recours. Et tous se jettent à
fuir alors qu'ils sont encore bien loin de portée du
premier ennemi. C'est une chose merveilleuse qu'une
armée qui se repousse elle-même !

Les troupes du duc d'Orléans et le duc lui-même
cédèrent ainsi un terrain que nul ne leur disputait,

quelques bataillons allant chercher refuge derrière la
bataille du roi, mais la plupart courant droit, si l'on
peut dire courir, aux chevaux tenus par les varlets,
alors que rien d'autre en vérité ne talonnait tous ces
fiers hommes que la peur qu'ils s'inspiraient à eux-
mêmes.

Et de se faire hisser en selle pour détaler aussitôt,
certains partant pliés comme des tapis en travers de
leurs montures qu'ils n'étaient pas parvenus à enfourcher. Et disparaissant à travers le pays... La main de
Dieu, ne peut-on s'empêcher de penser... n'est-ce pas,
Archambaud ?... Et seuls les mécréants oseraient en
sourire.

La bataille du Dauphin, elle aussi, s'était portée en
avant... « Montjoie Saint-Denis ! »... et n'ayant reçu
aucun retour ni reflux, poursuivit son progrès. Les premiers rangs, haletants déjà de leur marche, s'engagèrent entre les mêmes haies qui avaient été funestes
à Clermont, butant sur les chevaux et les hommes
abattus là, un petit moment fait. Ils furent accueillis
par de mêmes nuées de flèches, tirées de derrière les
palissades. Il y eut grand bruit de glaives heurtés, et
de cris de fureur ou de douleur. Le goulot étant fort
étroit, très peu se trouvaient au choc, tous les autres
derrière eux pressés et ne se pouvant plus mouvoir.
Jean de Landas, Voudenay, le sire Guichard aussi se
tenaient, comme ils en avaient l'ordre, autour du Dauphin lequel aurait été bien en peine, et ses frères de
Poitiers et de Berry comme lui, de bouger ou de commander aucun mouvement. Et puis, encore une fois,
à travers les fentes d'un heaume, quand on est à pied,
avec plusieurs centaines de cuirasses devant soi, le
regard n'a guère de champ. A peine le Dauphin voyait-il
plus loin que sa bannière, tenue par le chevalier Tristan de Meignelay. Quand les chevaliers du comte de
Warwick, ceux-là qui avaient fait Audrehem prison-

nier, fondirent à cheval sur le flanc de la bataille du Dauphin, il fut trop tard pour se disposer à soutenir charge.

C'était bien le comble ! Ces Anglais, qui si volontiers se battaient à pied et en avaient tiré leur renommée, s'étaient remis en selle dès lors qu'ils avaient vu leurs ennemis venant à l'attaque démontés. Sans avoir à être bien nombreux, ils produisirent la même caram- bole, mais plus durement, dans le corps de bataille du Dauphin que celle qui s'était faite toute seule parmi les gens du duc d'Orléans. Et avec plus de confusion encore. « Gardez-vous, gardez-vous », criait-on aux trois fils du roi. Les chevaliers de Warwick poussaient vers la bannière du Dauphin, lequel Dauphin avait laissé choir sa courte lance et peinait, bousculé par les siens, à seulement soutenir son épée.

Ce fut Voudenay, ou bien Guichard, on ne sait pas trop, qui le tira par le bras en lui hurlant : « Suivez- nous ; vous devez vous retraire, Monseigneur ! » Encore fallait-il pouvoir... Le Dauphin vit le pauvre Tristan de Meignelay navré au sol, le sang lui fuyant de la gorgière comme d'un pot fêlé et coulant sur la bannière aux armes de Normandie et du Dauphiné. Et cela, je le crains, lui donna de l'ardeur à filer. Lan- das et Voudenay lui ouvraient chemin dans leurs pro- pres rangs. Ses deux frères le suivaient, pressés par Saint-Venant.

Qu'il se soit tiré de ce mauvais pas, il n'y a là rien à redire, et l'on ne doit que louer ceux qui l'y ont aidé. Ils avaient mission de le conduire et protéger. Ils ne pouvaient laisser les fils de France, et surtout le pre- mier, aux mains de l'ennemi. Tout cela est bon. Que le Dauphin soit allé aux chevaux, ou qu'on ait appelé son cheval à lui, et qu'il y soit remonté, et que ses compa- gnons en aient fait de même, cela est juste encore, puisqu'ils venaient d'être bousculés par gens à cheval.

Mais que le Dauphin alors, sans regarder en arrière, s'en soit en allé d'un roide galop, quittant le champ du combat, tout comme son oncle d'Orléans un moment auparavant, il sera malaisé de jamais faire tenir cela pour une conduite honorable. Ah ! les chevaliers de l'Etoile, ce n'était pas leur journée !

Saint-Venant, qui est vieux et dévoué serviteur de la couronne, assurera toujours que ce fut lui qui prit la décision d'éloigner le Dauphin, qu'il avait déjà pu juger que la bataille du roi était mal en point, que l'héritier du trône commis à sa garde devait coûte que coûte être sauvé, et qu'il lui fallut insister fortement et presque ordonner au Dauphin d'avoir à partir, et il soutiendra cela au Dauphin lui-même... brave Saint-Venant ! D'autres, hélas, ont la langue moins discrète.

Les hommes de la bataille du Dauphin, voyant celui-ci s'éloigner, ne furent pas longs à se débander et s'en furent à leurs chevaux eux aussi, criant à la retraite générale.

Le Dauphin courut une grande lieue, comme il était parti. Alors, le jugeant assez en sécurité, Voudenay, Landas et Guichard lui annoncèrent qu'ils s'en retournaient se battre. Il ne leur répondit rien. Et que leur aurait-il dit ? « Vous repartez à l'engagement, moi je m'en écarte ; je vous fais mon compliment et mon salut » ?... Saint-Venant voulait également s'en retourner. Mais il fallait bien que quelqu'un restât avec le Dauphin, et les autres lui en firent obligation, comme au plus vieux et au plus sage. Ainsi Saint-Venant, avec une petite escorte qui se grossit vite, d'ailleurs, de fuyards tout affolés qu'ils rencontraient, conduisit le Dauphin s'enfermer dans le gros château de Chauvigny. Et là, paraît-il, quand ils furent arrivés, le Dauphin eut peine à retirer son gantelet, tant sa main droite était gonflée, toute violette. Et on le vit pleurer.

VIII

LA BATAILLE DU ROI

Restait la bataille du roi... Ressers-nous un peu de ce vin mosellan, Brunet... Qui donc ? l'Archiprêtre ?... Ah bon, celui de Verdun ! Je le verrai demain, ce sera bien assez tôt. Nous sommes ici pour trois jours, tant nous nous sommes avancés par ce temps de printemps qui continue, au point que les arbres ont des bourgeons, en décembre...

Oui, restait le roi Jean, sur le champ de Mauper-tuis... Maupertuis... tiens, je n'y avais pas songé. Les noms, on les répète, on ne s'avise plus de leur sens... Mauvaise issue, mauvais passage... On devrait se méfier de livrer combat dans un lieu ainsi appelé.

D'abord le roi avait vu fuir en désordre, avant même l'abord de l'ennemi, les bannières que commandait son frère. Puis se défaire et disparaître, à peine engagées, les bannières de son fils. Certes, il en avait éprouvé dépit, mais sans penser que rien fût perdu pour autant. Sa seule bataille était encore plus nombreuse que tous les Anglais réunis.

Un meilleur capitaine eût sans doute compris le

danger et modifié ausitôt sa manœuvre. Or, le roi Jean laissa aux chevaliers d'Angleterre tout le temps de répéter à son encontre la charge qui venait de si bien leur réussir. Ils ont déboulé sur lui, lances basses, et ils ont rompu son front de bataille.

Pauvre Jean II ! Son père, le roi Philippe, avait été déconfit à Crécy pour avoir lancé sa chevalerie contre la piétaille, et lui se faisait étriller, à Poitiers, tout précisément pour la raison inverse.

« Que faut-il faire quand on affronte des gens sans honneur qui toujours emploient des armes autres que les vôtres ? » C'est ce qu'il m'a dit ensuite, quand je l'ai revu. Du moment qu'il s'avançait à pied, les Anglais auraient dû, s'ils avaient été de preux hommes, rester à pied de même. Oh ! il n'est pas le seul prince qui rejette la faute de ses échecs sur un adversaire qui n'a pas joué le règle du jeu choisie par lui !

Il m'a dit aussi que la grande colère où ceci l'avait mis lui renforçait les membres. Il ne sentait plus le poids de son armure. Il avait rompu sa masse de fer, mais auparavant il avait assommé plus d'un assaillant. Il aimait mieux, d'ailleurs, assommer que pourfendre ; mais puisqu'il ne lui restait plus que sa hache d'armes à deux tranchants, il la brandissait, il la faisait tournoyer, il l'abattait. On eût dit un bûcheron fou dans une forêt d'acier. De plus furieux que lui sur un champ de bataille, on n'en a guère connu. Il ne sentait rien, ni fatigue ni effroi, seulement la rage qui l'aveuglait, plus encore que le sang qui lui coulait sur la paupière gauche.

Il était si sûr de gagner, tout à l'heure ; il avait la victoire dans la main ! Et tout s'est écroulé. A cause de quoi, à cause de qui ? A cause de Clermont, à cause d'Audrehem, ses méchants maréchaux trop tôt partis, à cause de son connétable, un âne ! Qu'ils crèvent, qu'ils crèvent tous ! Là-dessus, il peut se rassurer, le

bon roi ; ce vœu-là au moins est exaucé. Le duc d'Athènes est mort ; on le retrouvera tout à l'heure contre
un buisson, le corps ouvert par un coup de vouge et
piétiné par une charge. Le maréchal de Clermont est
mort ; il a reçu tant de flèches que son cadavre ressemble à une roue de dindon. Audrehem est prisonnier, la cuisse traversée.

Rage et fureur. Tout est perdu, mais le roi Jean ne
cherche qu'à tuer, tuer, tuer tout ce qui est devant lui.
Et puis tant pis, mourir, le cœur éclaté ! Sa cotte
d'armes bleue brodée des lis de France est en lam-
beaux. Il a vu tomber l'oriflamme, que le brave Geoffroy de Charny serrait contre sa poitrine ; cinq coutilliers étaient sur lui ; un bidau gallois ou un goujat
irlandais, armé d'un mauvais couteau de boucher, a
emporté la bannière de France.

Le roi appelle les siens. « A moi, Artois ! à moi,
Bourbon ! » Ils étaient là il n'y a qu'un moment. Eh
oui ! Mais à présent, le fils du comte Robert, le dénon-
ciateur du roi de Navarre, le géant à petite cervelle...
« mon cousin Jean, mon cousin Jean »... est prisonnier, et son frère Charles d'Artois aussi, et Monseigneur de Bourbon, le père de la Dauphine.

« A moi, Regnault, à moi l'évêque ! Fais-toi entendre
de Dieu ! » Si Regnault Chauveau parlait à Dieu en ce
moment-là, c'était face à face. Le corps de l'évêque
de Châlons gisait quelque part, les yeux clos sous la
mitre de fer. Personne ne répondait plus au roi qu'une
voix en mue qui lui criait : « Père, père, gardez-vous !
A droite, père, gardez-vous ! »

Le roi a eu un moment d'espoir en voyant Landas,
Voudenay et Guichard reparaître dans la bataille, à
cheval. Les fuyards s'étaient-ils repris ? Les bannières
des princes revenaient-elles, au galop, pour le dégager ? « Où sont mes fils ? — A l'abri, Sire ! »

Landas et Voudenay avaient chargé. Seuls. Le roi

saurait plus tard qu'ils étaient morts, morts d'être retournés au combat pour qu'on ne les crût pas lâches, après avoir sauvé les princes de France. Un seul de ses fils reste au roi, le plus jeune, son préféré, Philippe, qui continue de lui crier : « A gauche, père, gardez-vous ! Père, père, gardez-vous à droite... » et qui le gêne, disons bien, autant qu'il ne l'aide. Car l'épée est un peu trop lourde dans les mains de l'enfant pour être bien offensive, et il faut au roi Jean écarter parfois de sa longue hache cette lame inutile, afin de pouvoir porter des coups d'arrêt à ses assaillants. Mais au moins il n'a pas fui, le petit Philippe !

Soudain, Jean II se voit entouré de vingt adversaires, à pied, si pressés qu'ils se gênent les uns les autres. Il les entend crier : « C'est le roi, c'est le roi, sus au roi ! »

Pas une cotte d'armes française dans ce cercle terrible. Sur les targes et les écus, rien que des devises anglaises ou gasconnes. « Rendez-vous, rendez-vous, sinon vous êtes mort », lui crie-t-on.

Mais le roi fou n'entend rien. Il continue de fendre l'air avec sa hache. Comme on l'a reconnu, on se tient à distance ; dame, on veut le prendre vivant ! Et il tranche le vent à droite, à gauche, à droite surtout parce qu'à gauche il a l'œil collé par le sang... « Père, gardez-vous... » Un coup atteint le roi à l'épaule. Un énorme chevalier alors traverse la presse, fait brèche de son corps dans le mur d'acier, joue des cubitières, et parvient devant le roi haletant qui toujours mouline l'air. Non, ce n'est pas Jean d'Artois ; je vous l'ai dit, il est prisonnier. D'une forte voix française, le chevalier crie : « Sire, Sire, rendez-vous. »

Le roi Jean alors s'arrête de frapper contre rien, contemple ceux qui l'entourent, qui l'enferment, et répond au chevalier : « A qui me rendrais-je, à qui ? Où est mon cousin le prince de Galles ? C'est à lui que je parlerai. — Sire, il n'est pas ici ; mais rendez-vous à moi, et je vous mènerai devers lui, répond le géant. — Qui êtes-vous ? — Je suis Denis de Morbecque, chevalier, mais depuis cinq ans au royaume d'Angleterre, puisque je ne puis demeurer au vôtre. »

Morbecque, condamné pour homicide et délit de guerre privée, le frère de ce Jean de Morbecque qui travaille si bien pour les Navarre, qui a négocié le traité entre Philippe d'Evreux et Edouard III. Ah ! le sort faisait bien les choses et mettait des épices dans l'infortune pour la rendre plus amère.

« Je me rends à vous », dit le roi.

Il jeta sa hache d'armes dans l'herbe, ôta son gantelet et le tendit au gros chevalier. Et puis, un instant immobile, l'œil clos, il laissa la défaite descendre en lui.

Mais voilà qu'a son entour le hourvari reprenait, qu'il était bousculé, tiré, pressé, secoué, étouffé. Les vingt gaillards criaient tous ensemble : « Je l'ai pris, je l'ai pris, c'est moi qui l'ai pris ! » Plus que tous, un Gascon gueulait : « Il est à moi. J'étais le premier à l'assaillir. Et vous venez, Morbecque, quand la besogne est faite. » Et Morbecque de répondre : « Que clamez-vous, Troy ? Il s'est rendu à moi, pas à vous. »

C'est qu'elle allait rapporter gros, et d'honneur et d'argent, la prise du roi de France ! Et chacun cherchait à l'agripper pour assurer son droit. Saisi au bras par Bertrand de Troy, au col par un autre, le roi finit par être renversé dans son armure. Ils l'eussent séparé en quartiers.

« Seigneurs, seigneurs ! criait-il, menez-moi courtoisement, voulez-vous, et mon fils aussi, devers le prince mon cousin. Ne vous battez plus de ma prise. Je suis assez grand pour tous vous faire riches. »

Mais ils n'écoutaient rien. Ils continuaient de hurler : « C'est moi qui l'ai pris. Il est mien ! »

Et ils se battaient entre eux, ces chevaliers, gueules rogues et griffes de fer levées, ils se battaient pour un roi comme des chiens pour un os.

Passons à présent du côté du prince de Galles. Son bon capitaine, Jean Chandos, venait de le rejoindre sur un tertre qui dominait une grande partie du champ de bataille, et ils s'y étaient arrêtés. Leurs chevaux, les naseaux injectés de sang, le mors enveloppé de bave mousseuse, étaient couverts d'écume. Eux-mêmes haletaient. « Nous nous entendions l'un l'autre prendre de grandes goulées d'air », m'a raconté Chandos. La face du prince ruisselait et son camail d'acier, fixé au casque, qui enfermait le visage et les épaules, se soulevait à chaque prise d'haleine.

Devant eux, ce n'étaient que haies éventrées, arbrisseaux cassés, vignes ravagées. Partout des montures et des hommes abattus. Ici un cheval n'en finissait pas de mourir, battant des fers. Là, une cuirasse rampait. Ailleurs, trois écuyers portaient au pied d'un arbre le corps d'un chevalier expirant. Partout, archers gallois et coutilliers irlandais dépouillaient les cadavres. On entendait encore dans quelques coins des cliquetis de combat. Des chevaliers anglais passaient dans la plaine serrant un des derniers Français qui cherchait sa retraite.

Chandos dit : « Dieu merci, la journée est vôtre, Monseigneur. — Eh oui, par Dieu, elle l'est. Nous l'avons emporté ! » lui répondit le prince. Et Chandos reprit : « Il serait bon, je crois, que vous vous arrêtiez ici, et fassiez mettre votre bannière sur ce haut buisson. Ainsi se rallieront vers vous vos gens, qui sont fort épars. Et vous-même pourrez vous rafraîchir un petit, car je vous vois fort échauffé. Il n'y a plus à poursuivre. — Je pense ainsi », dit le prince.

Et tandis que la bannière aux lions et aux lis était plantée sur un buisson et que les sonneurs cornaient,

cornaient dans leur trompe le rappel au prince,
Edouard se fit ôter son bassinet, secoua ses cheveux
blonds, essuya sa moustache trempée.

Quelle journée ! Il faut bien reconnaître qu'il avait
vraiment payé de sa personne, galopant sans relâche,
pour se montrer à chaque troupe, encourageant ses
archers, exhortant ses chevaliers, décidant des points
où pousser des renforts... enfin, c'est surtout Warwick
et Suffolk, ses maréchaux, qui décidaient ; mais il était
toujours là pour leur dire : « Allez, vous faites bien... »
Au vrai, il n'avait pris de lui-même qu'une seule décision, mais capitale, et qui lui méritait vraiment la
gloire de toute la journée. Lorsqu'il avait vu le désordre causé dans la bannière d'Orléans par le seul reflux
de la charge française, il avait aussitôt remis en selle
une partie de son monde pour aller produire semblable effet dans la bataille du duc de Normandie. Lui-
même était entré dans la mêlée à dix reprises. On avait
eu l'impression qu'il était partout. Et chacun qui ral-
liait venait le lui dire. « La journée est vôtre. La journée est vôtre... C'est grande date, dont les peuples
garderont mémoire. La journée est vôtre, vous avez
fait merveille. »

Ses gentilshommes du corps et de la chambre se
hâtèrent à lui dresser son pavillon, sur place, et à
faire avancer le chariot, soigneusement garé, qui conte-
nait tout le nécessaire de son repas, sièges, tables, couverts, vins.

Il ne pouvait pas se décider à descendre de cheval,
comme si la victoire n'était pas vraiment acquise.

« Où est le roi de France, l'a-t-on vu ? » demandait-
il à ses écuyers.

Il était grisé d'action. Il parcourait le tertre, prêt à
quelque lutte suprême.

Et soudain il aperçut, renversée dans les bruyères,
une cuirasse immobile. Le chevalier était mort, aban-

donné de ses écuyers, sauf d'un vieux serviteur blessé, qui se cachait dans un taillis. Auprès du chevalier, son pennon : armes de France au sautoir de gueules. Le prince fit ôter le bassinet du mort. Eh ! oui, Archambaud... c'est bien ce que vous pensez ; c'était mon neveu... c'était Robert de Durazzo.

Je n'ai pas honte de mes larmes... Certes, son honneur propre l'avait poussé à une action que l'honneur de l'Eglise, et le mien, auraient dû lui défendre. Mais je le comprends. Et puis, il fut vaillant... Il n'est pas de jour où je ne prie Dieu de lui faire pardon.

Le prince commanda à ses écuyers : « Mettez ce chevalier sur une targe, portez-le à Poitiers et présentez-le pour moi au cardinal de Périgord, et dites-lui que je le salue. »

Et c'est de la sorte, oui, que j'appris que la victoire était aux Anglais. Dire que, le matin, le prince était prêt à traiter, à tout rendre de ses prises, à suspendre les armes, pour sept ans ! Il m'en fit beau reproche, le lendemain, quand nous nous revîmes à Poitiers. Ah ! il ne mâcha pas ses paroles. J'avais voulu servir les Français, je l'avais trompé sur leur force, j'avais mis tout le poids de l'Eglise dans la balance pour l'amener à composition. Je ne pus que lui répondre : « Beau prince, vous avez épuisé les moyens de la paix, par amour de Dieu. Et la volonté de Dieu s'est fait connaître. » Voilà ce que je lui dis...

Mais Warwick et Suffolk étaient arrivés sur le tertre, et avec eux Lord Cobham. « Avez-vous nouvelles du roi Jean ? leur demanda le prince. — Non, pas de notre vue, mais nous croyons bien qu'il est mort ou pris, car il n'est point parti avec ses batailles. »

Alors le prince leur dit : « Je vous prie, partez et chevauchez pour m'en dire la vérité. Trouvez le roi Jean. »

Les Anglais étaient épars, répandus sur près de deux

lieues rondes, chassant l'homme, poursuivant et fer-
raillant. A présent que la journée était gagnée, chacun
traquait pour son profit. Dame ! Tout ce que porte sur
lui un chevalier pris, armes et joyaux, appartient à
son vainqueur. Et ils étaient bellement adornés, les
barons du roi Jean. Beaucoup avaient des ceintures
d'or. Sans parler des rançons, bien sûr, qui se discu-
teraient et seraient fixées selon le rang du prisonnier.
Les Français sont assez vaniteux pour qu'on les laisse
eux-mêmes fixer le prix auquel ils s'estiment. On pouvait bien se fier à leur gloriole. Alors, à chacun sa
chance ! Ceux-là qui avaient eu la bonne fortune de
mettre la main sur Jean d'Artois, ou le comte de Ven-
dôme, ou le comte de Tancarville, étaient en droit de
songer à se faire bâtir château. Ceux qui ne s'étaient
saisis que d'un petit banneret, ou d'un simple bache-
lier, pourraient seulement changer le meuble de leur
grand-salle et offrir quelques robes à leur dame. Et
puis il y aurait les dons du prince, pour les plus hauts
faits et belles prouesses.

« Nos hommes sont à chasser la déconfiture jusques
aux portes de Poitiers », vint annoncer Jean de Grailly,
captal de Buch. Un homme de sa bannière qui revenait de là-bas avec quatre grosses prises, n'en pouvant conduire plus, lui avait appris qu'il s'y faisait
grand abattis de gens, parce que les bourgeois de Poitiers avaient fermé leurs portes ; devant celles-ci, sur
la chaussée, on s'était occis horriblement, et maintenant les Français se rendaient d'aussi loin qu'ils aper-
cevaient un Anglais. De très ordinaires archers avaient
jusqu'à cinq et six prisonniers. Jamais on n'avait ouï
telle méchéance.

« Le roi Jean y est-il ? demanda le prince. — Certes
non. On me l'aurait dit. »

Et puis, au bas du tertre, Warwick et Cobham repa-
rurent, allant à pied, la bride de leur cheval au bras,

et cherchant à mettre paix parmi une vingtaine de chevaliers et écuyers qui leur faisaient escorte. En anglais, en français, en gascon, ces gens disputaient avec des grands gestes, mimant des mouvements de combat. Et devant eux, tirant ses pas, allait un homme épuisé, un peu titubant, qui, de sa main nue, tenait par le gantelet un enfant en armure. Un père et un fils qui marchaient côte à côte, tous deux portant sur la poitrine des lis de soie tailladés.

« Arrière ; que nul n'approche le roi, s'il n'en est requis », criait Warwick aux disputeurs.

Et là seulement Edouard de Galles, prince d'Aquitaine, duc de Cornouailles, connut, comprit, embrassa l'immensité de sa victoire. Le roi, le roi Jean, le chef du plus nombreux et plus puissant royaume d'Europe... L'homme et l'enfant marchaient vers lui très lentement... Ah ! cet instant qui demeurerait toujours dans la mémoire des hommes !... Le prince eut l'impression qu'il était regardé de toute la terre.

Il fit un signe à ses gentilshommes, pour qu'on l'aidât à descendre de cheval. Il se sentait les cuisses raides et les reins aussi.

Il se tint sur la porte de son pavillon. Le soleil, qui inclinait, traversait le boqueteau de rayons d'or. On les aurait bien surpris, tous ces hommes, en leur disant que l'heure de Vêpres était déjà passée.

Edouard tendit les mains au présent que lui amenaient Warwick et Cobham, au présent de la Providence. Jean de France, même courbé par le destin adverse, est de plus grande taille que lui. Il répondit au geste de son vainqueur. Et ses deux mains aussi se tendirent, l'une gantée, l'autre nue. Ils restèrent un moment ainsi, non pas s'accolant, simplement s'étreignant les mains. Et puis Edouard eut un geste qui allait toucher le cœur de tous les chevaliers. Il était fils de roi ; son prisonnier était roi couronné. Alors,

toujours le tenant par les mains, il inclina profondé-
ment la tête, et il esquissa une prière du genou. Honneur à la vaillance malheureuse... Tout ce qui grandit
notre vaincu grandit notre victoire. Il y eut des gorges
qui se serrèrent chez ces rudes hommes.

« Prenez place, Sire mon cousin, dit Edouard en
invitant le roi Jean à entrer dans le pavillon. Laissez-
moi vous servir le vin et les épices. Et pardonnez que,
pour le souper, je vous fasse faire bien simple chère.
Nous passerons à table tout à l'heure. »

Car on s'affairait à dresser une grande tente sur le
tertre. Les gentilshommes du prince connaissaient
leur devoir. Et les cuisiniers ont toujours quelques
pâtés et viandes dans leurs coffres. Ce qui manquait,
on alla le chercher au garde-manger des moines de
Maupertuis. Le prince dit encore : « Vos parents et
barons auront plaisir à se joindre à vous. Je les fais
appeler. Et souffrez qu'on panse cette blessure au
front qui montre votre grand courage. »

IX

LE SOUPER DU PRINCE

C'EST chose qui fait songer au destin des nations, que
de vous conter tout cela, qui vient de survenir... et qui
marque un grand changement, un grand tournement
pour le royaume... justement ici entre toutes places,
justement à Verdun... Pourquoi ? Eh ! mon neveu,
parce que le royaume y est né, parce que ce qu'on peut
nommer le royaume de France est issu du traité signé
ici-même après la bataille de Fontenoy, alors *Fontanetum*... vous savez bien, où nous sommes passés... entre
les trois fils de Louis le Pieux. La part de Charles le
Chauve y fut pauvrement découpée, d'ailleurs sans
regarder les vérités du sol. Les Alpes, le Rhin eussent
dû être frontières naturelles à la France, et il n'est
pas de bon sens que Verdun et Metz soient terres
d'Empire. Or, que va-t-il en être de la France,
demain ? Comment va-t-on la découper ? Peut-être n'y
aura-t-il plus de France du tout, dans dix ou vingt ans,
certains se le demandent sérieusement. Ils voient un
gros morceau anglais, et un morceau navarrais allant

d'une mer à l'autre avec toute la Langue d'oc, et un royaume d'Arles rebâti dans la mouvance de l'Empire, avec la Bourgogne en sus... Chacun rêve de dépecer la faiblesse.

Pour vous dire mon sentiment, je n'y crois guère, parce que l'Eglise, tant que je vivrai et que vivront quelques autres de ma sorte, ne permettra point cet écartèlement. Et puis le peuple a trop le souvenir et l'habitude d'une France qui fut une et grande. Les Français verront vite qu'ils ne sont rien s'ils ne sont plus du royaume, s'ils ne sont plus rassemblés dans un seul Etat. Mais il y aura des gués difficiles à traverser. Peut-être serez-vous mis devant des choix pénibles. Choisissez toujours, Archambaud, dans le sens du royaume, même s'il est commandé par un mauvais roi... parce que le roi peut mourir, ou être déchassé, ou tenu en captivité, mais le royaume dure.

La grandeur de la France, elle apparaissait, au soir de Poitiers, dans les égards mêmes que le vainqueur, ébloui de sa fortune et presque n'y croyant pas, prodiguait au vaincu. Etrange tablée que celle qui s'installa, après la bataille, au milieu d'un bois du Poitou, entre des murs de drap rouge. Aux places d'honneur, éclairés par des cierges, le roi de France, son fils Philippe, Monseigneur Jacques de Bourbon, qui devenait duc puisque son père avait été tué dans la journée, le comte Jean d'Artois, les comtes de Tancarville, d'Etampes, de Dammartin, et aussi les sires de Joinville et de Parthenay, servis dans des couverts d'argent ; et répartis aux autres tables, entre des chevaliers anglais et gascons, les plus puissants et les plus riches des autres prisonniers.

Le prince de Galles affectait de se lever pour servir lui-même le roi de France et lui verser le vin en abondance.

« Mangez, cher Sire, je vous en prie. N'ayez point

regret à le faire. Car si Dieu n'a pas consenti à votre
vouloir et si la besogne n'a pas tourné de votre
côté, vous avez aujourd'hui conquis haut renom de
prouesse, et vos hauts faits ont passé les plus grands.
Certainement Monseigneur mon père vous fera tout
l'honneur qu'il pourra, et s'accordera à vous si raison-
nablement que vous demeurerez bons amis ensemble.
Au vrai, chacun ici vous reconnaît le prix de bravoure,
car en cela vous l'avez emporté sur tous. »

Le ton était donné. Le roi Jean se détendait. L'œil
gauche tout bleu, et une entaille dans son front bas,
il répondait aux politesses de son hôte. Roi-chevalier,
il lui importait de se montrer tel dans la défaite. Aux
autres tables, les voix montaient de timbre. Après
qu'ils s'étaient durement heurtés à l'épée ou à la
hache, les seigneurs des deux partis, à présent, faisaient assaut de compliments.

On commentait haut les péripéties de la bataille.
On ne tarissait pas de louanges sur la hardiesse du
jeune prince Philippe qui, lourd de mangeaille après
cette dure journée, dodelinait sur son siège et glissait
au sommeil.

Et l'on commençait à faire les comptes. Outre les
grands seigneurs, ducs, comtes et vicomtes qui étaient
une vingtaine, on avait déjà pu dénombrer parmi les
prisonniers plus de soixante barons et bannerets ; les
simples chevaliers, écuyers et bacheliers ne pouvaient
être recensés. Plus d'un double millier assurément ;
on ne saurait vraiment le total que le lendemain...

Les morts ? Il fallait les estimer en même quantité.
Le prince ordonna que ceux déjà ramassés fussent
portés, dès l'aurore suivante, au couvent des frères
mineurs de Poitiers, en tête les corps du duc d'Athènes, du duc de Bourbon, du comte-évêque de Châlons,
pour y être enterrés avec toute la pompe et l'honneur
qu'ils méritaient. Quelle procession ! Jamais couvent

n'aurait vu tant de hauts hommes et de si riches lui arriver en un seul jour. Quelle fortune, en messes et dons, allait s'abattre sur les frères mineurs ! Et autant sur les frères prêcheurs.

Je vous dis tout de suite qu'il fallut dépaver la nef et le cloître de deux couvents pour mettre dessous, sur deux étages, les Geoffroy de Charny, les Roche-chouart, les Eustache de Ribemont, les Dance de Melon, les Jean de Montmorillon, les Seguin de Cloux, les La Fayette, les La Rochedragon, les La Rochefou-cault, les La Roche Pierre de Bras, les Olivier de Saint-Georges, les Imbert de Saint-Saturnin, et je pourrais encore vous en citer par vingtaines.

« Sait-on ce qu'il est advenu de l'Archiprêtre ? » demandait le roi.

L'Archiprêtre était blessé, prisonnier d'un chevalier anglais. Combien valait l'Archiprêtre ? Avait-il gros château, grandes terres ? Son vainqueur s'informait sans vergogne. Non. Un petit manoir à Vélines. Mais que le roi l'ait nommé haussait son prix.

« Je le rachèterai », dit Jean II qui, sans savoir encore ce qu'il allait coûter lui-même à la France, recommençait à faire le grandiose.

Alors le prince Edouard de répondre : « Pour l'amour de vous, Sire mon cousin, je rachèterai moi-même cet archiprêtre, et lui rendrai la liberté, si vous le souhaitez. »

Le ton montait autour des tables. Le vin et les vian-des, goulûment avalés, portaient à la tête de ces hom-mes fatigués, qui n'avaient rien mangé depuis le matin. Leur assemblée tenait à la fois du repas de cour après les grands tournois et de la foire aux bestiaux.

Morbecque et Bertrand de Troy n'avaient pas fini de se disputer quant à la prise du roi. « C'est moi, vous dis-je ! — Que non ; j'étais sur lui, vous m'avez écarté ! — A qui a-t-il remis son gant ? »

De toute manière, ce ne serait pas à eux qu'irait la rançon, énorme à coup sûr, mais au roi d'Angleterre. Prise de roi est au roi. Ce dont ils débattaient, c'était de savoir qui toucherait la pension que le roi Edouard ne manquerait pas d'accorder. A se demander s'ils n'auraient pas eu plus de profit, sinon d'honneur, à prendre un riche baron qu'ils se seraient partagé. Car on faisait des partages, si l'on avait été à deux ou trois sur le même prisonnier. Ou bien des échanges. « Donnez-moi le sire de La Tour ; je le connais, il est parent à ma bonne épouse. Je vous remettrai Mauvinet, que j'ai pris. Vous y gagnez ; il est sénéchal de Touraine. »

Et le roi Jean soudain frappa du plat de la main sur la table.

« Mes sires, mes bons seigneurs, j'entends que tout se fasse entre vous et ceux qui nous ont pris selon l'honneur et la noblesse. Dieu a voulu que nous soyons déconfits, mais vous voyez les égards qu'on nous prouve. Nous devons garder la chevalerie. Que nul ne s'avise de fuir ou de forfaire à la parole donnée, car je le honnirai. »

On eût dit qu'il commandait, cet écrasé, et il prenait toute sa hauteur pour inviter ses barons à être bien exacts dans la captivité.

Le prince de Galles qui lui versait le vin de Saint-Emilion l'en remercia. Le roi Jean le trouvait aimable, ce jeune homme. Comme il était attentif, comme il avait de belles façons. Le roi Jean eût aimé que ses fils lui ressemblassent ! Il ne résista pas, la boisson et la fatigue aidant, à lui dire : « N'avez-vous point connu Monsieur d'Espagne ? — Non, cher Sire ; je l'ai seulement affronté sur mer... » Il était courtois, le prince ; il aurait pu dire : « Je l'ai défait... ». « C'était un bon ami. Vous m'en rappelez la mine et la tournure... » Et puis soudain, avec de la méchanceté dans la voix : « Ne me demandez point de rendre la liberté à mon gendre de Navarre ; cela, contre ma vie, je ne le ferai point. »

Le roi Jean II, un moment, avait été grand, vraiment, un très bref moment, dans l'instant qui avait suivi sa capture. Il avait eu la grandeur de l'extrême malheur. Et voici qu'il revenait à sa nature : des manières répondant à l'image exagérée qu'il se faisait de soi, un jugement faible, des soucis futiles, des passions honteuses, des impulsions absurdes et des haines tenaces.

La captivité, d'une certaine façon, n'allait pas lui déplaire, une captivité dorée, s'entend, une captivité royale. Ce faux glorieux avait rejoint son vrai destin, qui était d'être battu. Finis, pour un temps, les soucis du gouvernement, la lutte contre toutes choses adverses en son royaume, l'ennui de donner des ordres qui ne sont point suivis. A présent, il est en paix ; il peut prendre à témoin ce ciel qui lui a été contraire, se draper dans son infortune et feindre de supporter avec noblesse la douleur d'un sort qui lui convient si bien. A d'autres le fardeau de conduire un peuple rétif ! On verra s'ils parviennent à faire mieux...

« Où m'emmenez-vous, mon cousin ? demanda-t-il.

— A Bordeaux, cher Sire, où je vous donnerai bel hôtel, pourvoyance, et fêtes pour vous réjouir, jusqu'à ce que vous vous accommodiez avec le roi mon père.

— Est-il joie pour un roi captif ? » répondit Jean II déjà tout attentif à son personnage.

Ah ! que n'avait-il accepté, au début de cette journée de Poitiers, les conditions que je lui portais ? Vit-on jamais pareil roi, en position de tout gagner le matin, sans avoir à tirer l'épée, qui peut rétablir sa loi sur le quart de son royaume, seulement en posant son seing et son sceau sur le traité que son ennemi traqué lui offre, et qui refuse... et le soir se retrouve prisonnier !

Un oui au lieu d'un non. L'acte irrattrapable. Comme celui du comte d'Harcourt, remontant l'escalier de Rouen au lieu de sortir du château. Jean d'Harcourt y a laissé la tête ; là, c'est la France entière qui risque d'en connaître agonie.

Le plus surprenant, et l'injuste, c'est que ce roi absurde, obstiné seulement à gâcher ses chances, et qu'on n'aimait guère avant Poitiers, est bientôt devenu, parce qu'il est vaincu, parce qu'il est captif, objet d'admiration, de pitié et d'amour pour son peuple, pour une partie de son peuple. Jean le Brave, Jean le Bon...

Et cela commença dès le souper du prince. Alors qu'ils avaient tout à reprocher à ce roi qui les avait menés au malheur, les barons et chevaliers prisonniers exaltaient son courage, sa magnanimité, que sais-je ? Ils se donnaient, les vaincus, bonne conscience et bel aspect. Quand ils rentreront, leurs familles s'étant saignées et ayant saigné leurs manants pour payer leurs rançons, ils diront, soyez-en sûr, avec superbe ; « Vous ne fûtes pas comme moi auprès de notre roi Jean... » Ah ! ils la raconteront, la journée de Poitiers !

A Chauvigny, le Dauphin, qui prenait un repas triste en compagnie de ses frères et entouré seulement de quelques serviteurs, fut averti que son père était vivant, mais captif. « A vous de gouverner, à présent, Monseigneur », lui dit Saint-Venant.

Il n'y a guère dans le passé, à mon savoir, princes de dix-huit ans qui aient eu à prendre le gouvernail dans une situation aussi piteuse. Un père prisonnier, une noblesse diminuée par la défaite, deux armées ennemies campant dans le pays, car il y a toujours Lancastre au-dessus de la Loire... plusieurs provinces ravagées, point de finances, des conseillers cupides, divisés et haïs, un beau-frère en forteresse mais dont les partisans bien actifs relèvent la tête plus que jamais, une capitale frémissante qu'une poignée de bourgeois ambitieux incite à l'émeute... Ajoutez à cela que le jeune homme est de chétive santé, et que sa conduite en bataille n'a pas fait grandir sa réputation.

A Chauvigny, toujours ce même soir, comme il avait décidé de rentrer à Paris par le plus court, Saint-Venant lui demanda : « Quelle qualité, Monseigneur, devront donner à votre personne ceux qui parleront en son nom ? » Et le Dauphin répondit : « Celle que j'ai, Saint-Venant, celle que Dieu me désigne : lieutenant général du royaume. » Ce qui était parole sage...

Il y a trois mois de cela. Rien n'est tout à fait perdu, mais rien non plus ne donne signe d'amélioration, tout au contraire. La France se défait. Et nous allons dans moins d'une semaine nous retrouver à Metz, d'où je ne vois pas trop, je vous l'avoue, quel grand bien en pourrait sortir, sauf pour l'Empereur, ni quelle grande œuvre s'y pourrait faire, entre un lieutenant du royaume, mais qui n'est pas le roi, et un légat pontifical, mais qui n'est pas le pape.

Savez-vous ce qui vient de m'être dit ? La saison est si belle, et les journées sont si chaudes à Metz, où l'on attend plus de trois mille princes, prélats et seigneurs, que l'Empereur, si cette douceur se maintient, a décidé qu'il donnerait le festin de Noël au grand air, dans un jardin clos.

Dîner dehors à Noël, en Lorraine, encore une chose que l'on n'avait jamais vue !

ŒUVRES DE MAURICE DRUON

À la Librairie Plon :

LES GRANDES FAMILLES

I. — LES GRANDES FAMILLES.
II. — LA CHUTE DES CORPS.
III. — RENDEZ-VOUS AUX ENFERS.

LA VOLUPTÉ D'ÊTRE.

LES ROIS MAUDITS

I. — LE ROI DE FER.
II. — LA REINE ÉTRANGLÉE.
III. — LES POISONS DE LA COURONNE.
IV. — LA LOI DES MALES.
V. — LA LOUVE DE FRANCE.
VI. — LE LIS ET LE LION.
VII. — QUAND UN ROI PERD LA FRANCE.

LES MÉMOIRES DE ZEUS

I. — L'AUBE DES DIEUX.
II. — LES JOURS DES HOMMES.

ALEXANDRE LE GRAND.

LE BONHEUR DES UNS...
TISTOU LES POUCES VERTS.
LA DERNIÈRE BRIGADE.

L'AVENIR EN DÉSARROI (essai).
DISCOURS DE RÉCEPTION A L'ACADÉMIE FRANÇAISE.
LETTRES D'UN EUROPÉEN (essai).
UNE ÉGLISE QUI SE TROMPE DE SIÈCLE.
LA PAROLE ET LE POUVOIR (essai).

Composition réalisée par C.M.L. - PARIS-13ᵉ

IMPRIMÉ EN FRANCE PAR BRODARD ET TAUPIN
7, bd Romain-Rolland - Montrouge - Usine de La Flèche.
LIBRAIRIE GÉNÉRALE FRANÇAISE - 14, rue de l'Ancienne-Comédie - Paris.

ISBN : 2 - 253 - 02197 - 0   30/5252/9